# De chair et de sang

Œuvres de John Harvey
chez le même éditeur

*Cœurs solitaires*
*Les Étrangers dans la maison*
*Scalpel*
*Off Minor*
*Les Années perdues*
*Lumière froide*
*Preuve vivante*
*Proie facile*
*Eau dormante*
*Couleur franche*
*Now's the Time*
*Derniers sacrements*
*Bleu noir* (anthologie établie par J. Harvey)
*Demain ce seront des hommes* (anthologie présentée
    par J. Harvey)
*De cendre et d'os*

# John Harvey

# **De chair et de sang**

Traduit de l'anglais
par Jean-Paul Gratias

*Collection dirigée par
François Guérif*

# Rivages/noir

Retrouvez l'ensemble des parutions
des Éditions Payot & Rivages sur

www.payot-rivages.fr

Titre original : *Flesh and Blood*

© 2004, John Harvey
© 2005 Éditions Payot & Rivages
pour la traduction française
© 2007, Éditions Payot & Rivages
pour l'édition de poche
106, bd Saint-Germain – 75006 Paris

ISBN : 978-2-7436-1695-3
ISSN : 0764-7786

*Pour Patrick,
un sacré bonhomme*

« Les événements ont eu lieu. Rien ne peut les effacer ; rien ne peut les rendre différents de ce qu'ils ont été. »

Charles Dickens, *David Copperfield*


« Mais pourtant tu es ma chair, mon sang, ma fille,
Ou plutôt une maladie qui est dans ma chair,
Et que je dois appeler mienne. »

William Shakespeare, *Le Roi Lear*

Toutes les notes sont du traducteur.

# 1

Caressant et insidieux, le chat lui frôla le visage. Elder, encore aux trois quarts endormi, le repoussa du bras. Quelques instants plus tard, l'animal revenait à la charge, lui donnant des petits coups de tête, son ronronnement sonore résonnant dans le crâne d'Elder. Aiguisées, les griffes du chat pétrirent la chair tendre du haut de son épaule, dc sa nuque. Sous lui, l'oreiller exhalait une âcre odeur de sueur. Laborieusement, il se tourna pour soulever l'animal et l'écarter de lui. Sous ses doigts, il sentit une fourrure moite aux poils entremêlés, une peau flasque qui pendait, trop ample, sur une cage thoracique étriquée. À travers les fentes des paupières, les yeux brillaient d'une lueur jaune dans la quasi-obscurité.

Tandis qu'Elder faisait l'effort de se redresser sur son séant, le chat se tortilla entre ses mains et le mordit profondément à la base du pouce. Poussant un juron, Elder laissa l'animal tomber sur le lit d'où il bondit sur le plancher en crachant. Quand Elder porta sa main à sa bouche, le goût de son propre sang lui parut âpre et piquant.

Et à présent il y avait d'autres chats, en groupes serrés de deux ou trois, qui émergeaient de l'ombre aux confins de la chambre. Elder entendait le souffle un peu rauque de leur respiration sauvage,

11

grave et saccadée. Rejetant le drap, il commença à enfiler ses vêtements, les chats le serrant de près maintenant, se frottant contre ses chevilles, courant sur ses pieds nus.

Quand il tint la porte ouverte et tenta de les chasser, ils rebroussèrent chemin, s'insinuant entre ses jambes, pour se diriger vers l'escalier en une masse mouvante et souple.

Dans la pièce, à l'étage, des yeux l'épiaient sans ciller, lui rendant son regard, et quand il s'avança, Elder sentit céder sous son pied nu quelque chose de mou et de lisse. Une portée de chatons nouveaunés, glabres et aveugles, se tortillaient en geignant sur le plancher nu. Un vomissement lui monta à la gorge. Depuis il ne savait où, non loin au-dessus de sa tête, un chat adulte bondit sur Elder, toutes griffes dehors. Une traînée de sang jaillit de son bras, une autre lui stria la joue. La porte qu'il avait franchie était à présent fermée.

En tremblant, Elder traversa la pièce vers un second escalier. Quand il parvint au sommet, la dernière marche s'enfonça sous son poids, et il dut s'arc-bouter entre les deux murs avant de sauter par-dessus le trou.

Par les fentes du toit, une lumière pauvre tombait sur le plancher.

Rien ne bougeait.

À l'autre bout de la pièce se trouvait un lit étroit. Qui n'était pas vide. Mais presque. Sous une couverture grise et râpée, quelque chose était roulé en boule. Elder sentit le froid ambiant saisir ses bras et ses jambes, ses muscles se tétaniser. Il savait, ou il pensait savoir, ce qui gisait là, hors de sa vue. Les chats, presque silencieux à présent, l'avaient suivi dans la pièce. Ils attendaient, passifs, massés autour de lui. Entre le lit et l'endroit où se tenait Elder, restait une distance importante, d'un bon pas environ ;

entre son pouce et son index glacés, la couverture était rugueuse. Quand il la tira en arrière, elle se déchira en lambeaux.

Les jambes de la petite étaient relevées contre sa poitrine, contre ses seins minuscules et creusés, les os de ses fesses pointues transperçaient sa peau tavelée. La puanteur envahit la bouche d'Elder, lui emplit les narines. D'un côté, le visage du cadavre, celui d'une jeune fille de seize ans, peut-être dix-sept, avait presque entièrement disparu. Il y avait des traces de morsure, petites et profondes, autour d'une orbite.

Alors qu'Elder se penchait en avant, l'un des bras de la petite jaillit vers lui, la main tendue, cherchant la sienne à tâtons. Elle l'agrippa, et ne voulut plus la lâcher.

## 2

Depuis la place qu'il occupait sur le faîte du mur de pierre, Elder suivit des yeux l'arrivée de l'autocar qui prenait à faible allure la courbe de la route, à mi-pente entre la lande rocailleuse qui la dominait et la terre fertile en contrebas. Aujourd'hui, le ciel présentait plusieurs nuances de bleu, la plus pâle à l'endroit où il s'incurvait pour rejoindre la mer, transformant l'horizon en une pulsation lumineuse sur laquelle la silhouette d'un gros bâtiment, un tanker, semblait avoir été collée comme une image découpée dans un livre pour enfants. Elder savait qu'il devait y avoir d'autres navires, deux ou trois bateaux pour la pêche aux homards, qui vérifiaient leur prise au pied des falaises, où il ne pouvait les voir.

Il vit l'autocar s'arrêter et Katherine en descendre, puis rester un moment immobile jusqu'à ce que le véhicule fût reparti, présence solitaire au bord de la route et, à cette distance, à peine reconnaissable à l'œil nu. Et pourtant, il savait que c'était bien elle : à sa façon de tourner la tête, de se tenir bien droite.

D'un mouvement vif, Katherine passa une bretelle de son sac sur une épaule, le hissa sur son dos, et traversa la route en direction du sentier qui allait

14

la mener, en descendant la pente, au cottage où vivait Elder.

Sautant du mur, il se hâta de traverser le pré pour aller à sa rencontre.

Il y avait trois cottages identiques en alignement. On les avait construits pour loger les familles d'ouvriers agricoles, à l'époque où les terres de la région étaient encore cultivées. Plus loin, s'élevaient une maison isolée et un atelier appartenant à une artiste peintre locale, une femme plutôt agréable qui restait seule la plupart du temps, se contentant de saluer Elder d'un signe de tête lorsqu'ils se croisaient sur le sentier menant à la mer, se donnant rarement la peine de parler.

– Vous n'êtes pas écrivain ? avait demandé la propriétaire le jour où Elder était venu verser son dépôt de garantie, son premier mois de loyer.

– Non. Pourquoi me posez-vous cette question ?

La dame avait souri.

– Oh, on en voit de temps en temps, qui viennent ici dans l'espoir que l'atmosphère déteigne sur eux. Vous savez, D. H. Lawrence a vécu là, avec Frieda, sa femme. Dans l'un des cottages. Katherine Mansfield, aussi, pendant un temps.

– Ah, oui ? avait dit Elder. Très bien, très bien.

Enfin, Lawrence, au moins, il en avait entendu parler.

Cette rencontre remontait à plus de deux ans, au début du printemps, quand les bourgeons étaient encore rares. Alors que, la veille encore, Elder appartenait à la police de Nottingham, inspecteur principal avec trente ans d'ancienneté, marié pendant plus de quinze ans et père d'une fille qui en avait quatorze, le lendemain – ou du moins, c'est l'impression qu'il en avait – il avait donné sa démission, pris sa retraite, quitté tous les siens.

15

Il était parti aussi loin qu'il est possible de le faire quand on vit en Angleterre et qu'on est limité par l'Océan. Il avait vu cette maison par hasard, et c'était là qu'il s'était fixé. Deux pièces à l'étage, deux au rez-de-chaussée, et pas grand-chose de plus ; des sols dallés, des murs en pierre ; quant à l'ensoleillement, à certaines heures privilégiées, la lumière inondait toutes les pièces depuis la façade jusqu'au mur du fond. À part une carte postale de temps à autre, Elder n'écrivait pas ; et au bout d'un moment, il renonça même à cela aussi. Il se mit à lire. Il essaya Lawrence, mais ne tarda pas à l'abandonner. Sous l'escalier, il découvrit une petite pile de livres de poche qui prenaient l'humidité : Priestley, Du Maurier, Dornford Yates. Quand sa réserve s'épuisa, il acheta des livres d'occasion aux ventes de charité de l'église et autres brocantes. Il découvrit qu'il prenait plaisir aux aventures maritimes, signées Forester, Reeman et Alexander Kent. Plus récemment, il s'était entiché de H. E. Bates.

Lui qui était resté vingt ans et plus sans ouvrir un bouquin, cela le fascinait, cette façon dont une histoire pouvait vous arracher à vous-même, vous attirer dans son univers.

Le soir, parfois, il écoutait la radio, à fort volume, avide d'entendre des voix. Tout en sachant qu'il n'avait pas besoin de leur répondre.

À présent qu'il avait tout juste dépassé le dernier cottage, Elder s'arrêta pour regarder Katherine apparaître au détour de l'ultime courbe du sentier.

Elle portait des chaussures de marche légères, montantes, des chaussettes retournées par-dessus un collant vert pâle, une jupe de toile d'une teinte plus foncée, descendant au genou ; un anorak d'emprunt, trop grand de plusieurs tailles, non fermé. Quand elle vit Elder et qu'elle courut pour franchir les dix derniers mètres, ses cheveux, bruns et légèrement bouclés, flottèrent derrière elle comme le faisaient autrefois ceux de sa mère.

– Papa !

– Kate.

Il s'était demandé s'il ne devrait pas craindre une certaine gêne, quelques hésitations, au bout de... combien de temps ? Six mois ? Plus encore. Leur dernière rencontre remontait à l'été précédent, dans le Nottinghamshire, et elle avait été brève. Mais, non, ils tombèrent dans les bras l'un de l'autre, et il sentit, à travers les vêtements qu'elle portait, la petitesse relative de sa charpente. Le visage de Kate, plaqué contre le haut de sa poitrine, n'atteignait pas le niveau de son menton, et lentement, les yeux fermés, Elder enfouit son propre visage dans les cheveux de sa fille, se remémorant l'odeur qui en émanait lorsque la petite avait deux, trois ou quatre ans.

– Allez, viens..., dit-il, desserrant son étreinte et reculant d'un pas. Entrons.

Katherine ne savait pas à quoi s'attendre : un capharnaüm de linge sale et de chaussettes éparpillées, de cannettes de bière vides et de casseroles sales ? La maison des sept nains avant Blanche-Neige ? Un vieux célibataire sur le déclin ? Mais non, tout était net et bien rangé ; la tasse, la soucoupe, le bol et l'assiette dont s'était servi son père pour le petit déjeuner, alignés sur l'égouttoir, attendaient de retourner dans le placard. Bien sûr, il avait dû faire un effort pour son arrivée, passer l'aspirateur, mettre de l'ordre, donner un coup de chiffon.

– Thé ou café ? Pas de l'instantané, du vrai, en grains.

D'un mouvement d'épaules, Katherine se débarrassa de son anorak, puis elle en enveloppa le dossier d'un fauteuil.

– Mais tu ne bois pas de café ! Tu n'en supportais même pas l'odeur, à la maison.

– J'ai le droit de changer, non ?

Kate le regarda par-dessous ses cils baissés.

– Du thé, ce sera très bien.

– Je n'ai que du thé en sachets.

– Peu importe.

Tandis que son père s'activait dans la cuisine, Katherine examina les lieux. Les meubles, supposa-t-elle, avaient dû être vendus avec les murs ; ils ressemblaient à ceux que l'on voyait entassés sous les panneaux annonçant qu'une maison devait être entièrement vidée. Des rideaux imprimés à fleurs, un revêtement de sol en jonc tressé. Une bibliothèque bourrée de livres de poche. La lourde table de salle à manger marquée çà et là de cercles laissés par des verres ou des bouteilles, éraflée d'un côté. Sur l'étroite cheminée, une photo dans un cadre noir tout simple, un portrait d'elle à quatorze ans, pris peu de temps avant que la famille ne vole en éclats ; au-dessous, dans le foyer, tout était prêt pour une flambée, papier, bois, charbon. Pas de stéréo, pas de télé. Au premier, la porte de la chambre de son père était ouverte : couette repliée en biais, oreillers gonflés ; sur une petite table, un radio-réveil, une lampe, un verre vide, un livre.

– Katherine. Le thé est prêt.

Laissant tomber son sac à dos sur le lit de la chambre voisine, elle redescendit.

Il faisait juste assez bon pour s'installer dans le petit jardin à l'arrière de la maison, car la brise venant de la mer était fraîche mais pas cinglante. En cette fin d'avril, le soleil, encore haut dans le ciel, n'apportait guère de chaleur. À la lisière du jardin, un mur bas en pierre menait à un pré où paissaient des vaches noires et blanches. Deux pies jacassaient bruyamment depuis les branches d'un arbre proche.

– Alors ? Comment s'est passé ton voyage ?

– Bien.

– Finalement, tu es venue en car ou en train ?

– Ni l'un ni l'autre.

– Comment se fait-il ?

– J'ai fait du stop.

– Tu as fait quoi ?

Katherine soupira.

– Je suis allée jusqu'à Penzance en stop, et de là, j'ai pris le bus.

– Je t'ai envoyé le prix du billet.

– Attends. (Elle se leva à demi.) Je vais te le rendre.

– Ce n'est pas ce que je veux dire.

– Alors, quoi ?

– Voyager en stop, comme ça. C'est dangereux. C'est un risque inutile. C'est...

– Écoute. Je suis saine et sauve. Je suis là. Regarde. En un seul morceau.

– Pour rentrer, tu prends le train. Même si je dois te faire monter moi-même dans le wagon.

– D'accord.

– Je parle sérieusement, Katherine.

– Et moi, j'ai dit d'accord. D'accord.

Mais elle souriait, elle n'avait pas cet air boudeur qu'elle pouvait prendre autrefois.

– Et le thé, il est comment ? demanda Elder.

Katherine haussa les épaules.

– Comme du thé ?


Suivant le sentier étroit tracé entre les champs, ils passèrent devant plusieurs bâtiments agricoles pour atteindre l'endroit où la falaise avançait en surplomb au-dessus de la mer.

– Dis-moi, qu'est-ce que tu peux bien faire de tes journées ? demanda Kate. (Face au large, elle ouvrit largement les bras.) Tu vas à la pêche ?

19

– Pas exactement.

Parfois, il se rendait en voiture au petit port de Newlyn, il assistait au déchargement des bateaux de pêche, et il achetait des maquereaux ou des soles qu'il rapportait chez lui.

– Moi, ici, je deviendrais folle. Au bout d'une semaine.

Elder sourit.

– On verra.

– Papa, je vais rester moins longtemps que ça.

– Je sais.

Il avait espéré le contraire.

– J'ai une soirée, samedi prochain. Il faut que je rentre.

Elder montra la direction que prenait le sentier, entre deux pans de rocher.

– Si nous passons par là, nous pouvons faire le grand tour et revenir en traversant le pré derrière la maison.

– D'accord.

Pendant un bref moment, seulement, elle lui prit la main.


Ce soir-là, ils allèrent dîner dans un pub, entre Trewellard et St Just. Dans la salle à manger, juste à côté du bar principal, il y avait une douzaine de tables, la plupart occupées. Katherine s'était changée ; elle portait une jupe longue en jean et un T-shirt qui la moulait trop pour qu'Elder se sente parfaitement à l'aise en sa compagnie. Pour sa part, il avait mis sa tenue habituelle, un jean et une chemise en coton aux couleurs passées, un pull bleu marine à présent plié sur le dossier de sa chaise. Elder commanda un carré d'agneau et regarda, amusé, Katherine dévorer un filet de bœuf sans paraître reprendre son souffle.

– Tu n'es pas végétarienne, cette semaine ?

Souriant jusqu'aux oreilles, elle lui tira la langue.

Lorsque les assiettes vides furent remportées, ils s'installèrent confortablement, parlant de choses et d'autres, le bourdonnement des autres conversations les isolant dans leur bulle.

– Comment ça va, la course à pied ?

– Bien.

– Tu as commencé ton entraînement de printemps ?

– Quelque chose comme ça.

Katherine s'était mise sérieusement à ce sport vers l'âge de dix ans, et c'est Elder qui avait été le premier à l'encourager, à courir avec elle, qui avait été son mentor. La première fois qu'elle avait représenté son club sur deux cents mètres, elle avait terminé troisième. Elle était la plus jeune de l'épreuve.

– Le premier meeting ne doit plus être loin ?

– Le championnat du comté, au milieu du mois.

– Et tu t'alignes sur quelle distance ? Le deux cents mètres et le trois cents ?

Katherine secoua la tête.

– Le trois cents seulement.

– Comment se fait-il ?

– Le trois cents, je peux le gagner.

Elder s'esclaffa.

– Quoi ?

– Rien.

– Tu trouves que j'ai la grosse tête, c'est ça ? Que je suis prétentieuse ?

– Non.

– Si, j'en suis sûre.

– Non, répéta Elder. Tu es sûre de toi, voilà ce que je dirais. Pleine d'assurance.

Elle leva les yeux vers lui.

– Il a peut-être bien fallu que je le sois.

Croisant le regard du serveur, Elder fit signe qu'il désirait l'addition. Katherine faisait tourner une bague en argent autour de l'auriculaire de sa main gauche.

– Comment va ta mère ?

– Demande-le-lui.

– C'est à toi que je le demande.

Sortant son téléphone portable de son sac, Katherine le posa sur la table devant Elder.

– Demande-lui toi-même.

Quand l'addition arriva, c'est à peine s'il la regarda. Il la rendit avec sa carte de crédit, avant de reprendre son pull sur le dossier de sa chaise. Katherine laissa tomber dans son sac son portable qui n'avait pas servi.

De petits cailloux crépitèrent, roulant sous ses pneus, quand il descendit le chemin à faible allure. Au premier étage du cottage, il avait laissé une lampe allumée.

– Je suis assez fatiguée, annonça Katherine quand ils furent à l'intérieur. Je crois que je vais aller me coucher tout de suite.

– Bon, très bien. Tu veux quelque chose ? Du thé, ou...

– Non, merci. Ça ira.

Levant la tête vers lui, elle lui effleura la joue de ses lèvres.

– Bonne nuit, papa.

– Bonne nuit.

Il versa du whiskey dans un verre qu'il emporta dehors. Dans l'obscurité, les vaches dont il ne distinguait que les silhouettes se pressaient les unes contre les autres, et quand il s'avança, un animal invisible détala le long du mur de pierre. Çà et là, des points lumineux clignotaient sur l'étendue noire de la mer. Ce soir, avec Katherine dans la maison, le rêve le laisserait peut-être dormir en paix.

## 3

Depuis sa chambre, de l'autre côté du palier, Katherine entendit hurler son père.

Quand elle poussa la porte d'Elder, elle le trouva dressé sur son lit, à demi assis, à demi en appui sur ses bras, luisant de sueur.

– Ce n'est rien, dit-il. Rien du tout. Juste un rêve.

Drapés dans le silence, ils étaient assis face à face dans la pièce du rez-de-chaussée. Katherine avait fait du thé qu'ils buvaient fort et sucré, et, dans le cas d'Elder, arrosé de whiskey. Sur le cadran de l'horloge, la petite aiguille s'acheminait vers le chiffre quatre. Dans peu de temps, il ferait jour, ou presque. Quand sa fille l'avait interrogé au sujet de son rêve, il s'était contenté de secouer la tête.

Posant sa tasse de thé, Katherine remonta dans sa chambre et en revint avec un briquet jetable et un paquet de cigarettes. Elder ne savait même pas qu'elle fumait.

– Ne t'inquiète pas, dit-elle. J'arrête bientôt. (Et, comme Elder ne réagissait pas :) Ce n'est pas la première fois, hein ?

Il secoua la tête de nouveau.

– Ça dure depuis longtemps ?

– Assez, oui.

Les rêves avaient commencé six mois après son installation, de façon sporadique d'abord, une ou deux fois par semaine, pas plus ; c'étaient toujours des variations sur le même thème, les chats, l'escalier. En général, il se réveillait avant la dernière étape, la dernière scène, la forme humaine sur le lit. Et puis, l'hiver venu, ils se firent plus nombreux, plus pressants, au point qu'il en vint à redouter le moment d'aller se coucher, préférant veiller, écouter la radio, confronté à l'image de son propre visage, fatigué, les traits tirés, que lui renvoyait la vitre. Il consulta un médecin, prit des pilules, rendit visite à une psychothérapeute. Et dans le confort feutré de son cabinet, il déterra un incident ancien, une confrontation avec des chats à demi sauvages, quand il était encore enfant. Il ne retourna pas la voir.

— Tu as envie d'en parler ? demanda Katherine.

Nouveau signe de tête.

— Cela pourrait t'aider.

— Je ne crois pas.

— Mais, papa, tu ne peux pas...

— Je ne peux pas faire quoi ?

Elle n'en savait rien. Ou, si elle le savait, elle ne le dit pas.

Elder captait l'odeur de sa propre sueur qui avait séché sur lui, et il redoutait que Kate ne remarque, elle aussi, ces relents et les résidus de sa peur.

Katherine éteignit sa cigarette et se leva.

— Allez, viens, on va se promener.

— Je ne pense pas..., commença Elder. Si, tu as raison. On y va.

À l'endroit où le ciel rejoignait la mer, un mince anneau orangé apparaissait sous un nuage noir et violet. Lumière pourpre. Le lent martèlement des vagues contre le pied des falaises, leurs assauts et leurs retraits. L'humidité qui baigne les prés et flotte dans l'air. Le premier chant d'oiseau de la journée.

– Le fait que tu vives seul, fit Katherine, ça ne doit pas arranger les choses.

– Je n'étais pas seul cette nuit. Tu dormais de l'autre côté du palier.

– Ce n'est pas ce que je voulais dire.

Il y avait eu une femme – d'une trentaine d'années, vive, séduisante, serveuse dans un café de Sennen Cove. Pendant des mois, Elder lui avait parlé à intervalles réguliers avant de l'inviter à sortir : le cinéma à Penzance, un dîner dans un restaurant où la nourriture était médiocre et la musique assourdissante. Au bout d'un moment, elle avait fini par ne plus supporter les silences d'Elder, les pans de son existence qu'il gardait pour lui, dont il lui refusait l'accès. « Si je dois rester dans mon coin, lui avait-elle déclaré, j'aime autant être toute seule. »

Il l'avait revue, depuis, à une ou deux reprises, riant au bras d'un pêcheur aux cheveux blancs et aux joues hâlées. Heureuse, ou donnant l'impression de l'être.

– Tu pourrais toujours passer une annonce, tu sais. (Un sourire s'esquissa sur le visage de Katherine.) Ancien policier quinquagénaire cherche compagne. Photo appréciée. Expert dans l'art de passer les menottes.

Elder s'esclaffa.

– Merci beaucoup. Tu penses que j'en suis arrivé là, c'est ça ?

S'arrêtant net, Katherine l'examina, détaillant ses rides, le bleu de plus en plus pâle de ses yeux.

– Sans doute pas.

De retour au cottage, Elder se débarrassa de ses vêtements, se glissa entre les draps, et dormit jusqu'à neuf heures passées, quand il fut réveillé par le son de la radio, l'odeur du café, du pain sorti tout chaud du grill et sur lequel fondait du beurre frais.

Pendant le reste du séjour de Katherine, le rêve d'Elder ne fut plus mentionné, et d'ailleurs il ne se manifesta plus. Ensemble, ils visitèrent la Tate Gallery à St Ives, et Elder fut davantage impressionné par le bâtiment lui-même, par la façon dont sa façade en grande partie vitrée s'incurvait selon le contour de la baie, que par les œuvres d'art qu'il abritait. Au cap Cornwall, ils grimpèrent au sommet du promontoire le plus élevé pour regarder les phoques, au pelage lisse et brillant, qui jouaient parmi les vagues. Après trois heures de secousses en tous sens sur un petit bateau de pêche, ils ne ramenèrent qu'un maquereau malingre et deux crabes. Ils arpentèrent les prés jusqu'à Zennor, et les sentiers côtiers aussi bien vers l'est que vers l'ouest. Ils mangèrent des pâtés de viande et de légumes, du cabillaud et des frites, des thés complets à la crème fraîche. Dans le jardin des sculptures de Barbara Hepworth, ils s'installèrent sur des chaises blanches, se protégeant les yeux de l'éclat du soleil. Quand un chaton gris et blanc sauta sur ses genoux, Elder, au lieu de le chasser, le laissa s'installer, la queue enroulée autour du corps, une patte sur les yeux.

La veille du départ de Katherine, Elder l'emmena au Café de la plage, à Porthminster, et après le dîner ils marchèrent sur le sable.

– Ça se passe comment, à la maison ? demanda Elder.

À part un homme qui promenait son chien et un jeune surfeur en combinaison de plongée décidé à profiter de la dernière vague, ils avaient la plage pour eux seuls.

– Plutôt bien, je dirais, répondit Katherine.

– Et Martyn, ajouta Elder, il est gentil avec toi ?

– Il est sympa.

À Londres, Martyn Miles possédait un magasin de vêtements dans King's Road, un autre à Kensington, et une chaîne de salons de coiffure baptisée Select-Tif, avec des succursales à Londres, Bath, Cheltenham, Derby et Nottingham. Quand Elder et Joanne, mariés depuis sept ans, avaient quitté le Lincolnshire pour s'installer à Londres, Joanne avait travaillé comme coiffeuse dans l'un des salons de Martyn Miles. Au bout d'un an, alors qu'Elder avait du mal à trouver ses marques dans la police de Londres et que le couple traversait une mauvaise passe, Joanne et Martyn eurent une brève liaison. Quand celle-ci se révéla au grand jour, Joanne et Elder firent le point, chacun confrontant l'autre à quelques vérités domestiques et campant sur sa position. Elder suggéra à sa femme de changer d'emploi, de trouver un nouveau patron, mais Joanne avait un autre avis sur la question : *J'ai besoin de le voir tous les jours pour avoir la preuve que je ne veux plus de lui. Si je le fuis, je n'en serai jamais sûre.*

Huit ans plus tard, alors que Katherine était sur le point de quitter l'école primaire pour entrer au collège, Joanne se vit proposer la gérance d'un nouveau salon que Miles ouvrait à Nottingham. Ils déménagèrent de nouveau. Ils s'installèrent. Katherine était ravie de son nouvel établissement scolaire. Elder s'intégra plutôt facilement à la Division des crimes majeurs. Parfois, on ne voit rien venir avant qu'il ne soit trop tard.

– Je le revois, tu sais. Martyn. Je regrette, Frank, je...
– Tu le revois ?
– Oui, je...
– Tu couches avec lui ?
– Oui. Frank, je suis désolée, je...
– Depuis combien de temps ?
– Frank...
– Tu le revois depuis combien de temps ?

27

– Frank, je t'en prie...

Le whiskey d'Elder éclaboussa le dos de sa main, le dessus de ses cuisses.

– Depuis combien de temps, nom de Dieu ?

– Oh, Frank... Frank... (Joanne était en larmes, à présent, le souffle saccadé, le visage exsangue.) On n'a jamais vraiment cessé de se voir.

Elder et Katherine avaient la plage pour eux seuls, maintenant, la plage et le bruissement doux de la marée qui commençait lentement à changer.

– Un dernier café avant de rentrer ? demanda Elder.

– J'aime mieux pas. Je me lève tôt, demain.

Le temps qu'ils regagnent le cottage, le ciel avait viré au gris et se teintait de noir. Pendant quelques minutes, ils restèrent dehors, en silence, à regarder les étoiles. Le sac à dos de Katherine, déjà prêt, était calé contre le pied de l'escalier.

– Bonne nuit, papa.

Serrant sa fille contre lui, Elder embrassa ses cheveux, sa joue.

– Je suis content que tu sois venue.

– Oui. Oui, moi aussi je suis contente.

Dans la petite cuisine, où les papillons de nuit bataillaient avec la lampe, il resta debout, un verre de Jameson's à la main, à écouter Katherine aller et venir au premier. Puis ce fut le silence. Quand Joanne et lui s'étaient séparés, il avait eu à cœur de rassurer sa fille, ne voulant pas qu'elle s'imagine que cette rupture puisse en aucune façon être de sa faute.

– Je t'aime, Kate, avait-il dit. Tu le sais, ça, n'est-ce pas ?

Elle lui avait rendu son regard avec un petit sourire triste de quatorze ans.

– Je le sais, mais ça compte pas, hein ?

– Comment ça ? Bien sûr que ça compte.

– Non. C'est maman. C'est elle que tu aurais dû aimer plus.

Elder avala la dernière gorgée et rinça son verre. Cette nuit-là, il la passa au rez-de-chaussée dans le fauteuil, une couverture sur les jambes. Un petit déjeuner rapide avant sept heures et puis la route qui traverse l'arête de granit de la péninsule jusqu'à la gare de Penzance. Le train les attendait, portes ouvertes. Il serra brièvement Katherine dans ses bras avant de se détourner.

– Tu viendras me voir courir ?

– Bien sûr.

Un geste de la main, le dernier appel du chef de train, le visage de Katherine à la fenêtre se dissolvant en une tache blanche et floue. Et Elder, au bout du quai, la main levée, la douleur qui lui tordait les tripes soudain aiguë et bien réelle alors que le dernier wagon disparaissait de son champ de vision.

# 4

Le patron du pub le plus proche n'était pas, sans doute, renommé pour son urbanité, mais Elder avait pointé assez souvent son nez au bar pour avoir droit à autre chose qu'un sourire méprisant.

– Il y a eu un appel pour vous, annonça le patron. Une femme. Ça doit être pour vous réclamer sa pension alimentaire, sans doute. (Son rire tonitruant emplit l'espace au-dessus du bar.) Vous devez bien avoir une raison, pour vous planquer comme ça dans un endroit pareil. Elle a dit qu'elle rappellerait vers neuf heures.

Katherine ? se demanda Elder. Joanne ?

Ce n'était ni l'une ni l'autre. Bien qu'il n'eût pas entendu sa voix depuis deux ans, Elder reconnut sans mal les intonations chantantes et les tournures de Maureen Prior. Autrefois seconde d'Elder, elle était à présent inspectrice principale dans la Division des crimes majeurs de Nottingham, au poste qu'avait autrefois occupé Elder lui-même.

– Maureen, que se passe-t-il ?

– Shane Donald.

– Comment ça, Shane Donald ?

– On est sur le point de le libérer. Sous contrôle judiciaire. J'ai pensé que tu aimerais être au courant.

– Merci, Maureen.

À l'âge de dix-sept ans, déclaré coupable de meurtre, Donald avait été envoyé en prison. Quant au co-accusé, Alan McKeirnan, plus âgé que lui et reconnu comme étant le meneur du tandem, les juges l'avaient condamné à la détention à perpétuité. Cela se passait en 1989. À présent, Shane devait avoir passé le cap de la trentaine.

– Les journaux locaux crient au scandale.

– Comment ont-ils appris la nouvelle ?

– Les parents de la victime... On a dû les informer.

– Bien sûr.

La victime, pensa Elder. Lucy Padmore, seize ans, plus jeune d'un an que Donald lui-même au moment des faits.

– Si ça t'intéresse, je découperai les articles pour te les poster.

– Oui, d'accord, Maureen. Je compte sur toi.

Bien qu'ayant travaillé avec Maureen pendant près de trois ans, Elder savait peu de choses à son sujet. En ce qui concernait sa vie privée, elle conservait pour elle le moindre détail avec un soin jaloux. Célibataire à en juger par les apparences, sans doute hétérosexuelle s'il devait avancer une hypothèse, elle ne rechignait jamais à la tâche, aussi fastidieuse ou répugnante fût-elle, tenait honorablement son rang au pub après le service. Elder ne l'avait jamais vue ivre, l'avait rarement entendue jurer. Comparé à Maureen, Elder était limpide, il ne faisait pas de mystère, au point même, comme dit le poète, de donner des verges pour se faire fouetter.

Il resta immobile un moment avant de reposer le combiné et de se tourner de nouveau vers le bar. Shane Donald. Elder gardait le souvenir d'un gamin malingre aux yeux larmoyants, influençable, tombant facilement sous l'emprise de plus fort que lui. Il se demanda aux basques de qui Donald s'était accroché en prison, dans quelle direction il s'était laissé entraîner. À présent, on allait le transférer dans une autre partie du pays, loin du lieu de son crime. Il allait passer, très probablement, les six premiers mois dans un foyer pour ex-détenus en liberté conditionnelle – surveillé de près, pour confirmer que l'on avait eu raison de le juger apte à réintégrer la société.

Elder commanda un double Jameson's et emporta son verre à l'autre bout de la pièce au plafond bas. L'expérience lui avait appris que l'on éprouvait de nombreux sentiments à l'égard des gens que l'on avait arrêtés, surtout pour meurtre, et que la pitié en faisait rarement partie.

Donald était le dernier enfant d'un couple plus très jeune, un « accident » – c'était le sobriquet dont on l'affublait souvent – arrivé sur le tard, une petite chose maladive qui n'avait survécu que de justesse, et c'en était d'autant plus foutrement malheureux, comme sa mère ne se privait pas de le dire. La famille vivait dans le Nord-Est, dans une cité délabrée et insalubre à la périphérie de Sunderland. Trois générations s'entassaient dans une maison dont la moitié des fenêtres étaient occultées par des planches clouées, et la porte de derrière sortait de ses gonds les jours de tempête. Le père de Shane Donald bricolait par-ci par-là, ramassait des bouts de ferraille et les revendait où il pouvait, perdait de l'argent aux courses, touchait une allocation chômage ; sa mère travaillait comme femme de ménage dans l'école voisine. Dès l'âge de douze ans, ses trois frères avaient commencé à avoir des ennuis avec la police. L'une de ses sœurs tomba enceinte à treize ans, l'année même de la naissance de Shane.

C'était une existence qui ne pouvait que tourner mal, ce qu'elle ne manqua pas de faire. Son père le battait systématiquement, lui bloquant la tête d'une main pour lui cingler les fesses avec une ceinture en cuir épais. Son grand-père le maltraitait quand il était soûl ; quand ils étaient à jeun, deux de ses frères le sodomisaient chacun à leur tour jusqu'à ce qu'il saigne. À chaque fois qu'il fuguait, la police ou un travailleur social bien intentionné le ramenait chez lui. Seule la seconde de ses sœurs, Irene, lui témoignait de l'affection, séchant ses larmes et le câlinant sur ses genoux. Mais quand elle quitta la maison, pour épouser un chauffagiste de Huddersfield à cent cinquante kilomètres de là, déjà mère d'un enfant et enceinte d'un second, Shane n'eut plus personne à qui parler, plus personne à qui faire confiance. De plus en plus, il se réfugia dans le petit espace de ténèbres qu'il avait dans la tête.

Aux alentours de son quinzième anniversaire, peu de temps après le départ d'Irene, une cassure se produisit en lui. Pendant le cours de menuiserie, il frappa son professeur avec un montant de bois de cinq centimètres sur dix, brisa une demi-douzaine de fenêtres du même côté d'un bâtiment de l'école, entra dans sa propre maison en forçant la porte, et prit de l'argent frais dans le porte-monnaie de sa mère. Puis il fourra dans un vieux sac de voyage quelques vêtements et tout ce qui valait la peine d'être volé, et fit du stop pour descendre vers le Sud-Ouest.

Ce ne fut pas facile. La plupart des conducteurs, même s'ils ralentissaient, jetaient un regard à Donald et passaient leur chemin pleins gaz. Il passa une nuit, pelotonné contre ses affaires, dans une gare routière à Darlington, et une autre sous une haie près d'une aire de repos, à côté de l'autoroute A61. Quand il arriva chez sa sœur, les yeux caves, il était sale, et ses vêtements sentaient le moisi et pire encore.

Irene le serra dans ses bras et se hâta de le faire entrer. À l'étage, dans la salle de bains, elle le déshabilla comme si c'était un enfant, et lui passa sur la peau un gant de toilette humide.

– Pas la peine qu'il espère rester ici, parce qu'il va dégager vite fait ! déclara Neville, le mari d'Irene.

Sans lui prêter attention, elle étala sur une tranche de pain de la margarine, puis de la confiture, et fit du thé. Elle était enceinte de sept mois, et cela se voyait ; le bébé se présentait par le siège, bien qu'il eût encore le temps de se retourner.

– Mon petit Shane, qu'est-ce qui t'arrive ? demanda-t-elle en le regardant dévorer sa tartine. T'as pas d'ennuis, au moins ?

– Je suis parti de la maison, voilà ce qu'il y a.

– C'est pas trop tôt.

– Et j'y remettrai jamais les pieds, tu peux en être sûre.

– Je t'ai prévenu, lança Neville depuis le pas de la porte, pas question que tu t'incrustes ici.

– Te mêle pas de ça, dit Irene. C'est moi que ça regarde, pas toi.

– Ah, oui ? Tu crois ça ?

Il s'avança d'un pas vers elle, le poing serré, mais Irene soutint son regard et lui fit baisser les yeux.

– Il serait temps, non, que tu partes au boulot ?

Neville pivota sur ses talons et sortit sans un mot de plus.

– Ne t'en fais pas, dit Irene à Shane. Ça ira mieux ce soir. Il va se calmer.

Elle pourrait préparer un lit pour son frère, se disait-elle, mettre un matelas par terre. Au moins, jusqu'à l'arrivée du bébé.

Mais bien avant cela, Shane avait fait la connaissance d'Alan McKeirnan, et la série d'événements qui devait le mener jusqu'au meurtre avait commencé.

Elder fit couler dans sa bouche le fond de son verre de Jameson's et le savoura quelques instants sur la langue. Il se rappela le commentaire d'un de ses collègues le jour où ils avaient enfin vu, entre les murs du commissariat, Shane Donald, menottes aux poignets, ses cheveux bruns coupés ras, un soupçon de moustache disputant aux boutons de fièvre l'honneur d'orner la lèvre supérieure de sa bouche exsangue.

– On aurait dû le noyer à la naissance, ce petit merdeux. Ou alors, le laisser crever sur sa couverture, et qu'on n'en parle plus.

L'enveloppe portant l'écriture nette et précise de Maureen Prior arriva trois jours plus tard. La postière laissa sa camionnette au bout du chemin et descendit à pied. C'était la première fois depuis le début du printemps qu'elle avait l'occasion de lui rendre visite.

– Il fait beau, hein? dit-elle en jetant un bref regard au ciel tandis qu'Elder sortait à sa rencontre. Par une journée pareille, ça ne peut être que de bonnes nouvelles.

– Espérons-le, en tout cas.

Elder avait des doutes.

L'enveloppe contenait des pages du *Mansfield Chad* et du *Nottingham Evening Post*. Des photos de Donald et de McKeirnan au moment de leur procès, celle de Donald floue et mal cadrée, saisie au vol par un reporter à travers la vitre d'un fourgon cellulaire en mouvement. L'ASSASSIN D'UNE ADOLESCENTE BIENTÔT LIBRE proclamait la manchette. Libre, pensa Elder, après treize ans d'emprisonnement.

*L'annonce de la libération prochaine de Shane Donald, l'un des deux hommes déclarés coupables, en 1989, du meurtre de Lucy Padmore, 16 ans, a été accueillie avec colère et incrédulité par les parents de la victime, David et Dawn Padmore, de Station Road, à Ollerton. « De quel droit cet individu se promènerait-il en liberté », a demandé, en larmes, Mme Padmore, « alors que ma Lucy n'ira plus jamais nulle part ? »*

*Il est fort probable que Shane Donald, qui sera remis en liberté sous contrôle judiciaire, soit transféré dans une autre partie du pays, et il se pourrait qu'on lui fournisse une nouvelle identité. « Ils peuvent faire tout ce qu'ils voudront », a déclaré un peu plus tard David Padmore, laissant éclater une émotion incontrôlable, « je le retrouverai, et quand je mettrai la main sur lui, il regrettera de ne pas être resté derrière les barreaux. »*

Il y avait deux photos de Lucy. La première, un portrait convenu, la montrait vêtue de l'uniforme de son école, adressant un sourire quelconque à l'objectif ; mais sur l'autre, prise sur le vif, on découvrait une jolie jeune fille blonde en jean et sweat-shirt, riant à une remarque qu'elle venait d'entendre.

Elder supposa que c'est à cela qu'elle devait ressembler quand elle les avait rencontrés, McKeirnan et Donald, sur le front de mer à Mablethorpe, où elle passait des vacances avec sa famille. Alan McKeirnan, vingt-six ans, cheveux noirs figés par la brillantine en un toupet rétro façon années cinquante, les bras couverts de ces tatouages qu'affectionnent les forains, blouson de cuir clouté toujours ouvert, jean bien serré à la taille par un ceinturon. C'est lui qui avait dû l'aborder en premier, exerçant un certain charme teinté d'effronterie. Donald, quant à lui, c'est à peine si elle avait dû le remarquer, ombre incongrue à la traîne d'un homme plus âgé. Un homme plus âgé : cela avait pu plaire à

36

Lucy, contribuer à l'attirance qu'il exerçait sur elle. Tout comme sa proposition d'aller faire un tour sur sa moto. Une Norton 750, aux chromes étincelants. « Hé, Shane, passe-lui ton casque. Tu peux nous rejoindre à pied. » Elder imaginait McKeirnan, emmenant Lucy avec un clin d'œil à Donald et un sourire satisfait. Une promenade de vingt minutes jusqu'au petit terrain de caravaning où Donald et lui s'étaient installés, à l'intérieur des terres, loin de la côte.

C'est là qu'ils l'avaient retenue contre son gré pendant cinq jours, prisonnière, lui faisant subir des viols à répétition, de plus en plus brutaux, qui avaient fini par entraîner sa mort. Son corps fut découvert, mutilé et meurtri, dans une tombe creusée à la hâte dans les broussailles et le chiendent, près du chemin côtier qui traverse les dunes.

On remarqua des similitudes entre cette affaire et plusieurs cas d'agressions sexuelles commises de l'autre côté de la limite du comté, dans le Nottinghamshire, et qui s'étalaient sur plusieurs années. Dans le plus récent d'entre eux, un an plus tôt, une jeune femme nommée Michelle Guest avait été séquestrée pendant quarante-huit heures et contrainte de prendre part à toutes sortes d'activités sexuelles, dont une pénétration à l'aide d'un instrument contondant, avant d'être relâchée, débarquée d'une voiture sur une route de campagne entre Retford et Gainsborough, en pleine nuit. Âgée de dix-sept ans, d'une intelligence inférieure à la moyenne, elle se livrait par intermittence à la prostitution depuis qu'elle avait quitté le système scolaire. Quand un fermier la trouva le lendemain aux premières heures du jour et qu'il prévint la police, elle était recroquevillée contre une meule de foin, désorientée, terrifiée, à peine capable de s'exprimer. « Ils étaient deux, deux, deux... », c'est à peu près tout ce qu'elle parvint à dire.

Une équipe de police interrégionale fut mise en place, Elder et un inspecteur principal du Nottinghamshire, Terry Foster, menant les investigations sur le terrain. Un autre inspecteur fut chargé de diriger le bureau des enquêtes où l'on tint à jour les divers éléments de l'affaire et d'où furent consultées les archives locales, des officiers de police et des civils accédant à l'ordinateur national HOLMES[1], triant et classant les données avant de décider quels noms écarter, quels individus considérer comme suspects, et de lancer des recherches.

Alan McKeirnan figurait dans le second groupe. Au cours des dernières années de son adolescence, condamné pour attentat à la pudeur, il avait purgé une peine de prison de dix-huit mois. Depuis, on l'avait soupçonné d'être mêlé à plusieurs affaires de même nature, dont une tentative de viol. Appréhendé à chaque fois pour interrogatoire, il n'avait jamais été inculpé.

Sans domicile fixe, il travaillait occasionnellement comme mécanicien ; la plupart du temps, il était sur la route avec l'une ou l'autre des diverses fêtes foraines itinérantes qui sillonnaient le pays en tous sens, se regroupant pour les événements nationaux de première importance, telle la Foire aux Oies de Nottingham. Quand Elder finit par le rattraper, McKeirnan réparait une auto-tamponneuse détraquée dans un parc de loisirs à Skegness, la sono pourrie du manège braillant du Gene Vincent, *Be-Bop-A-Lula* et *Bluejean Bop*.

– Y a pas mieux, dit McKeirnan en essuyant sur le devant de sa salopette ses paumes pleines de cambouis. Gene Vincent, Eddie Cochran, Charlie Feathers.

1. HOLMES : *Home Office Large Major Enquiry System*, grand système d'investigation informatisé du ministère de l'Intérieur britannique.

C'étaient des noms qu'Elder se rappelait vaguement du temps de son enfance, et il se demanda ce qui poussait un type qui devait avoir à peu près la moitié de son âge à écouter ces gens-là.

– Vous pouvez baisser le son ? hurla Elder pour se faire entendre malgré le vacarme.

McKeirnan fit un signe en direction de la cabine du manège, et au bout de quelques instants, le volume redescendit vers un niveau normal.

– Qui c'est, ça ? demanda Elder en désignant le jeune qui avait rendu son signe à McKeirnan avant d'exécuter ses instructions.

– Ça ? fit McKeirnan. C'est personne.

Elder devait découvrir plus tard qu'il s'agissait de Shane Donald.

– Mais vous, en revanche, vous êtes bien Alan McKeirnan ?

– Lui-même.

Déjà, il affichait un sourire plein d'assurance.

– Et ça ne vous dérangerait pas de répondre à quelques questions ?

– Ça dépend.

– De quoi ?

– De ce que ça peut me rapporter.

– Et si ça vous rapportait d'éviter la prison ?

– Ça me paraît valable.

Sortant un paquet de cigarettes de la poche de poitrine de sa salopette, McKeirnan le tendit vers Elder et le collègue qui l'accompagnait. L'un et l'autre déclinèrent son offre. Tapotant le fond de la boîte en carton, McKeirnan fit sortir une cigarette, la planta entre ses lèvres, et sortit un briquet genre Zippo, une imitation. Il aimait bien le claquement sec et bref du couvercle quand il l'ouvrait et le refermait avec le bord de la main.

Elder lui demanda où il était le jour où Lucy Padmore avait disparu, et celui où on avait découvert son cadavre.

– À Hull, répondit McKeirnan sans hésiter.

– Et vous y faisiez quoi ?

Haussant les épaules, McKeirnan regarda autour de lui.

– La même chose qu'ici.

– Et vous avez des témoins, des gens pour qui vous avez travaillé ?

– Je pense que oui.

– Quand vous étiez à Hull, s'enquit le second policier, vous habitiez où ?

– Dans une caravane.

– La vôtre ?

– Oui.

– Où est-elle, à présent ?

McKeirnan s'autorisa un sourire.

– Elle a brûlé, vous voyez ? Pendant le voyage de retour. À cause de quelqu'un qu'a pas été trop prudent avec un bidon de pétrole. (Il secoua la tête.) J'ai eu du pot de m'en tirer.

À l'endroit indiqué par McKeirnan, ils trouvèrent la caravane, une épave carbonisée au châssis tordu. L'équipe de l'Identité judiciaire lui consacra toute son attention pendant presque trois jours. Les techniciens étiquetèrent les éléments qu'ils purent récupérer à l'intérieur, et les firent transporter au laboratoire pour un examen plus poussé. Les taches de sang appartenaient au groupe le plus répandu, celui de McKeirnan, celui de Lucy Padmore également. « Je me suis coupé en me rasant. Je devais être trop pressé, vous croyez pas ? » En plus de celles de McKeirnan, les empreintes d'une autre personne apparaissaient en plusieurs endroits. « L'un des petits gars de la fête foraine, c'est moi qui l'ai amené jusqu'ici, d'accord ? » Rien ne prouvait que Lucy Padmore eût jamais mis les pieds dans la caravane.

Au cours d'une séance d'identification, que ce soit à cause de la peur qui la tenaillait ou d'une perte de mémoire due au traumatisme, Michelle Guest fut incapable de le reconnaître.

McKeirnan s'évanouit dans la nature.

Et une semaine plus tard, une autre jeune fille disparaissait, à environ cent cinquante kilomètres plus au nord, dans un autre comté, mais les ressemblances étaient frappantes. Âgée de seize ans, Susan Blackmore était d'une taille légèrement supérieure à la moyenne, mince et blonde ; la dernière fois qu'on l'avait vue, c'était sur le chemin côtier entre Robin Hood's Bay et Whitby, peu avant trois heures de l'après-midi.

Elder emprunta l'autoroute A1 pour se rendre sur place, traversant la lande, et il prit contact avec Don Guiseley, un officier de la police locale. Il parla aux parents de la jeune fille, Trevor et Helen, au personnel du terrain de caravaning où ils séjournaient, au professeur retraité qui au cours d'une promenade sur le Cleveland Way avait croisé Susan non loin de Saltwick Nab, lui adressant au passage un bonjour qu'elle avait rendu timidement.

Elle avait disparu depuis cinq jours, et Elder redoutait le sixième.

## 5

Et puis la chance leur sourit. Deux brins de laine trouvés sous l'armature noircie du lit pliant se révélèrent provenir du pull que portait Lucy au moment de sa disparition.

Grâce à des examens complémentaires, on découvrit dans les échantillons sanguins provenant de la caravane un ADN correspondant à celui de Lucy Padmore, et pas du tout à celui de McKeirnan.

Un appel à témoins ayant eu affaire à McKeirnan poussa une autre de ses victimes à se faire connaître : une jeune fille de dix-neuf ans, Vicky Rawls, qui jusqu'alors avait gardé le secret sur les terrifiantes vingt-quatre heures qu'elle avait passées dans l'intimité avec Alan McKeirnan et son ami, Shane Donald. Un flirt engagé à la légère qui avait tourné au cauchemar.

Il ne fallut pas longtemps pour retrouver la trace de McKeirnan. Il travaillait dans un garage au nord de Rotherham sur la route de Marshaw, comme carrossier surtout, à redresser des tôles au marteau et à les souder. Il pointait tous les jours à sept heures, et repartait à cinq. Un jeune, correspondant au signalement de Shane Donald, passait une bonne partie de ses journées à traîner dans le garage, à faire le coursier, à bricoler, à passer des outils à McKeirnan.

Ils vivaient tous les deux dans un studio en sous-sol près du centre-ville, avec une salle de bains au premier étage, les toilettes les plus proches au fond de la cour.

Accompagné de trois collègues, Elder retrouva son homologue de la police du Nottinghamshire sur une aire d'autoroute. « Je te le joue à pile ou face », proposa Terry Foster. Et, quand la pièce retomba du côté face : « Bien. McKeirnan, il est pour moi. »

Foster sourit, se réjouissant à l'avance.

Son équipe comptait cinq hommes. La police du South Yorkshire assurait les renforts, une demi-douzaine d'agents en uniforme et autant d'inspecteurs en civil, ainsi qu'une unité d'intervention armée en réserve. Une surveillance était en place aussi bien au studio qu'au garage, aucun policier n'étant visible, pour ne pas risquer de donner l'alerte trop tôt. À sept heures moins vingt, le message fut transmis : McKeirnan était parti à son travail, seul.

Shane Donald, vêtu d'un jean crasseux et d'un T-shirt gris, une paire de baskets aux pieds, s'était traîné, les yeux bouffis, jusqu'à la supérette du coin. Un paquet de vingt Embassy, le *Sun*, et un carton de lait. Il revenait au studio, jetant un œil à la page des sports, quand Elder se mit à marcher à sa hauteur.

– Alors, on est fan, hein ?

– Quoi ?

– Le foot ? On est un peu fan ? Manchester United ? Liverpool ?

– Vous êtes qui, bordel ?

Au même moment, Donald aperçut les deux hommes postés devant la maison, à moins de cinquante mètres, et il comprit. Instinctivement, il pivota pour s'enfuir, le lait et le journal lui échappant des mains, un coin de la brique se fendant à l'atterrissage, pour répandre sur le trottoir son lait demi-écrémé.

Elder saisit Donald par le bras, entre le coude et le poignet.

– Arrête. Ne fais pas l'idiot. Tout ce que tu y gagnerais, c'est de prendre des coups. Ça n'en vaut pas la peine.

On les emmena dans deux commissariats différents, McKeirnan avec des écorchures au visage et aux mains, une bosse au-dessus de l'œil, et près de l'aine la trace à peine visible laissée par un brodequin à bout renforcé. Il sifflait *Summertime Blues* entre ses dents cassées.

– Cela fait déjà quarante-cinq minutes que mon client attend la visite d'un médecin, tempêta, cramoisi, l'avocat de service.

– Mon père, il a attendu dix-huit mois qu'on lui pose une prothèse de hanche, répondit l'officier de permanence. C'est comme ça, de nos jours.

– Je ne trouve pas ça drôle...

– Exactement ce que mon père a dit. Surtout quand cette saloperie de hanche s'est mise à se déboîter pour un rien. Mais ne vous énervez pas. Le médecin de la police ne va pas tarder.

À douze cents mètres de là, dans les entrailles d'un autre commissariat, l'officier de permanence demanda à Donald de confirmer son âge.

– Dix-sept ans.

– La vérité, petit.

– Dix-sept ans à mon prochain anniversaire.

– Tu veux prévenir quelqu'un que tu es ici ?

Donald secoua la tête.

– Tes parents ?

– Et pour quoi faire, bordel ?

Elder se pencha par-dessus le bureau.

– Il faut joindre les services sociaux, et vite. Leur expliquer la situation. Qu'ils envoient quelqu'un assister à l'interrogatoire. Quand cette personne sera là, veillez bien à ce que le gamin soit de nouveau informé de ses droits. En attendant, tâchons de lui trouver une tasse de thé et un casse-croûte. Un sandwich au bacon, quelque chose de ce genre.

Un peu plus tard, une fois les formalités terminées, l'officier de permanence dit à Elder en désignant d'un signe de tête la cellule de Donald :

– J'ai cru que vous alliez le border dans son lit, lui lire une histoire pour l'endormir.

– Je l'aurais même embrassé pour lui souhaiter bonne nuit, répliqua Elder, si je pensais que ça pourrait nous aider. Quant à l'avocat qui sera commis d'office, on va essayer de faire en sorte qu'on ne nous en envoie pas un qui vient de sortir de la fac de droit, et qui a hâte de se faire un nom.

Il fallut patienter jusqu'au milieu de la matinée pour obtenir les présences requises : une assistante sociale d'âge mûr, en jupe noire et chemisier blanc repassé de frais, des cernes de fatigue sous les yeux ; l'avocat, la cinquantaine bien sonnée, affable, en semi-retraite, apportant sa contribution personnelle à l'aide juridique. Elder avait demandé à Maddy Birch, une inspectrice d'une rare intelligence, au regard doux, de mener l'interrogatoire avec lui. La pièce aux murs nus était basse de plafond et dépourvue de fenêtres – une table, des chaises, un magnétophone à double cassette, un plafonnier. Au début de l'enregistrement, Elder s'identifia et demanda à tout le monde de faire de même. Donald parla d'une voix si faible qu'Elder dut l'inviter à répéter son nom.

Pendant les quinze premières minutes, Elder soutira à Shane Donald des renseignements d'ordre général sur son identité et ses origines, rien d'insurmontable, l'encourageant à se détendre un peu, à se débarrasser en partie de cette raideur qui lui bloquait les épaules, de ce ton constamment sur la défensive. Quand Maddy Birch lui demanda de leur raconter sa première rencontre avec McKeirnan, Donald se tortilla sur son siège, se passa la langue sur les lèvres, et parla d'une voix hésitante. Maddy sourit et lui tira les vers du nez. Il dit qu'ils s'étaient « bien marrés », tous les deux. Que la fête foraine, c'était génial.

– Lucy Padmore, Shane..., fit Elder, glissant ce nom sans prévenir dans la conversation. Elle était comment ?

– Elle était gentille.

– Gentille ?

– Ouais.

– Gentille avec toi ?

– Ben oui, pourquoi elle l'aurait pas été ?

– Et c'est pour ça que tu t'es acharné sur elle ?

– Je...

– Pour la remercier d'avoir été gentille avec toi.

– Je sais pas de quoi vous parlez.

– C'est pour ça que tu l'as tuée ?

– Non !

La chaise partit en biais derrière Donald quand il se dressa brusquement sur ses pieds, l'assistante sociale tendant le bras, pour lui venir en aide ou pour se protéger elle-même, le geste était ambigu.

– Shane...

– Non, dites pas ça.

– Quoi ? Que tu l'as tuée ?

– Dites pas ça.

– Elle est morte, Shane. Rien ne pourra la faire revenir.

Donald haletait, la bouche grande ouverte, aspirant puis rejetant des goulées d'air dans un bruit rauque. Le regard fou, il plaqua une de ses mains sur sa bouche, se frottant l'entrejambe avec l'autre.

– Shane, dit Maddy Birch d'une voix douce, et si tu te rasseyais ?

Sans regarder Elder ni personne, Donald hocha lentement la tête.

– Et si ce n'est pas toi qui l'as tuée, alors c'est quelqu'un d'autre.

Dans la pièce, le silence était tel qu'on entendait le ronronnement du magnétophone, la respiration sifflante, légèrement asthmatique, de l'avocat. Elder crut percevoir une vague odeur de pastille de menthe, mêlée à des relents de transpiration.

– Raconte-nous ça, Shane, fit Elder. Dis-nous comment elle est morte.

Donald rejeta vivement la tête en arrière, puis il rongea les vestiges d'un ongle.

– Shane, dit Maddy Birch, tu n'as pas besoin d'avoir peur.

Les larmes montèrent aux yeux de Shane Donald.

– Tu veux que je te dise ce que j'en pense ? commença Elder. Je crois que vous avez commencé par faire la fête, tous les trois. Toi, Lucy et Alan. Vous avez bu, vous avez bien rigolé. Vous avez peut-être fumé un joint ou deux, je ne sais pas. Vous étiez excités, tous les trois, et puis – je ne sais pas la suite, Shane, et c'est là que tu dois nous aider – d'une façon ou d'une autre, la petite fête a dégénéré. Et quelqu'un a morflé. C'est Lucy qui a morflé.

Donald ferma les yeux.

– Et tu l'aimais bien, non ? Lucy ? Tu nous l'as dit toi-même. Tu n'avais pas envie qu'il lui arrive une chose pareille.

Les paupières de Shane Donald s'ouvrirent tout à coup, son regard se fixa un moment sur Elder, puis se détourna.

– Tu vois, Shane, je crois que tu t'es trouvé embarqué dans une histoire qui ne te plaisait pas, avec laquelle tu n'étais pas d'accord, mais tu avais peur de le dire. Alan était plus âgé que toi, c'était ton modèle. Il t'aimait bien, lui aussi. Mais ce qui s'est passé avec Lucy... Ce qu'il lui a fait... Shane, à mon avis, ce n'est pas juste que toutes les responsabilités retombent sur toi, tu ne crois pas? Un meurtre, Shane, voilà de quoi il s'agit, voilà comment ça s'est terminé. Un meurtre.

Elder tendit le bras et, l'espace d'un instant, tint la main de Shane Donald.

– Aide-nous, Shane. Aide-toi. Dis-nous la vérité.

Quand ce fut terminé, une vingtaine de minutes plus tard, ils avaient une version – hachée, répétitive, pleine de trous – de ce qui s'était passé dans la caravane. McKeirnan avait fait l'amour avec Lucy, puis il l'avait persuadée de recommencer avec Shane avant de se joindre à eux. Puis, plus tard, après plusieurs ecstas, un ou deux pétards, McKeirnan était revenu à la charge, la musique poussée à fond pour couvrir ses ricanements, les hurlements de la jeune fille. Et puis il s'était servi de son poing. D'une bouteille. D'un manche à balai. McKeirnan regardant par-dessus son épaule la tête que faisait Shane Donald. Lucy, pour se libérer, qui cherchait à lui planter ses ongles dans les yeux. La colère de McKeirnan. Sa rage. Et le sang. Le couteau. McKeirnan maudissant Lucy, la rendant responsable de ce qui était arrivé.

Dans la salle d'interrogatoire, le silence se prolongeait.

Elder comprit qu'ils n'obtiendraient rien de plus, pas tout de suite. Il se leva de sa chaise, s'étira, fit le tour de la table, posa ses deux mains sur les épaules de Donald et les pressa.

– Bon. Tu as fait ce qu'on attendait de toi. Maintenant, c'est nous qui allons essayer de t'aider. Si c'est possible.

Un sanglot s'échappa de la gorge de Donald.

Les yeux d'Elder, braqués sur Maddy Birch assise de l'autre côté de la table, étaient aussi durs et clairs que des pierres polies.

– Veillez à ce qu'on lui apporte quelque chose à boire, dit Elder en s'éloignant. Et à manger. Qu'il puisse se reposer avant qu'on l'interroge de nouveau.

– Tu sais qu'il nous embobine pour se tirer d'affaire, n'est-ce pas ? dit Maddy Birch.

Ils étaient sortis derrière le bâtiment. Birch fumait une cigarette, Elder tenait une tasse de café fadasse qu'il avait à peine entamée.

– Tu crois ?

– Tu as lu la déposition de Vicky Rawls, tu as entendu l'enregistrement. Il l'a frappée avec... Quoi, déjà ? Un bout de tuyau d'arrosage.

– Parce que McKeirnan lui a ordonné de le faire. Il l'a menacé.

– Il l'a fait quand même. Et il ne s'est pas arrêté là.

– Je sais.

Birch écrasa sa cigarette contre la semelle de sa chaussure.

– Ils l'ont tuée, Frank. À eux deux. Voilà ce que je pense.

– Je suppose que tu as raison. Au regard de la loi, à défaut d'autre chose. Mais si nous avons besoin de Shane Donald pour avoir McKeirnan...

– Il faut qu'on fasse semblant de croire à ses mensonges ?

– Il se pourrait qu'on ait besoin d'accepter sa version des faits. Pour le moment, du moins.

Sans être homme à remarquer, autant qu'il aurait sans doute pu le faire, ce genre de détails, Elder fut sensible au vert des yeux de Maddy Birch.

– Tu as l'intention de finir ça ? demanda-t-elle en indiquant d'un signe de tête le café qu'il tenait toujours.

Elder fit un signe de dénégation et vida la tasse sur le sol.

– Tu n'as pas interrogé Donald sur Susan Blac-klock, fit Maddy quand ils furent rentrés.

– Chaque chose en son temps.

Dans les toilettes, Elder se savonna les mains avec un soin presque exagéré.

Il poussa l'interrogatoire jusqu'aux dernières limites. Le sentier entre Whitby et Robin Hood's Bay. À la fin du mois d'août. Tu étais là-haut, dans les environs. Sur la côte nord. À cette époque-là. Susan, tu te souviens ? Il montra des photos à Donald, l'observant attentivement pour déceler le moindre signe susceptible de révéler qu'il reconnais-sait la jeune fille, et il se rendit compte que Shane Donald avait pu ne jamais savoir son nom. Parfois, il abordait le sujet dès le début de la séance, parfois il attendait et le remettait sur le tapis parmi d'autres questions. Et pas une seule fois il ne réussit à ébran-ler Shane Donald. Lui qui était si branlant sur beau-coup d'autres sujets.

Et pourtant, Elder ne parvenait pas à s'ôter cette idée de la tête. La coïncidence. La possibilité. Cette certitude presque absolue qui lui rongeait l'esprit. Il n'était jamais parvenu à y renoncer.

Quand il montra la photo à McKeirnan, ce der-nier se contenta d'y jeter un regard salace.

– Tu la connais, Alan ?

– J'aimerais bien.

Ceci accompagné d'un clin d'œil.

– Où est-elle, Alan ? Que lui est-il arrivé ?

Les yeux de McKeirnan devinrent vitreux et, de façon tout juste audible, il se remit à siffloter un vieux rock de Johnny Kidd et les Pirates, *Shakin' All Over*.

Elder se mordit la lèvre et passa à autre chose.

Il faut savoir se contenter de ce qu'on a.

À moins que, comme Helen et Trevor Blacklock, on n'ait plus rien. Plus de fille ; une maison vide.

## 6

Il quitta la Cornouailles de bon matin, son sac sur le siège arrière, une thermos de café près de lui ; il ne parvenait pas à chasser Susan Blacklock de ses pensées.

À la première station-service, il fit le plein, vérifia le niveau d'huile, regonfla les pneus. Cela faisait un bon moment que sa voiture, une Ford d'aspect banal, n'avait pas entrepris pareil périple. À la boutique de la station, il acheta deux barres de chocolat, du jus d'orange, un rouleau de pastilles de menthe extra-forte. Il n'avait pas l'intention de s'arrêter beaucoup, sinon pour satisfaire ses besoins naturels.

Quant à ce qu'il ferait en arrivant, il ne le savait pas encore – fouiner un peu aux alentours, supposait-il, peut-être poser quelques questions, sonder la mémoire de quelques personnes, arpenter le terrain.

À la sortie d'Exeter, la circulation s'intensifia. Sur son autoradio, Elder fit défiler les fréquences selon les permutations habituelles : Radio 2, Radio 3, Radio 4, Classic FM. La majeure partie du temps, il préféra le silence. Les autoroutes d'abord, puis les routes étroites qui traversent les plateaux du Yorkshire, avant les circonvolutions de l'A 171, qui serpente entre la forêt et la lande, la mer apparaissant sur la droite à intervalles réguliers. Quand apparut enfin la silhouette de l'abbaye de Whitby en ruines, Elder ressentait une douleur au creux des reins, des crampes dans les jambes, et il avait la gorge sèche. Roulant au pas, il longea le port, puis il gara sa voiture, prit son sac, et parcourut à pied la courte distance le séparant de l'hôtel du Cheval Blanc, à une cinquantaine de mètres en remontant les pavés de Church Street.

La chambre qu'il avait réservée se trouvait sous les combles. Des draps propres, un lit confortable, un fauteuil. Pour trois ou quatre nuits, il n'en était pas sûr encore. Après un long bain, il se changea, et, plus affamé qu'il ne le pensait, il prit de bonne heure son dîner au rez-de-chaussée, avec une pinte de bière pour le faire passer. À peine avait-il posé la tête sur l'oreiller qu'il s'endormit. Les cris des mouettes, stridents et implacables, le réveillèrent avant cinq heures.

Susan Blacklock était venue de Chesterfield avec ses parents pour passer ses vacances à Whitby, deux semaines en caravane au Haven Holiday Park, tout en haut des falaises qui surplombent Saltwick Bay. Fille unique, elle avait donné l'impression, à l'école primaire, d'être une enfant heureuse, bien élevée et consciencieuse ; elle avait eu son content d'invitations aux petites fêtes de ses camarades de classe, de gâteaux d'anniversaire et de robes spéciales, de courses en sac et de chaises musicales, de magiciens qui faisaient disparaître des objets sous vos yeux. Pendant ses premières années au collège, en revanche, elle s'était retrouvée noyée dans la masse, tellement anonyme que lors des réunions avec les parents, ses professeurs demandaient qu'on leur rappelle qui elle était. Mais ensuite, à l'âge de quatorze ans, elle s'était découvert un intérêt pour le théâtre, et un talent pour l'art dramatique que nul

52

n'avait soupçonné auparavant. On aurait dit qu'elle trouvait sa propre voie en se glissant dans la peau d'un personnage, en jouant un rôle. En robe d'un bleu très pâle, un gros nœud blanc autour de la taille, elle devenait Alice courant après le Lapin Blanc pour découvrir le Pays des Merveilles ; héroïque face aux pires coups du sort, incarnant la sourde de *Mère Courage* cernée par la guerre, elle émut aux larmes plus d'un spectateur, et pas seulement ses parents.

Tout cela attira l'attention sur elle, lui procura pour le moins un semblant d'assurance, éveilla l'intérêt des garçons. À quinze ans, elle eut la certitude d'être amoureuse – d'un garçon de deux ans son aîné, tatoué dans le dos et sur les bras, qui buvait de la vodka au goulot et sniffait de la colle à l'occasion. Les parents de Susan la chapitrèrent, lui imposèrent des règles. Elle ne respecta pas leur couvre-feu, elle proféra des menaces, elle les supplia, elle pleura, elle sortit jusqu'à deux heures du matin. Vous ne comprenez pas, hurla-t-elle, vous ne comprenez pas, c'est tout. Mais sa mère ne comprenait que trop bien.

Et puis, un jour, Susan sécha les cours pour rejoindre son bien-aimé, et il n'était pas là. Elle le trouva dans la rue, et il lui tourna le dos. Elle rassembla le courage nécessaire pour aller le rejoindre au pub, où il était installé avec tous ses copains ; il lui rit au nez.

Pendant six semaines, elle eut le cœur brisé, jusqu'au jour où elle se leva, s'habilla, fit tout ce qu'elle avait à faire, et se rendit compte, finalement, qu'elle n'avait pas pensé à lui un seul instant. Ce soir-là, au grand dam de son père, Susan et sa mère gloussèrent comme deux sœurs, parlèrent à voix basse pendant des heures, tombèrent dans les bras l'une de l'autre et pleurèrent.

Ces vacances d'été représentaient une nouvelle étape de son existence : en septembre, elle entrerait en classe de première dans un lycée spécialisé, où elle suivrait un enseignement intensif en littérature et en art dramatique, des cours sur les médias, les arts plastiques et le design. Et puis, le troisième jeudi du mois d'août, elle disparut. En août, il y avait de cela quatorze ans.

Portant deux pulls l'un sur l'autre pour se protéger du froid matinal, Elder parcourut sur toute leur longueur les deux digues protégeant l'avant-port. Vêtus de cirés, des pêcheurs se tenaient à intervalles réguliers, leurs gaules calées contre la rambarde, l'extrémité incandescente de leur cigarette luisant au creux de leur main. Le long de la halle à la criée, un bateau déchargeait sa pêche de la nuit, un autre s'approchait du quai. Elder savait qu'en Grande-Bretagne près de dix mille personnes disparaissent chaque année, et qu'environ un tiers d'entre elles ne laissent aucune trace et qu'on ne les revoie jamais.

Mais il avait promis aux parents de Susan qu'il la retrouverait, il leur avait donné sa parole, et pour sa récompense il avait lu, dans leur regard enfiévré et inquiet, la confiance qu'ils lui accordaient. Cependant, au fond de lui, Elder redoutait qu'elle soit morte depuis longtemps, son corps toujours pas découvert, attendant qu'on le réclame après tant d'années.

Après le petit déjeuner, Elder gravit les cent quatre-vingt dix et quelques marches montant à l'église St Mary et à l'abbaye, se retournant un moment pour contempler la ville, la mâchoire de baleine dressée comme une arche sur la falaise ouest, et la statue du capitaine Cook située non loin d'elle. Au-delà de la ville et des arbres bordant la vallée de la rivière Est s'élevaient les pentes de la lande, rudes et imposantes sous un ciel gris et morcelé.

Tournant le dos à la mer, il traversa les sillons d'un champ pour rejoindre, un peu plus loin, le sentier littoral. Depuis cet endroit, huit cents mètres environ le séparaient du lieu où Susan avait été vue pour la dernière fois, un promontoire anguleux surplombant la mer, parsemé de touffes d'herbes, et qui conduisait tout droit à une chute abrupte le long de la paroi striée de la falaise sur les rochers en contrebas. Cela pouvait être un endroit assez sauvage, mais pas totalement isolé, le sentier étant fréquenté par des marcheurs quel que soit le temps. Et pourtant, c'était là, à un moment indéterminé entre quinze heures trente et seize heures, qu'on avait aperçu Susan Blacklock pour la dernière fois, c'était là qu'elle avait effectivement disparu.

Elder poursuivit son chemin, passant devant les deux masses de roche rougeâtre qui percent la surface de la mer à Saltwick Nab, vers le terrain de camping, un rassemblement de caravanes groupées sur un terre-plein central, quelques tentes audacieusement plantées sur les hauteurs.

À première vue, peu de choses avaient changé : il y avait toujours la supérette, bien que dotée d'une nouvelle enseigne, la laverie automatique, le bureau de la réception, les tables de billard et les casse-croûte proposés aux familles dans la salle de détente. Sur un bout de terrain découvert, six ou sept gamins se disputaient un ballon devant le but improvisé d'un père de famille débordé. Une jeune femme en uniforme impeccable leva les yeux vers Elder, s'attendant à ce qu'il lui adresse la parole, et il la salua d'un signe de tête sans s'arrêter. À l'autre bout du camping, où un mât peint en blanc orné du drapeau britannique signalait l'entrée des véhicules, il fit demi-tour et revint sur ses pas.

Devant Saltwick Nab, à l'endroit où le sentier s'incurvait en douceur, épousant le contour du terrain, Elder vit une femme en manteau vert qui se tenait debout près de l'endroit où Susan Blacklock avait été vue pour la dernière fois ; sous ses yeux, elle enjamba la clôture basse en fil de fer et s'avança vers le bord de la falaise. Elder se mit à courir. L'espace d'un instant, l'inconnue tourna la tête en l'entendant crier. Puis elle sortit un petit bouquet de sous son manteau, des iris et des roses, et le posa soigneusement sur le sol.

Helen Blacklock restait parfaitement immobile, les doigts de ses deux mains entrelacés devant elle sans aucune crispation ; sa silhouette se détachait sur le gris bleu de la mer. Avec le temps, ses cheveux avaient foncé, et ils étaient parsemés de gris. Son manteau trois-quarts était ample, elle portait un pantalon, des bottes. Des vêtements pratiques. Le visage qu'elle présentait à Elder était dépourvu de maquillage, ridé autour des yeux et de la bouche. Nul sourire sur ses lèvres minces. Elle devait avoir quarante-cinq ans, pensa Elder, ou quarante-six, et on aurait pu lui donner davantage.

À présent qu'ils se faisaient face, Elder ne savait plus quoi dire.

– Je...

– Je sais qui vous êtes.

Une voix sèche et coupante comme le silex.

– Excusez-moi d'avoir crié comme je l'ai fait, je n'avais pas l'intention de vous faire peur.

– Vous avez cru que j'allais sauter.

– Oui.

– Si j'en avais eu l'intention, ce serait fait depuis des années.

Elder fixa, derrière elle, l'endroit où gisaient les fleurs que le vent agitait déjà. Helen Blacklock tourna la tête pour suivre son regard.

– J'ai tenté de planter et d'entretenir un jardin, ici. Une sorte de mémorial, je suppose. Mais c'était difficile. L'endroit est tellement exposé... Et quand il poussait quand même quelque chose, les gamins du camping arrachaient les fleurs pour les rapporter à leur mère. Alors, maintenant, je laisse simplement un petit bouquet, si je passe par là. (Elle marqua une pause.) Parfois, le vent souffle si fort qu'il me l'arrache presque des mains. À peine arrivé, déjà parti. C'est pratique, non ?

Elder abaissa le fil de fer pour lui permettre de refranchir plus facilement la clôture.

– Que faites-vous ici ? demanda Helen Blacklock.

Elder secoua la tête.

– Je ne suis pas sûr de le savoir.

– Mais vous n'êtes pas venu par hasard ?

– Non.

Au-dessus de leurs têtes, les mouettes criardes décrivaient des cercles dans le ciel.

– Vous redescendez en ville ? demanda Helen.

Comme il hochait la tête, elle s'engagea sur le sentier, Elder marchant à côté d'elle.

Quand ils furent au bas des marches, après avoir fait tout le chemin pratiquement sans parler, Helen demanda à Elder s'il aimerait boire un café. L'établissement qu'elle choisit ne payait pas de mine, vu de l'extérieur, semblable à beaucoup d'autres qui jalonnaient une rue à touristes regorgeant de boutiques qui vendaient du caramel fait maison, des bijoux en jais, des fruits de mer et des antiquités.

Ils s'installèrent à une table en formica près de la fenêtre. La serveuse, une étudiante au regard morne, vint prendre leur commande en traînant les pieds. Le seul autre client, un vieil homme en coupe-vent beige, était assis près du mur latéral devant une théière et un exemplaire du *Sun*.

Helen sortit un paquet de cigarettes de la poche latérale de son manteau.

– C'est un sentiment de culpabilité qui vous amène ici?

– Vous le pensez vraiment?

– Moi, je n'en sais rien, après tout.

– Vous pensez que c'est ce que je devrais ressentir?

– Je ne sais pas. (Elle sortit une cigarette du paquet et tapota le filtre contre la surface de la table. Puis elle la rangea, sans l'allumer.) Sinon que je doute fort que vous soyez revenu par ici pendant toutes ces années.

Elder secoua la tête.

– Cela remonte à quatorze ans. Elle en aurait trente, aujourd'hui. Susan. Trente ans au mois de mars dernier.

– Oui.

– Vous la croyez morte, n'est-ce pas? Ces deux types – McKeirnan et puis l'autre – vous pensez qu'ils l'ont tuée. Comme cette autre pauvre petite. Lucy.

– Nous n'avons aucune preuve.

– Non.

La serveuse leur apporta deux tasses de café sur un plateau, du sucre en poudre en sachets tubulaires, la brioche aux raisins que Helen avait commandée mais dont elle n'avait plus envie, le pain grillé d'Elder.

– Vous avez du nouveau? De quoi s'agit-il?

Tout en parlant, Helen s'était penchée en avant, le ton de sa voix avait changé, l'impatience meurtrissant son regard.

– Pas vraiment.

– Comment ça? Soit vous savez quelque chose, soit vous ne savez rien. Ne me faites pas marcher.

Elder reposa sa tasse, bien soigneusement sur sa soucoupe.

– Shane Donald, le complice de McKeirnan ; on va le libérer bientôt.

– Quand ?

– Je n'en sais rien. Pas de façon précise.

Helen se carra contre son dossier, écarta la brioche et approcha le cendrier, allumant sa cigarette, finalement.

– Alors, c'est pour ça que vous êtes venu, pour fouiner dans les parages. Cette fois, vous voulez prouver que vous aviez raison, et le renvoyer en prison.

Elder garda ses réflexions pour lui ; d'un geste machinal, il chassa la fumée de devant ses yeux.

– Que va-t-il se passer, cette fois ? Vous allez faire retourner d'autres champs, fouiller d'autres granges ? Le puisard derrière le parc des caravanes, ça vous tentait bien, la dernière fois. Le ruisseau près de Hawkser Bottoms. L'ancienne ligne de chemin de fer. Des plongeurs qui sondent la baie, au cas où on aurait balancé son corps à la mer ? (Son amertume et sa colère étaient manifestes dans le ton de sa voix, la courbe agressive de son menton.) Pas la peine, la marée l'aurait ramenée depuis longtemps.

Les larmes coulant sans retenue sur son visage, à présent, Helen se détourna. Quand Elder voulut lui prendre la main, elle se rétracta comme sous l'effet d'une brûlure.

– Ne me dites rien. Pas un mot. Je n'ai aucune envie, vraiment aucune envie, de savoir.

Il éteignit la cigarette qu'elle avait laissée se consumer dans le cendrier, et il attendit que ses sanglots s'estompent. Derrière eux, le vieil homme tourna bruyamment les pages de son journal et versa de l'eau tiède dans son thé. La serveuse papotait sur son téléphone portable, égrenant les « si » et les « peut-être » de la soirée précédente.

Au bout de plusieurs minutes, Helen sortit quelques kleenex roulés en boule pour se tamponner les yeux et les joues.

– Excusez-moi.

– Je vous en prie.

– Il y avait longtemps que cela ne m'était pas arrivé.

– Franchement, vous n'avez pas à vous excuser.

Elle prit une gorgée de son café, tiède à présent.

– Vous en voulez une autre tasse ?

– Non. Non, celui-ci me convient très bien.


– Je n'aurais jamais pensé que je tomberais sur vous de cette façon, dit Elder. Je suis désolé que cette rencontre ait remué en vous tant de mauvais souvenirs.

Il laissa de l'argent sur la table pour régler la note. Quand ils furent sortis, ils hésitèrent l'un et l'autre tandis qu'une horde de jeunes enfants les contournait dans la rue étroite.

– Quand avez-vous prévu de repartir ? demanda Elder.

– De repartir ?

– Oui, je pensais...

Mais Helen Blacklock secouait la tête.

– Je me suis installée ici il y a un certain temps. Trevor et moi, nous... Enfin, nous sommes séparés. Depuis des années, à présent. J'ai acheté une petite maison de l'autre côté du port. Susan, voyez-vous, je me suis dit qu'au moins je serais près d'elle, de l'endroit où elle se trouvait la dernière fois que je l'ai vue. (Elle s'éloigna d'un pas.) Si vous trouvez vraiment quelque chose...

– Bien sûr, je vous en informerai.

Elle lui donna son adresse, qu'il mémorisa, puis il demeura à la même place tandis qu'elle s'éloignait vers le coin de la rue, sortant de son champ de vision – une quadragénaire semblable à beaucoup d'autres, sinon qu'elle avait brutalement perdu une fille presque adulte, disparue en un instant.

Elder se demanda de quelle façon, depuis qu'elle était seule, Helen occupait sa vie ; combien de fois elle avait monté ces marches usées, au nombre de cent quatre-vingt dix-neuf, tenant contre sa poitrine un bouquet qu'elle allait confier au vent ; comment elle comblait les vides entre deux pèlerinages.

## 7

Quand Shane Donald avait rencontré Alan McKeirnan pour la première fois – sur un bout de terrain vague à la sortie de Newark-on-Trent, sous la pluie battante, alors que McKeirnan, les cheveux collés sur le crâne, les vêtements trempés, s'escrimait à changer la roue d'une remorque de la fête foraine – McKeirnan avait jeté un œil sur lui, très vite, le vent lui fouettant le visage.

– Tu vas rester planté là comme une statue à la con, ou tu vas te décider à me filer un coup de main ?

Un peu plus tard, dans la caravane de McKeirnan, Donald était resté figé, frissonnant de la tête aux pieds, tandis que McKeirnan se déshabillait – veste en jean, T-shirt, pantalon – pour se retrouver en caleçon, et puis sans plus rien du tout, Donald s'efforçant de ne pas lorgner les tatouages qui serpentaient çà et là sur son corps, ni la veine bleue qui striait sa queue pour disparaître sous son prépuce.

– Retire tes fringues, dit McKeirnan, tu vas attraper la crève. (Et, comme Donald hésitait, il ajouta avec un clin d'œil :) T'inquiète pas, j'en veux pas à ton cul. Enfin, pas pour le moment, au moins.

S'esclaffant, il commença à se frotter avec une serviette, tandis que Donald faisait lentement passer par-dessus sa tête son sweat-shirt trempé puis, gêné, lui tournant le dos à moitié, ôtait le reste.

– Bon Dieu ! s'exclama McKeirnan quand il vit les côtes de Donald, qui saillaient nettement sous sa peau blafarde. Ça fait combien de temps que t'as pas bouffé un repas correct ?

Dans un snack près de la place du marché, McKeirnan but un Coca et fuma plusieurs cigarettes, tandis que Donald s'empiffrait, avalant coup sur coup deux hamburgers bien gras de cent vingt grammes, dévorant plusieurs portions de pommes allumettes, de salade de chou, de ketchup, de tarte aux pommes et un milk-shake à la banane, avant de foncer aux toilettes où il vomit presque tout.

– Toi, fit McKeirnan, il faut que tu commences à bouffer à heure fixe. Que tu respectes ton corps comme s'il était sacré, tu comprends ?

Ils avaient traîné sur la place avec quatre ou cinq autres types de la fête foraine, tous plus vieux que Donald, du même âge que McKeirnan ou à peu près, dans les vingt-cinq ans ou plus, à fumer des cigarettes roulées, un peu d'herbe, deux ou trois joints circulant de main en main, à boire du cidre brut en cannettes. Apostrophant et tournant en ridicule les filles qui s'aventuraient dans les parages, pas très assurées sur leurs talons hauts, leurs hauts boutonnés serrés sur leurs petits nibards bien fermes, toutes encore en âge d'aller au lycée même si elles se donnaient l'air d'en être déjà sorties. L'un des types, un grand maigre aux cheveux oxygénés, finit par persuader une gamine de quatorze ans en pantalon moulant violet de le suivre dans l'embrasure d'une porte de magasin où il lui roula une pelle, la pelotant d'une main sous son chemisier, et de l'autre se caressant la braguette à travers le tissu de son jean.

Le sourire aux lèvres, McKeirnan les regardait faire, ne manquant pas un seul de leurs gestes, et

Donald observait McKeirnan en train de reluquer le couple.

Quand ils furent rentrés à la caravane, une bouteille de vodka passa de l'un à l'autre. Donald n'en avait pas vraiment envie, mais il ne voulait pas dire non. Les murs et le plafond étaient couverts de pochettes de vieux vinyles, de pages arrachées à des magazines, de rock-and-rollers que Donald ne parvenait pas à identifier et de femmes aux seins volumineux et aux cuisses écartées.

Passablement ivre, redoutant de vomir à nouveau, Donald se dressa sur ses jambes avec précaution.

– Et où tu crois aller comme ça, bordel ? (Se penchant, McKeirnan tira de sous le lit étroit un matelas et deux couvertures militaires.) Tu peux crécher ici. Pour deux ou trois jours. Demain matin, on ira faire un tour à la fête foraine, pour voir si on peut te dégotter un boulot.

Donald resta longtemps éveillé, écoutant la respiration sonore de McKeirnan, les échos de la circulation sur la route voisine. Personne, depuis sa sœur Irene, ne s'était occupé de lui, ne lui avait accordé autre chose que des paroles de mépris.

Le lendemain, on l'engagea à la fête foraine, pour ramasser l'argent sur les autos tamponneuses, donner un coup de main au jeu de massacre. McKeirnan lui prêta une chemise noire en velours côtelé, de plusieurs tailles trop grande, un jean, maintenu en place par une ceinture en cuir et retroussé deux fois sur les chevilles. Minutieusement, McKeirnan inscrivit son prénom, Shane, au stylo-bille sur le dos de ses deux mains, transperçant la peau.

Le troisième soir, McKeirnan, la queue enduite de vaseline, s'allongea sur le matelas et le sodomisa. Ni plus ni moins que ce à quoi Donald s'attendait. Ni plus ni moins, pensa-t-il, que ce que je mérite.

Le printemps finit, l'été arriva, Donald resta avec McKeirnan. De Newark, ils allèrent à Retford, Grantham, Boston, Skegness. Un après-midi, quand Donald entra à reculons dans la caravane aux stores baissés, poussant la porte avec son dos, McKeirnan sautait une fille étendue sur le dos au bout du convertible, les seins à l'air, la jupe relevée jusqu'à la taille. McKeirnan, nu au-dessous de la ceinture, mais portant encore son blouson de cuir garni de clous, ne cessa pas pour autant de la besogner, la colère qui assombrit brièvement son visage quand Donald entra laissant vite place à un sourire. Il brailla :

– Ferme cette putain de porte !

La fille, terrifiée, fixa Donald et glapit :

– Non ! Fais-le sortir d'ici !

Et McKeirnan, avec une brutalité qui coupa le souffle à Donald, la frappa d'un revers de la main qui lui fit pivoter la tête et la rejeta en arrière, le bord de sa chevalière lui coupant la lèvre et le coin de l'œil.

– Reste ! hurla McKeirnan. Maintenant que t'es là, tu restes, et puis tu regardes aussi, bordel !

Fasciné, Donald n'avait pas besoin de l'injonction de McKeirnan pour lorgner la façon dont la fille se cabrait, fermant les yeux de toutes ses forces, tandis qu'une rigole de sang coulait sous son oreille, autour de son cou, pour reluquer le calibre du braquemart de McKeirnan quand il se reculait avant de disparaître de nouveau. Sa propre queue s'était raidie, toute droite, le long de sa jambe.

De temps à autre, McKeirnan jetait par-dessus son épaule un coup d'œil à son public en transe.

C'était un début, ce n'était pas la fin.

Un soir, quelques jours plus tard, ils buvaient de la vodka, un alcool que Donald commençait à trouver à son goût, en avalant quelques pilules, l'une des cassettes de McKeirnan passant presque à plein volume dans son vieux magnéto pourri, ce chanteur dont il n'arrêtait pas de parler, celui qui avait eu la polio, ou alors c'était un accident de la route qui lui avait bousillé la jambe, Donald ne s'en souvenait jamais. Quoi qu'il en soit, lui, McKeirnan, chantait en rythme sur la musique, et il s'arrêta tout à coup pour sortir son portefeuille de la poche revolver de son jean. Il l'ouvrit et en ôta un vieux polaroïd corné, strié de pliures, auquel il jeta un regard en souriant avant de le tendre à Donald.

– Tiens. Qu'est-ce que tu dis de ça ?

Une femme, le visage flou, calé contre le dossier de sa chaise, nue, un bout de corde pendant à l'un de ses poignets, la face interne de ses cuisses couverte de taches qui pouvaient bien être du sang. Sur le plancher, près d'un de ses pieds, un tisonnier comme on en utilisait autrefois. Ou alors, une sorte d'outil, peut-être ?

– Alors ? Qu'est-ce que t'en penses ?

Incapable de détacher ses yeux du cliché, Donald ne savait pas ce qu'il était censé répondre.

– Michelle, poursuivit McKeirnan. Une fille sympa. Elle t'aurait plu. Elle savait fermer sa gueule. (Il souriait.) Elle est restée avec moi un petit moment, l'année dernière.

Extirpant son briquet de sa poche, il l'alluma d'un coup de pouce.

– Pas la peine de garder ça, maintenant. Pas quand on peut faire beaucoup mieux, hein ? Toi et moi.

Tenant le polaroïd par un coin, il le regarda brûler et s'enrouler sur lui-même, le laissant finalement tomber par terre pour ne pas le quitter des yeux avant qu'il n'en reste plus que des cendres.

– Toi et moi, Shane. (En riant, il leva la bouteille comme pour porter un toast, puis colla le goulot à ses lèvres et but une rasade.) Toi et moi, bordel.

## 8

Contrairement à Elder qui, pour diverses raisons, dont certaines ne lui avaient sans doute jamais paru très claires, avait quitté la police dès la fin de ses trente années de service réglementaires, Don Guiseley avait assumé ses fonctions pendant dix années de plus, ne passant finalement la main qu'à l'approche dc la soixantaine pour choisir le calme de la vie à la campagne, dans un village situé juste à l'ouest des collines de Cleveland et du parc national des landes de North York, où sa femme Esme et lui tenaient une petite épicerie faisant aussi office de bureau de poste.

La journée se révélait étonnamment humide, avril cédant la place à mai, et la chemise d'Elder, trempée, lui collait à la peau du dos.

– Dis donc, mon vieux, tu as pris une bonne suée, fit remarquer Guiseley en lui serrant la main.

Vêtu d'une ample chemise à carreaux et d'un pantalon sombre informe, ses cheveux gris, presque blancs, lui tombant devant les yeux, Guiseley triait le fond d'un sac d'oignons, jetant ceux qui étaient trop mous où qui montraient des signes de pourriture.

– Viens, suis-moi par ici. Avec un peu de chance, Esme nous offrira une tasse de thé.

Pour finir sa phrase, il avait haussé le ton, la tête tournée en direction de sa femme qui se trouvait derrière le comptoir du petit bureau de poste, parlant d'hystérectomies avec une de ses fidèles clientes.

Dans le petit jardin d'hiver qu'ils avaient installé à l'arrière du bâtiment, deux chaises en osier munies de coussins faisaient face à la porte grande ouverte, au-delà de laquelle un jardin tout en largeur plongeait selon une pente irrégulière vers un ruisseau étroit. L'autre bout était réservé aux légumes, à des concombres sous serre ; le reste, quand il n'était pas couvert de gazon, regorgeait de roses, de dahlias et de pois de senteur.

– C'est superbe, dit Elder. La vue, le jardin, tout.

– Ça te tente, alors ? Ce genre de vie ?

Elder sourit.

– Peut-être pas.

– Ouais. Debout à cinq heures, pour trier les journaux, sans parler de leur livraison quand le gamin qui est censé s'en charger a une panne d'oreiller. Quant à ce jardin, pour tout te dire, il me déglingue le dos. (Guiseley sortit une pipe d'une poche de son manteau, une blague à tabac de la seconde.) C'est en Cornouailles que tu vis maintenant, c'est bien ça ? Comment se fait-il que tu aies atterri là-bas ?

– C'est aussi bien qu'ailleurs.

– Mais loin de ta famille et de tes amis.

– Je crois que dans les premiers temps, c'était le but que je recherchais.

– Et maintenant ?

Elder hésita.

– Je ne sais pas.

– Tu es toujours marié ?

– Oui, mais on ne le dirait pas.

– Mais tu n'as jamais, enfin, voulu divorcer ?

68

– Ça ne m'a jamais semblé terriblement nécessaire.

– Couper les ponts, certains pensent que c'est la
meilleure solution. À moins que tu estimes que ce
n'est pas tout à fait fini, bien sûr.

Gêné, Elder remua les pieds.

– Tu as des enfants ? demanda Guiseley.

– Une fille, c'est tout. Katherine. Elle a seize ans.

Avec son pouce, Guiseley tassa le tabac dans sa
pipe puis gratta une allumette.

– Les nôtres ont quitté le nid depuis longtemps.
Notre fils aîné est en Australie, il s'est installé là-
bas. Il est marié, il a deux mômes. Notre deuxième
fait partie de la grande maison, il travaille à
Londres, au service de répression des fraudes de
Scotland Yard. Parfois, on a droit à sa visite. (Guiseley ôta sa pipe de sa bouche et s'esclaffa.) À
l'entendre, je suis un dinosaure. Moi, je lui ai dit
qu'avec une spécialité comme la sienne, et tout ce
qu'il sait sur la délinquance en col blanc, il ferait
aussi bien de travailler pour une société de finance-
ment, où il gagnerait vraiment bien sa vie.

– Et la troisième ? Tu as eu une fille, aussi, je
crois ?

– Elle a épousé un Pakistanais, un grossiste en je
ne sais quoi, il a une grosse boîte de l'autre côté de
Bradford. (Examinant sa pipe, il gratta une autre
allumette.) Esme va les voir de temps en temps.

Elder garda le silence. Un instant plus tard, la
femme de Guiseley les rejoignit, apportant sur un
plateau une théière, de vraies tasses, et des scones
au fromage. Bien que petite, sa main, quand Elder
la serra, était calleuse et robuste, et quoi que son
mari puisse prétendre, Elder aurait parié sans hésiter qu'elle faisait à elle seule au moins la moitié du
jardinage.

Après quelques échanges polis, elle rentra pour
s'occuper de la boutique.

Indiquant la théière, Guiseley invita Elder à se servir le premier.

– Bon, dit-il après la première gorgée, tu n'es pas venu me faire une visite de politesse, et je doute que tu sois devenu travailleur social. Alors, tu ferais mieux de me dire ce qui t'amène.

– Susan Blacklock.

– Oui. J'aurais dû m'en douter. Cette affaire, elle te reste en travers de la gorge, hein ? C'est le genre de dossier qu'on n'arrive jamais à refermer.

Il but une nouvelle gorgée de thé et contempla la pelouse.

– Si tu devais te prononcer maintenant, fit Elder, avec le recul, quelles seraient tes conclusions ?

– Les mêmes que celles que j'aurais données quarante-huit heures après sa disparition, quand on n'avait toujours pas le moindre signe de sa part. Elle est morte. Un salopard l'a assassinée. Encore que cela m'étonne que le cadavre n'ait pas refait surface, je te l'accorde. Ce qui laisse une parcelle d'espoir, si c'est ce que tu cherches.

– Je n'en sais rien, répliqua Elder.

– Cette histoire qui s'est passée dans le Gloucestershire, tu sais, ce couple d'assassins, Fred et Rosemary West. Avec tous les cadavres qu'on a déterrés chez eux, qu'on a emmenés pour les identifier, à l'aide des archives dentaires et tout le reste, je m'attendais presque à ce que l'un des corps soit celui de Susan Blacklock. Ça n'aurait rien eu d'étonnant qu'elle fasse une fugue, qu'elle parte en stop à l'autre bout du pays ou presque. Les mômes font souvent ça, quand l'envie leur traverse le crâne.

Elder prit le pot d'eau chaude, le vida dans la théière, et en fit tourner le contenu avant de remplir leurs tasses. Dans sa tête, il voyait sa fille, Katherine, son sac à l'épaule, descendant le sentier pour le rejoindre.

70

– Ces deux types qu'on a mis en cabane, dit Guiseley, McKeirnan et Donald. Tu crois toujours que c'est eux qui ont fait le coup ?

– Tant qu'on ne m'aura pas convaincu du contraire.

Guiseley hocha la tête et tripota sa pipe.

– Les archives concernant l'affaire, reprit Elder, j'aimerais qu'on me laisse y jeter un coup d'œil.

– Tu n'es pas très exigeant, alors.

– Je me suis dit que tu pourrais peut-être demander ce service à quelqu'un, téléphoner.

– Tu sais, fit Guiseley, quand tu es venu ici, à la façon dont tu as occupé le terrain, tu as froissé pas mal de susceptibilités.

– Il y avait déjà une fille assassinée, une deuxième qui avait probablement subi le même sort. Je n'avais pas tellement le temps de faire des politesses. D'observer le protocole.

– Quand même. (Avec l'air du type qui se sent coincé, Guiseley soupira.) Laisse-moi passer deux ou trois coups de fil. Je vais voir ce que je peux faire. Je ne te promets rien, remarque.

Elder hocha la tête. Il était sûr que Guiseley, à contrecœur ou pas, ferait ce qu'il pourrait.

– Merci, Don.

– Ça ne sera pas gratuit. Ça va te coûter une tournée de bière, au moins.

## 9

Sortant de la gare, Shane Donald resta un moment sur la dernière marche de l'escalier, examinant les lieux. Perplexe. De grands piliers derrière lui, comme si c'était l'entrée de Buckingham Palace ou un truc de ce genre, un château, pas la gare merdique de Huddersfield. Dans sa poche, il avait toujours son sauf-conduit, celui qu'on lui avait remis quand il avait quitté la prison le matin même. Un sac marin à l'épaule, un sac en plastique dans chaque main : il transportait tout ce qu'il possédait.

En prison, il avait pris du poids, il s'était étoffé ; ses jambes, ses bras s'étaient musclés, durcis. Il était costaud, même si ce n'était pas l'impression qu'il donnait au premier coup d'œil. Ça lui plaisait bien, ça. Il avait grandi, aussi, il mesurait un mètre soixante-treize ou soixante-quinze. Ses cheveux étaient coupés court, et une barbe de trois jours donnait à la peau de son visage l'aspect du papier de verre.

Ce n'était plus un môme.

On lui avait donné un plan, dessiné à la main, des indications pour trouver le foyer, notées sur un bout de papier. Il pouvait toujours demander son chemin, mais il préférait éviter de le faire. Ne parle à personne, évite de croiser le regard des gens : c'était l'une des choses qu'il avait apprises en taule. Parmi

72

beaucoup d'autres. Reste dans ton coin, mais si ce n'est pas possible...

Descendant du trottoir, il traversa la rue.

Le foyer pour anciens détenus en conditionnelle était un grand immeuble de style victorien, sans constructions mitoyennes, en retrait de l'une des avenues bordées d'arbres qui s'élèvent en pente douce à partir du centre de la ville. Certains immeubles voisins semblaient avoir été transformés en pensions de famille, en petits hôtels.

Sur le chemin, Donald avait consulté plusieurs fois son bout de papier, le sortant de sa poche, le tripotant, le pliant et le repliant ; il le regardait une fois de plus, à présent, pour s'assurer du numéro.

Tandis qu'il examinait la maison, quelqu'un bougea derrière l'une des fenêtres du premier étage, et il eut soudain envie de tourner les talons et de s'enfuir, de repartir comme il était venu pour ne plus s'arrêter. De se perdre. Il l'avait déjà fait, autrefois.

La porte d'entrée s'ouvrit et un homme apparut. Quadragénaire, cheveux blond roux, une veste en laine grise ouverte sur une chemise d'un vert délavé, pantalon gris, sandales.

– Shane Donald ? Bien. Excellent. (Il se dirigeait vers lui, à présent.) Tu t'installes chez nous aujourd'hui. Je t'attendais à peu près à cette heure-ci. Encore que, vu la façon dont les trains fonctionnent de nos jours, on ne peut jamais savoir.

Il tendit la main.

– Peter Gribbens. Sous-directeur. C'est surtout à moi que tu auras affaire.

Son haleine sentait la pastille de menthe, et une étincelle faisait pétiller le bleu de ses yeux.

À l'intérieur flottait une vague odeur de désinfectant. De la musique venait de quelque part, la chaîne stéréo d'un pensionnaire. Seules les basses étaient nettement audibles. Du mouvement. Le son d'un téléviseur, ou peut-être d'une radio. Le cliquetis des couverts qu'on dispose sur une table. Des éclats de voix, un rire aigu, puis le silence. Plus haut dans la maison, quelqu'un passait l'aspirateur.

– Suis-moi, fit Gribbens en se dirigeant vers l'escalier. Je vais te montrer ta chambre. Te laisser un peu de temps pour t'installer. Ensuite, ça ne m'étonnerait pas que tu aies envie d'une tasse de thé. Et on pourra parler un peu.

La chambre, carrée, haute de plafond, se trouvait au second étage ; elle contenait deux lits d'une personne, de part et d'autre de la pièce, une armoire en bois sombre, avec un médaillon en relief au centre, et couverte d'éraflures, deux commodes identiques. La fenêtre était munie de barreaux.

– Ne t'inquiète pas de ça, dit Gribbens qui avait suivi le regard de Donald. Toutes les fenêtres étaient comme ça quand on s'est installés ici. Celles des étages, du moins. (Il émit un semblant de rire.) Ce n'est pas pour t'empêcher de sortir.

L'un des deux lits était fait, pas trop soigneusement, quelques objets personnels rassemblés à côté, des magazines et un réveil sur une chaise à dossier droit.

– Ton camarade de chambre s'appelle Royal. Royal Jeavons. Cela fait presque deux mois qu'il est chez nous. Il te fera un topo sur la maison.

Royal, pensait Donald. Avec un prénom pareil, c'est un Noir, c'est sûr.

Gribbens recula en direction de la porte.

– Redescends dès que tu seras prêt. Mon bureau est au rez-de-chaussée, en face de la porte par laquelle on est entrés. Il y a mon nom sur la porte.

Donald s'assit sur son lit et contempla le plancher.

Le bureau de Peter Gribbens était étroit et tout en longueur, aménagé comme les pièces voisines en cloisonnant une salle beaucoup plus vaste. L'un des murs était envahi par un tableau couvert de noms et de dates de différentes couleurs, de flèches et d'astérisques en noir et en rouge. Sur un autre se bousculaient plus d'une douzaine de photos encadrées, la plupart montrant un Gribbens souriant en compagnie de collègues ou de groupes disparates d'ex-détenus confiés à sa responsabilité, qui affichaient un sourire de circonstance devant l'objectif. Sur sa table de travail s'empilaient des dossiers, en carton ou en plastique de divers coloris, plusieurs carnets, deux bocaux remplis de crayons et de stylos ; pour faire de la place à un plateau portant deux tasses de thé, du sucre et un paquet de biscuits, Gribbens avait perché son ordinateur portable sur un annuaire téléphonique. Derrière la table, une haute fenêtre donnait sur une pelouse bordée par des arbustes de part et d'autre et par un mur couvert de lierre à l'autre extrémité.

– Shane, Shane, entre. Pas la peine de laisser ce thé devenir imbuvable. Du sucre, oui ? Un ou deux ?

Donald s'assit dans le fauteuil vide, accepta sa tasse de thé, et regarda autour de lui, mal à l'aise.

– Tiens, prends un biscuit. Des sablés au chocolat, on ne recule pas devant la dépense. (De nouveau, un embryon de rire qui ne parvint pas à se concrétiser.) Tu dois avoir faim, d'avoir fait tout ce chemin. Avec un changement de train. Je suppose que tu as mangé quelque chose en route. Un sandwich, ce genre de truc. Ne t'inquiète pas, tu auras un vrai repas bientôt. Ici, personne ne se plaint de la nourriture, c'est une bonne chose. Ils sont comme Oliver Twist, la plupart de nos gars. Ils viennent toujours réclamer du rab.

Les biscuits n'étaient plus de la première fraîcheur, le chocolat restait collé aux doigts de Donald.

Il ne savait pas s'il devait les lécher ou prendre le risque de les essuyer discrètement sous le fauteuil.

Gribbens ouvrit l'un de ses dossiers, puis le referma d'une pichenette.

– Ce qu'il y a, c'est que, tant que tu es chez nous, tu dois observer certaines règles...

Donald le regarda fixement, et laissa son attention se déconnecter complètement.

– Selon les termes de la libération conditionnelle... observer le règlement... éviter les contacts avec toute personne impliquée dans des activités criminelles...

La litanie se poursuivit, puis cessa. Pour la première fois, Donald remarqua le tic-tac d'une pendule.

– Shane ?

– Oui ?

– Tu comprends tout ça ? Ce que je viens de dire ?

– Ouais.

– Bien. (Gribbens déplaça un autre formulaire sur son bureau.) Tu suis un régime alimentaire particulier ? Tu n'es pas végétarien, par exemple ?

Donald secoua la tête.

– Il y a des aliments auxquels tu es allergique ? Le blé ? Les noix ? Non ? Bien, bien. Et tes convictions religieuses ?

– Quoi ?

– Ta religion ? Je te demande si tu es catholique, anglican. Tu vois ?

– Non, je suis rien.

– Simplement chrétien, alors. On a pas mal de pensionnaires qui...

– Non, j'ai dit. Rien. Je crois à rien.

Gribbens cocha la case adéquate et repoussa sa feuille de papier.

– Ton contrôleur judiciaire te verra demain matin. Uniquement pour s'assurer que tu t'intègres bien. (Gribbens se leva.) Bon, tu peux y aller. Tu trouveras d'autres gars comme toi, au rez-de-chaussée. Il y a une table de billard, une télé.

Quand Donald atteignit la porte, Gribbens le rappela.

– Shane, c'est important que tu fasses le maximum pour que cette expérience réussisse. Que tout le monde y mette du sien.


Royal Jeavons était assis sur son lit, la tête calée contre le mur, les écouteurs sur les oreilles, son lecteur de CD à portée de la main. Quand Donald entra, il ouvrit les yeux, brièvement, quelques secondes à peine. Traversant la chambre, Donald regarda par la fenêtre, d'où l'on voyait l'arrière des autres maisons, et, plus bas, des silhouettes d'arbres. Avec le temps, la peinture des barreaux s'était écaillée, les déjections d'oiseaux l'avaient maculée. Donald se dirigea vers son lit et s'assit dessus. Il essaya de deviner quelle heure il pouvait bien être ; il n'avait pas de montre.

Jeavons était trapu. Il avait un cou puissant, le crâne rasé. Il portait un pantalon de survêtement et un haut assorti. Des tennis, mais pas de chaussettes.

– Qu'est-ce que tu regardes, bordel ?
– Hein ?
– Qu'est-ce que tu regardes comme ça ?
– Rien.
– Rien ?
– Nan, rien.
– Tu dis que je suis rien ?
– Non.
– Quoi ?
– J'ai pas dit ça.
– T'as pas dit quoi ?
– Que t'étais rien.
– Non ?

77

– Non.

– Alors, y a pas de lézard, hein ?

Jeavons le regardait, à présent, droit dans les yeux, et il souriait. Sa face large était fendue jusqu'aux oreilles.

– T'es nouveau, hein ?

– Oui.

– T'es arrivé aujourd'hui.

– Ouais.

– Cet après-midi ?

– Oui.

– T'es pas vraiment bavard, merde. (Jeavons éteignit son lecteur de CD, ôta son casque.) Mais ça me dérange pas, mec, ça baigne.

Il s'avança, tendit la main. Donald se leva pour aller à sa rencontre, espérant que l'autre n'allait pas vouloir qu'ils se claquent la paume à bout de bras comme deux basketteurs, mais non, il se contenta d'une poignée de mains rapide, à l'ancienne, deux des doigts de Jeavons ayant la même épaisseur que sa propre main tout entière.

– Royal..., annonça Jeavons, détachant délibérément les deux syllabes. Royal Jeavons.

– Shane. Shane Donald.

Jeavons hocha la tête, recula d'un pas.

– Alors, Shane, t'as eu droit au sermon, hein ? Gribbens.

– Oui.

– Et il t'a demandé si t'étais chrétien, c'est ça ?

– Ouais.

Jeavons s'esclaffa et secoua la tête.

– Je lui ai dit que j'avais reçu une éducation baptiste, tu vois ? Baptiste pentecôtiste. Et il m'a demandé, pour mon baptême, si j'avais eu droit à la... Comment on dit ? ... à l'immersion totale, tu vois ? Et je lui ai répondu, oui, c'était dans une piscine, et tout, d'accord ? Au sud de Londres. Et c'est vrai. J'ai cru qu'il allait me prendre les deux mains et me demander, tu vois, de me mettre à genoux sur le tapis et de prier. Tu parles! Quel pauvre mec. Mais au moins, il joue franc-jeu, et on peut pas en dire autant de tout le monde. De temps en temps il fait celui qu'a rien vu, aussi. Par exemple, un jour où tu rentres à la bourre, ce genre de truc, tu vois? Je veux dire, il te fait la morale, d'accord, t'es bien obligé de l'écouter et de dire que tu regrettes quand il a fini. Ça, il adore, ce connard. (Jeavons s'esclaffa de nouveau.) Tu lui fais le coup du repentir sincère, si t'es assez convaincant, il te mange dans le creux de la main, c'est sûr.

Il lança à Donald un coup de poing dans l'épaule, l'air de plaisanter, entre potes, pas assez fort pour laisser un bleu.

– Toi et moi, mec, on va bien s'entendre. Du moment que tu ronfles pas trop fort et que tu fais pas trop de bruit quand tu prends ton pied.

## 10

Rob Loake avait pris de l'embonpoint, et plus encore. Le bouton du milieu de sa veste d'uniforme faisait le maximum pour retrouver la liberté. Assis derrière son bureau, vêtu d'une chemise bleu pâle et d'une cravate à rayures, il portait sur son visage cette patience infinie des hommes pour qui les hémorroïdes font partie de l'existence.

– Ce que vous me demandez, vous savez que c'est interdit par le règlement ? (Elder fit passer, d'une manière presque imperceptible, son poids d'une jambe sur l'autre.) Ça va vraiment pas être possible.

– Alors, qu'est-ce que je fais ici ? demanda Elder.

À l'extérieur, la circulation s'écoulait dans un bourdonnement incessant.

– Don Guiseley est un copain à moi, c'était un bon patron. Il a toujours dit le plus grand bien de vous. Mais moi, je n'ai pas plus d'estime pour vous que pour une merde de chien.

Elder hocha la tête, sans rien dire. Quand le téléphone se manifesta, Loake décrocha avant la deuxième sonnerie. Il répondit brièvement, puis se leva de son siège.

– Il y a une urgence dont je dois m'occuper. Vous pouvez m'attendre ici.

Elder patienta quelques secondes après que la porte se fut refermée pour contourner le bureau. Le dossier de Susan Blacklock s'y trouvait bien en évidence, trois dossiers, pour être précis, pleins à craquer. La tension lui nouant l'estomac, il commença à les feuilleter, passant ce qui lui semblait accessoire pour chercher l'essentiel.

Il y avait une longue déposition signée par Trevor Blacklock, les transcriptions d'une série d'interrogatoires, les enquêteurs cherchant à déceler des signes de tension entre Susan et lui – un père qui était resté trop éloigné de sa fille adolescente, ou qui peut-être en avait été trop proche ? Trevor Blacklock avait parfois réagi avec colère, se montrant à d'autres moments presque évasif, et de toute évidence, il avait été pendant un moment lui-même considéré comme suspect. Pourtant, il semblait à Elder que les sentiments qu'exprimait Blacklock vis-à-vis de Susan étaient comparables à ceux qui existent entre la plupart des pères et une fille du même âge qu'elle : la stupéfaction, l'exaspération, l'amour. Quant à son alibi – le déjeuner fini, après avoir aidé sa femme à faire deux ou trois bricoles dans la caravane, il s'était rendu en voiture à Whitby pour faire changer un pneu pratiquement lisse – on l'avait vérifié et revérifié, et il semblait, dans la mesure du possible, irréfutable.

Elder regarda sa montre. Un peu de transpiration s'était amassée au creux de ses paumes et à la lisière de ses cheveux. Des pas s'approchèrent de la porte, s'arrêtèrent derrière le panneau, puis repartirent.

Lors de son interrogatoire, la vendeuse qui travaillait au magasin du camping avait déclaré que Susan, l'après-midi de sa disparition, semblait préoccupée, voire nerveuse. Remplie d'appréhension.

Elder nota le nom de Christine Harker dans son calepin, et quelques minutes plus tard y ajouta celui de Kelly James, une jeune fille de la région que Susan avait fini par connaître après y avoir passé plusieurs étés en vacances.

Il lisait encore le dossier quand Rob Loake rentra dans la pièce, sans refermer tout à fait la porte derrière lui.

– Vous savez comment c'est, ça prend toujours plus longtemps que prévu.

– Oui, ça peut arriver.

Refermant le dossier, Elder repassa de l'autre côté du bureau.

– Je n'ai plus le temps de bavarder, à présent.

– Non.

– Vous trouverez la sortie tout seul ?

– Oui.

L'haleine de Loake empestait la fumée de cigarette.

Parfois, pensa Elder alors qu'il traversait le parking, il arrive qu'on se trouve trop près pour voir ce qui se passe vraiment, pour prendre conscience de ce qu'on a juste sous les yeux. Avec un peu de chance, il pouvait regagner la côte avant midi.


Kelly James s'appelait à présent Kelly Todd.

Le lundi, le mercredi et le vendredi, elle travaillait comme esthéticienne – soins du visage, manucures, pédicures, épilations. Quand Elder entra dans le salon de beauté, elle terminait une épilation (demi-jambes, aisselles et maillot) sur une prothésiste dentaire qui partait passer dix jours à Ibiza en demi-pension.

– Asseyez-vous là-bas, lança-t-elle. Je suis à vous dans dix minutes.

Elder feuilleta un vieux numéro de *Vanity Fair*. Les dix minutes s'étirèrent jusqu'à quinze. La radio semblait passer la même chanson en boucle, indéfiniment.

– Me voici. Excusez-moi de vous avoir fait attendre. (Drapée dans un peignoir fuchsia, Kelly Todd était maquillée à la perfection.) Susan Blacklock, c'est bien ce que vous avez dit ?

– Oui.

– On ne l'a pas retrouvée, hein ?

Elder secoua la tête.

– La pauvre petite. C'est horrible à dire, je le sais, mais ça fait des années que je n'ai pas pensé à elle.

Derrière le salon, ils s'assirent sur l'escalier qui donnait sur un passage étroit, une venelle : quelques poubelles, des géraniums aux fenêtres à l'arrière des maisons, les inévitables mouettes. Kelly avait préparé deux tasses de café instantané, et elle entourait la sienne de l'une de ses mains, tenant une cigarette de l'autre.

– Quelqu'un l'a tuée, non ? Personne ne reste parti aussi longtemps, sans donner de nouvelles après avoir disparu. Même si on a des raisons d'être en colère, d'être fâché, même si on en a assez des scènes et des disputes, on envoie une carte postale, non ? On passe un coup de fil. Tôt ou tard. Ne serait-ce que pour dire : Ne vous inquiétez pas, je vais bien.

Kelly tira une longue bouffée de sa cigarette, gardant la fumée dans ses poumons.

– Et Susan en avait ? Des raisons d'être fâchée, je veux dire.

– Oh, les bêtises habituelles. L'argent de poche. Les vêtements. Qui elle avait le droit de voir, ou pas. (Kelly but une gorgée de café.) Il y avait eu ce garçon, l'année précédente. Qui habitait la même ville qu'elle. Le genre mal dégrossi, à l'entendre parler. Plus âgé qu'elle. Enfin, quand on a quinze ans, on n'a pas envie de perdre son temps à flirter avec un petit morveux couvert de boutons. En tout cas, son père et sa mère, ils ont eu la frousse – ce qui n'a peut-être rien arrangé, c'est que Susan était leur seul enfant. Ils lui ont fait la leçon. Son père, surtout. Après cette histoire, il ne la lâchait plus une seule minute. Il voulait toujours savoir où elle était, avec qui elle était.

– Et vous pensez qu'elle aurait pu en avoir assez, au point de vouloir partir de chez elle ?

Kelly suivit des yeux un rond de fumée presque parfait, jusqu'à ce qu'il se dissolve dans l'air.

– Non, pas vraiment. Comme je vous le disais, à cet âge-là, c'est quelque chose d'assez banal. Une raison de se sentir malheureuse, de se lamenter sur son sort. C'était assez son style, à Susan. Elle en faisait même un peu trop, dans ce genre. Oh, elle n'allait pas jusqu'à pousser des cris et des hurlements devant tout le monde, ce n'est pas ce que je veux dire. Non, elle était plutôt calme, en fait. Mais à mon avis, elle aimait bien faire croire que la situation était beaucoup plus grave qu'en réalité.

– Et ce garçon, celui qui a provoqué tous ces drames, elle le voyait toujours, d'après vous ?

– Non, j'en suis presque sûre. Elle me l'aurait dit.

– Elle vous a parlé de quelqu'un d'autre ? Des petits amis ?

– Pas vraiment, pas de façon aussi précise. Il y avait bien un garçon, peut-être qu'elle lui plaisait, quelqu'un qu'elle avait connu à son club de théâtre. Je ne crois pas qu'ils aient jamais fait quoi que ce soit, vous savez, pour concrétiser. Susan devait attendre, sans doute, qu'il fasse le premier pas. Vous savez comment sont les filles. (Elle sourit.) Certaines filles.

– Et vous ne vous rappelez pas son nom ?

Kelly contempla ses longs doigts qui tenaient sa cigarette.

– Non, je regrette. Je ne sais pas si elle me l'a jamais dit. (Elle sourit et secoua la tête.) Je ne vous aide pas beaucoup, hein ?

Elder haussa les épaules.

– Vous ne pouvez pas me dire ce que vous ne savez pas.

– Je suppose que non.

Elder laissa sa tasse à moitié pleine et remercia Kelly Todd de sa patience, lui dit à quel hôtel il séjournait au cas où elle se rappellerait d'autres détails dans les jours à venir. C'était toujours possible, dès que l'on remuait des souvenirs anciens.

– Sa pauvre mère, dit Kelly, ne pas savoir la vérité, comme ça, je veux dire, ne jamais avoir de certitude, ce n'est pas juste, non ?

– Non. Ce n'est pas juste.

En retraversant le salon de beauté, Elder se rendit compte que la radio ne diffusait pas la même chanson en boucle, mais plutôt que toutes les chansons se ressemblaient. C'était exactement le genre de remarque, se dit-il, que son propre père aurait faite au sujet des Beatles ou des Stones.


Christine Harker travaillait toujours au parc de loisirs, derrière le comptoir de ce qui était à présent la Supérette du Camping.

– Je donne juste un coup de main. Vous savez comment c'est, une fois de temps en temps. À part ça, j'ai un bon petit boulot en ville. Je vends des fruits et légumes. L'après-midi. Ça me permet de gagner un peu de sous. Remarquez, ça me manque quand même de plus pouvoir regarder *Des chiffres et des lettres*.

C'était une femme de petite taille, aux formes généreuses, qui devait avoir, supposa Elder, pas loin de soixante ans, avec ce genre de chevelure gris argent permanentée qui lui irait encore très bien pendant les vingt prochaines années, sinon plus. Son regard s'était animé dès qu'il avait prononcé le nom de Susan Blacklock.

– Elle est réapparue, alors ?

L'espoir avait laissé place à la déception quand elle avait lu l'expression d'Elder.

– J'ai toujours cru qu'on la reverrait, vous savez. C'est idiot, en fait. Après tout, bon, il y avait peu de chances, mais c'est ce que j'ai toujours voulu penser. Qu'elle avait fugué pour aller quelque part, à Londres peut-être. Pour s'installer là-bas. Qu'elle avait des mômes à elle, maintenant. (Elle sourit.) J'ai vu ça à la télé, la Sarah Lancashire, quelqu'un comme ça, sa fille avait disparu, et tout s'était arrangé, finalement. Elles sont tombées dans les bras l'une de l'autre et elles ont beaucoup pleuré. Seulement, la vie, c'est pas comme ça, hein ? La vraie vie. Parfois, on oublie. Dans la vie, les mômes, ils foutent le camp, et puis c'est tout. Point final.

Elder s'écarta le temps qu'elle encaisse quelques achats : des cigarettes, une cannette de Coca, des mouchoirs en papier, un ballon en plastique. En écoutant Christine Harker plaisanter avec ses clients, il s'interrogea sur l'amertume qu'elle venait d'exprimer et sur ce qu'étaient devenus ses propres enfants à l'âge adulte.

– Lorsque vous avez parlé à la police, fit Elder, quand le calme fut revenu dans le magasin, vous avez dit que Susan n'était pas comme d'habitude, cet après-midi-là.

– Je sais. Et c'est vrai. J'en jurerais encore aujourd'hui. Elle était préoccupée. Comme si son esprit était ailleurs. Elle était dans les nuages, je suppose...

– Et vous n'avez aucune idée... ?

– Non.

– Il n'y avait rien dans ce qu'elle a dit ?

– Justement, elle a rien dit du tout. Pas vraiment. Elle m'a simplement donné sa barre de chocolat et de l'argent, elle a attendu sa monnaie. J'ai dû faire une remarque, à propos de ses vacances qui étaient presque finies. De son retour chez elle, vous voyez. Elle a simplement hoché la tête et puis elle est partie. Je me suis demandé si elle avait encore eu une dispute avec son père, mais j'ai pas eu envie de lui poser la question. De toute façon, c'était trop tard. Elle était plus là.

– Encore une dispute ? dit Elder.

– Oh, rien de bien méchant, je suppose. Comparé à ce qu'on peut voir par ici de temps à autre. Mais, bon, deux jours plus tôt, je les ai entendus, le père et la fille, s'empoigner juste devant ma boutique, et ils faisaient pas semblant. En larmes, qu'elle était, la petite, et elle lui disait de la laisser tranquille. « Tu n'as pas le droit de me parler comme ça. Pas le droit. » Et lui qui revenait à la charge : « Si, justement, j'ai tous les droits, tant que tu vis sous mon toit. » Je sais pas à quel propos c'était, quelque chose qu'elle aurait dû faire ou qu'elle aurait pas dû faire, sans doute. Finalement, elle est partie en courant, vers les caravanes, et il l'a poursuivie, en pestant et en jurant. Le lendemain, je les ai vus, on aurait cru qu'il s'était rien passé.

Pendant un moment, Christine Harker détourna les yeux.

– Ça sert jamais à rien, vous croyez pas ? De se mettre en colère. Quand ils arrivent à un certain âge, vous pouvez dire ce que vous voulez, ils en feront qu'à leur tête, et il n'y a qu'à les laisser vivre leur vie. En espérant que ça se passera du mieux possible.

Souriant à demi, elle demanda :

– Vous avez des enfants ?

– Une fille, c'est tout.

– Quel âge ?

– Seize ans.

– Alors, vous savez de quoi je parle.

Elder la remercia de son aide et lui acheta un Mars qui lui tiendrait compagnie sur le chemin du retour. À l'endroit où le sentier s'éloigne de l'éperon rocheux, au-delà de Saltwick Nab, quelques pétales d'iris parsemaient l'herbe de bleu.

# 11

La maison d'Helen Blacklock était nichée dans une partie de la ville qu'Elder ne connaissait pas vraiment. C'était une petite habitation mitoyenne, dans l'une des rues étroites qui sillonnent les flancs escarpés de la butte menant à la route de Scarborough à Whitby. Depuis la fenêtre de l'étage, on devait, supposa-t-il, avoir une vue partielle sur l'estuaire, la marina, les docks où à une époque récente les navires scandinaves venaient encore décharger leur bois de charpente.

Helen se trouvait devant chez elle, un seau à ses pieds ; elle nettoyait les vitres du salon. Un petit poste à transistors, posé sur le rebord de la fenêtre, diffusait à faible volume les programmes d'une station de grande écoute.

Elder se posta sur le trottoir, attendant qu'elle remarque sa présence et se retourne vers lui. Quand elle leva la tête, elle aperçut son reflet, bien visible sur le verre tout propre.

– Qu'est-ce que vous faites ici ? (Aucune hostilité, seulement de la surprise.) Vous ne passez sans doute pas par hasard, hein ?

– Sans doute pas.

Il sourit, et cela ne lui rapporta rien en retour.

Elle portait un pantalon noir et un haut noir et ample ; ses cheveux étaient tenus par un étroit ruban bleu noir, dégageant son visage. Des traces noires de maquillage, peut-être des vestiges de la veille, maculaient le tour de ses yeux. La main qui tenait le chiffon était large et à vif, les ongles rongés.

– Comment saviez-vous que je serais là ?

– Je n'en avais aucune idée.

– Je travaille, vous savez.

– Je n'en doute pas.

– Dans l'une des boutiques qu'on trouve sur les quais. Je vends des beignets, des sucres d'orge et de la barbe à papa.

– Vous ne travaillez pas aujourd'hui.

– Non, à part le ménage que je suis en train de faire.

– Je me suis dit que nous pourrions parler.

– Je croyais que c'était ce que nous faisions.

– Non, je veux dire...

– Je sais ce que vous voulez dire.

Une vieille femme vêtue d'un manteau d'hiver en dépit de la température passa lentement sur le trottoir, poussant un chariot en osier, et Elder s'approcha de la maison pour ne pas être sur son chemin.

– La disparition de Susan... J'ai consulté les dossiers.

Une mèche de cheveux avait retrouvé la liberté ; Helen la remit en place.

– Je ne dis pas que j'ai trouvé quoi que ce soit de nouveau, de surprenant. Je ne voudrais pas que vous vous imaginiez une chose pareille. Seulement, lorsqu'on reprend un dossier ancien, je ne sais pas pourquoi, on doit le voir sous un jour nouveau.

Helen Blacklock le regardait fixement, attendant la suite. Ce qu'il voulait éviter à tout prix, c'était de lui donner sans aucune raison de nouveaux espoirs.

– J'ai pensé que si nous pouvions en parler, si je pouvais vous poser quelques questions... Si cela ne vous dérangeait pas... Cela m'aiderait peut-être.

– Tenez, dit-elle en tendant vers lui sa main libre.

– Quoi ?

– Prenez cette main. Allez-y.

Il fit ce qu'elle lui demandait. Les os étaient robustes, la peau tout sauf lisse, sa poignée de main énergique.

– Vous n'avez pas besoin de prendre tant de pré-cautions avec moi, dit-elle. Je ne suis pas en sucre.

Non, pensa Elder. Vous êtes faite de chair et de sang. Il la suivit dans la maison.

L'intérieur était étroit, douillet, encombré de meubles qui très probablement l'avaient suivie quand elle avait quitté son domicile précédent – celui où ils vivaient tous les trois, Trevor, Susan et elle – et dont elle n'avait pas voulu se séparer, ou qu'elle n'avait pas les moyens de remplacer. Des rideaux orange foncé à la fenêtre, une moquette à motif, d'un marron terne. Des relents, omnipré-sents, de tabac froid.

– Ne faites pas attention au désordre, comme on dit. Laissez-moi me débarrasser de ça, et je vais faire chauffer de l'eau. Vous prendrez bien une tasse de thé ?

– Oui, merci.

– Asseyez-vous, alors. Je n'en ai pas pour long-temps.

Il y avait au mur deux petites vues de Whitby, des aquarelles, des fleurs séchées dans un vase ; une photo de Susan, encadrée, au-dessus de la chemi-née, et une autre, la montrant entre ses parents, posée sur le téléviseur. Sur la première, elle portait un haut violet, ses longues jambes mises en valeur par un jean serré. Des tongs roses aux pieds. Une belle journée, la lumière lui faisait cligner les paupières, et elle détournait les yeux, pour ne pas regarder tout droit vers l'objectif. Les contours de sa chevelure auburn flamboyaient.

Il devait y en avoir d'autres, Elder en était certain, soigneusement conservées, classées par ordre chronologique ; des bulletins scolaires, aussi, des diplômes et des lettres de remerciement et des cartes d'anniversaire et des dessins remontant jusqu'aux tout premiers d'entre eux, sur lesquels Susan parvenait à peine à écrire son propre nom : l'empreinte de sa main, des tampons faits avec un morceau de pomme de terre, des taches de couleur qui perdaient de leur éclat, des papillons aux ailes brisées. Les fragments, les vestiges d'une existence.

– Voilà.

Helen entra lentement dans la pièce, une tasse dans chaque main, et Elder lui en prit une, ornée d'une vue de l'abbaye au vernis traversé par une fêlure.

– Merci.

Il sourit, et elle réagit, à peine, avec les yeux.

– C'est douillet, ici, fit-il en se rasseyant.

– Étriqué, vous voulez dire.

Elle avait dénoué ses cheveux, qui tombaient à présent presque jusqu'à ses épaules, encadrant son visage. Ses pattes d'oie étaient profondes, et sous les yeux, sa peau un peu bouffie. Les vestiges de son maquillage, remarqua Elder, avaient disparu.

– Qu'est-ce que vous désiriez savoir ?

Le thé était insipide, comme si elle avait ôté le sachet trop tôt.

– Cette dernière journée, fit Elder. Dites-moi tout ce dont vous vous souvenez. Jusqu'au moment où Susan a quitté la caravane.

– Tout ?

– Oui. Prenez votre temps.

Helen serra sa tasse entre ses mains.

– On s'est levés tard, ce matin-là ; ça, je me le rappelle. Trevor était toujours d'une humeur de chien quand cela arrivait, même pendant les vacances. Il aimait se lever tôt pour s'activer – même quand il n'y avait rien de spécial à faire. Il est sorti prendre l'air, je crois. Il a acheté le journal en revenant, l'*Express*, sans doute, parfois c'était le *Mail*. J'avais déjà préparé le petit déjeuner quand il est rentré. (Elle but une nouvelle gorgée.) Après ça, on est allés à Robin Hood's Bay. En voiture, vous voyez. On n'y est restés qu'une heure, ou à peine plus. Trevor, il aimait bien traîner dans les rochers et les flaques d'eau à marée basse, et la mer devait être basse à cette heure-là, il me semble. Susan et moi, on s'est assises sur un banc au-dessus de la plage. Et on a bavardé, probablement.

– Vous avez parlé de quoi ? Vous vous en souvenez ?

– De choses et d'autres. De n'importe quoi. Des études de Susan, de son entrée au lycée. Ça, nous en avons parlé un moment, j'en suis sûre.

– Et cela l'inquiétait ? De changer d'établissement ?

– Non, pas du tout. Elle n'attendait que ça. Siobhan et Linsey, ses amies du groupe de théâtre, allaient dans le même lycée qu'elle. Elle avait eu du mal à se faire des amies, Susan, tout au long de sa scolarité. Je veux dire, elle parvenait à s'entendre avec les autres, mais sans plus. Et puis, quand elle s'est investie dans les activités de ce groupe de théâtre, on aurait dit que cela devenait plus facile pour elle. Ils allaient voir des pièces tous ensemble. Un peu partout. À Leeds. À Manchester. À Londres, une fois. À Newcastle-on-Tyne. Il était quatre heures du matin, ou presque, cette fois-là, quand ils sont rentrés. Trevor était à deux doigts d'appeler la police, tellement il était inquiet.

– Mais tout allait bien ?

– Oh, pour ça, oui. C'était une pièce de Shakespeare, une de celles qui durent des heures. Et puis ils avaient eu une crevaison sur le chemin du retour.

– Et Susan... ?

– Oh, elle avait adoré. Elle avait passé un moment merveilleux. C'était pour elle une véritable aventure. Cela se lisait dans ses yeux.

– Et les amies de Susan, elles étaient du voyage, elles aussi ?

– Siobhan et Linsey ? Oui, j'imagine. Elles étaient pratiquement inséparables, la dernière année.

Les deux jeunes filles avaient été interrogées, Elder le savait. On leur avait demandé si Susan était liée avec des garçons, si elle avait pu entretenir avec eux des relations dont elle souhaitait, pour telle ou telle raison, que ses parents ne sachent rien. À part quelques anecdotes concernant des petites fêtes entre amis, la consommation d'alcool avant l'âge réglementaire, des béguins sans lendemain et les inévitables caresses furtives et maladroites, les interrogatoires n'avaient rien révélé.

– Pendant que vous bavardiez toutes les deux, dit Elder, ce matin-là, elle ne vous a pas donné l'impression d'être tourmentée par un problème quelconque ?

– Non. Non. Pourquoi me demandez-vous ça ?

– La dame de la boutique, au camping, elle m'a dit que Susan semblait un peu – quel terme a-t-elle employé ? – préoccupée.

Baissant les yeux, Helen Blacklock regarda ses mains, puis releva la tête de nouveau.

– Je ne sais pas ce qui aurait pu la tracasser. Je n'en ai aucune idée.

– Elle m'a également confié qu'elle avait entendu Susan et son père avoir une dispute effroyable. La veille même de sa disparition.

Helen leva les yeux vers Elder et le regarda sans ciller.

– Première nouvelle.

– Mais cela ne vous surprend pas ?

– Pas vraiment, non...

Elder attendit.

– Ils ont toujours été très proches, Susan et Trevor, quand elle était petite. Maman, laisse faire papa. Laisse papa. Papa. Pour être franche, cela finissait par me rendre jalouse, parfois. Je veux dire, c'était moi qui la traînais dans les magasins en poussette, qui l'emmenais aux balançoires. Qui lui lisais les mêmes histoires, encore et encore. Qui supportais ses humeurs. Pendant... quoi ? Sept, huit heures par jour. Et lui, il arrivait comme une fleur à l'heure du dîner, et il n'y en avait que pour lui. Et comment elle va, ma petite princesse ?

Un peu de cendre de cigarette tomba sur sa jupe. Sans regarder, elle la chassa d'un revers de la main.

– Tout a changé quand Susan est entrée dans le secondaire. Elle a semblé prendre ses distances. Et Trevor lui en voulait, cela se voyait. Cette façon qu'il avait de la regarder, parfois, comme si – je ne sais pas – comme s'il se sentait trahi. Comme si elle s'était retournée contre lui.

– Et vous pensez que cela était dû au fait qu'elle grandissait ? Qu'elle commençait sa puberté, si vous voulez ?

– Je suppose.

– Ce n'était pas parce que Trevor avait changé ? Qu'il ne se comportait plus de la même façon avec elle ? À cause de quelque chose qu'il aurait fait ?

– Qu'il aurait fait ?

Le dernier mot restait suspendu entre eux, inexplorable.

– Non, fit Helen. C'est Susan qui avait changé. Elle s'est rapprochée de moi, pour commencer.

Presque comme si, ma foi, comme si nous étions sœurs, pour ainsi dire.

– Et Trevor se sentait exclu.

– Oui.

Elder pensait à Katherine, à Katherine et à Joanne. Quand elles marchaient toutes les deux devant lui, bras dessus bras dessous, leurs têtes se touchant presque. Quand elles disparaissaient des heures durant dans toute une série de boutiques, pour en émerger finalement, les joues roses d'excitation, avec des sacs pleins à craquer de bonnes affaires à saisir. Quand elles parlaient ensemble sur le canapé du salon, ces conversations à voix basse qui explosaient en gloussements ou cessaient tout net à son entrée.

– Comment a-t-il réagi à cela ? demanda Elder. Trevor ?

Helen tira sur sa cigarette.

– La moitié du temps, il faisait comme si cela lui était égal. À d'autres moments, il prenait la situation trop à cœur. Il tournait autour de Susan, il lui posait des questions – sur l'école, ses amis – il l'empêchait presque de respirer. Quand il faisait cela, bien sûr, elle rentrait d'autant plus dans sa coquille. Il supportait ça un moment, vous voyez, comme s'il ne s'en rendait pas compte. Et puis – sous n'importe quel prétexte, parfois pour un rien ou presque – il explosait. Il piquait une vraie colère. Une fois par mois, une fois par semaine, ou moins souvent, ou plus fréquemment. C'était comme si l'on vivait avec une bombe à retardement dans la maison, sans savoir ce qui allait la faire exploser.

– Il la frappait ?

– Non. Non... Enfin, une ou deux fois. À plusieurs reprises, peut-être. Quand elle avait douze, treize ans. Elle le poussait à bout, en sachant très bien ce qu'elle faisait. Vous savez ce dont les mômes sont capables. Quand il n'en pouvait plus, il frappait. Il ne savait pas quoi faire d'autre. Un dimanche, je me rappelle, nous étions chez mes parents pour le déjeuner. Il s'est carrément penché au-dessus de la table pour la gifler. Vous imaginez l'esclandre que cela a provoqué. Susan s'est enfuie en hurlant, ma mère courant après elle pour tenter de la calmer ; mon père montant au créneau pour imposer sa loi ; Trevor, qui a fini par balancer ses couverts sur la table et sortir avec fracas. Après cet incident, à chaque fois que nos parents venaient nous rendre visite, il trouvait un prétexte pour ne pas être à la maison. Ou alors, il s'inventait une migraine, et restait couché au premier, les stores baissés, jusqu'à ce qu'ils s'en aillent.

– Et tout ça, c'était à l'époque où Susan était encore très jeune ? Le fait qu'il la frappe, je veux dire.

– Je lui ai dit que s'il n'arrêtait pas... S'il n'arrêtait pas, je le quitterais. Nous le quitterions, toutes les deux. Susan allait sur ses quatorze ans. Il a compris que je ne parlais pas à la légère, c'était visible. Je lui ai suggéré de demander conseil. De parler à quelqu'un, un psy, qui il voudrait, s'il n'arrivait pas à se maîtriser. Et, il faut lui reconnaître ça, c'est ce qu'il a fait. Il n'a plus jamais levé la main sur elle.

– Il continuait à se mettre en colère ?

Helen ne regardait plus Elder, à présent, mais, l'œil vague, elle contemplait le plancher.

– De temps à autre. Pour des choses qu'il estimait importantes.

– Les garçons ?

– Les garçons, oui. Ou bien s'il la soupçonnait de lui avoir menti, d'avoir été malhonnête.

– Et c'était le cas ?

Helen le regarda de nouveau.

– Je pense que oui. Les filles mentent souvent. En général, elles sont obligées de mentir.

Elle éteignit sa cigarette.

– Trevor et vous, dit Elder, vous êtes restés en contact ?

– Non. Pas vraiment.

– Vous n'avez pas son adresse ?

– Quelque part du côté de Tamworth. (Elle se leva.) Je vais vous trouver ça.

– Et ces filles dont vous m'avez parlé, vous n'auriez pas leur adresse, aussi ?

Helen secoua la tête.

– Je ne crois pas. Plus maintenant. Au début, elles ont eu la gentillesse de m'écrire souvent, surtout Siobhan. Et l'un des garçons, aussi. Rob, je crois. Ils m'envoyaient des cartes pour l'anniversaire de Susan, de petites attentions de ce genre. Mais au bout d'un moment, ma foi, vous savez comment c'est... Enfin, je vais chercher quand même.

Pendant son absence, Elder examina de plus près le portrait de famille et pensa à Trevor, cherchant tout seul des étoiles de mer ou des crevettes, pendant que la mère et la fille cancanaient et gloussaient comme les meilleures amies du monde.

Helen revint avec un petit carnet d'adresses, plutôt en piteux état.

– Voilà, Siobhan Hansen. Et voici celle de Trevor. Celle de Siobhan, en revanche, elle remonte à plusieurs années, notez bien. Je doute qu'elle habite encore au même endroit. Vous pourriez toujours tenter votre chance au collège, malgré tout. Le collège de Chesterfield. C'était un lycée huppé, autrefois. Le professeur de théâtre, M. Latham, il y est peut-être encore. Je pense qu'un ou deux camarades de Susan ont pu rester en contact avec lui.

– Très bien, merci.

Elder nota les adresses dans son calepin.

Helen l'accompagna jusqu'à la porte.

– Vous restez encore combien de temps ?

– Oh, un jour de plus, peut-être, je n'en suis pas sûr.

Elle lui donna l'impression de vouloir ajouter quelque chose, mais changea d'avis. Que ce soit le poignet d'Helen qui frôla son bras ou bien le contraire, ce fut certainement par hasard. Elle le suivit des yeux un moment, puis se détourna avant qu'il eût atteint le coin de la rue.

## 12

Pam Wilson avait promis à son père de ne jamais suivre son exemple, de ne pas faire carrière dans le contrôle judiciaire. Cette promesse, elle n'avait pas eu de mal à la tenir. Quand elle était gamine, le voir partir au bureau chaque matin à sept heures, au plus tard à sept heures et demie, lancer sa Vauxhall arthritique à l'assaut des pentes pour sortir du comté, de Tomorden à Huddersfield, et revenir le soir vers la même heure, des paperasses sous le bras, tout cela avait convaincu Pam qu'aucun être humain doué de bon sens ne choisirait de devenir contrôleur judiciaire, un métier où l'on était accablé de travail, jamais apprécié à sa juste valeur, et gravement sous-payé.

Le jour où elles fêtèrent ensemble leur quinzième anniversaire, Pam et sa meilleure amie d'alors, Julie Walker, firent le serment qu'elles consacreraient leur vie à acheter des vêtements griffés, à ne sortir qu'avec des Italiens, à boire du Bacardi, et à trouver des jobs qui payaient assez pour qu'elles puissent se permettre, avant l'âge de vingt-cinq ans, de vivre dans un appartement luxueux au centre de Leeds. Après avoir obtenu un diplôme en études commerciales, Julie était à présent, à l'âge respectable de trente-sept ans, directrice du marketing de la seconde marque nationale d'amuse-gueules à base de pomme de terre. Son revenu annuel dépassait les 70 000 livres, primes non comprises, elle avait une voiture de fonction, et un appartement dans le quartier des docks, au ras de la Tamise. Pam avait trouvé le décor un peu outrancier en le découvrant dans les pages du magazine *Hello!*, Julie posant sur le canapé en cuir blanc, main dans la main avec Darren Machinchose, celui qui s'était fait un nom dans l'équipe de foot de Highbury et qui, aujourd'hui, s'estimait heureux quand il quittait le banc de touche à West Ham.

Pam, pendant ce temps, après avoir changé de cursus à l'université, délaissant l'histoire pour la psychologie et la sociologie, caressa un temps l'idée de faire une carrière éclair dans la police, détesta cette profession, puis rebondit tant bien que mal dans la vente d'espace publicitaire à la télévision, un domaine pour lequel elle n'était pas faite. Elle suivit ensuite une formation de neuf mois pour apprendre à diriger un grand magasin, avant de s'inscrire à un stage pour enseigner l'anglais langue étrangère, dans le but d'aller travailler comme prof dans un pays chaud. Après avoir attrapé de l'urticaire et quelque chose d'infiniment plus grave et plus intime à Barcelone, déprimée et sans un sou, elle revint s'installer dans son ancienne chambre, chez ses parents, et accepta un poste de contrôleur judiciaire stagiaire.

C'était un choix à propos duquel son père ne manquait pas une occasion de la taquiner ou de la sermonner. La plupart du temps, sur le parking, les matins où elle le suivait jusqu'à Huddersfield dans sa Toyota rongée par la rouille.

Maintenant, à trente-sept ans, elle buvait de la bière plutôt que du Bacardi, les seuls mots d'italien que connaissait le dernier garçon avec qui elle était sortie se limitaient à *espresso* et *Di Matteo*, et elle habitait juste à côté de chez ses parents, un peu plus loin dans la vallée, une maison mitoyenne étroite à Hebden Bridge. Et, même si elle n'était pas forcément prête à l'avouer à n'importe qui, elle trouvait que son métier de contrôleur judiciaire lui apportait bien des satisfactions. Les difficultés étaient nombreuses, les frustrations inévitables ; pourtant, au bout du compte, cela en valait la peine.

En temps normal, Pam n'aurait pas figuré en tête de liste lors du choix d'un contrôleur judiciaire pour Shane Donald. Non pas que l'expérience nécessaire lui manquât, mais étant donné la nature du crime de Donald, les violences qu'il avait infligées à des femmes par le passé, on aurait plutôt confié le dossier à un homme. Cependant, plusieurs mois auparavant, au moment où il avait fallu s'investir dans le projet de libération de Donald, Dennis Robson était en congé pour un problème de santé généré par le stress, Terry Smith s'était blessé au dos en jouant au badminton, et c'est ainsi que Pam avait hérité, pour ainsi dire, du bébé.

La première fois que Pam avait rencontré Donald, cela l'avait étonnée qu'il paraisse tellement plus jeune que ses trente ans ; elle avait discrètement vérifié, en fait, sa date de naissance dans les documents de son dossier. Depuis lors, la barbe de trois jours qu'il avait choisi d'arborer, ainsi que ses cheveux ras, ne le faisaient pas vraiment paraître plus âgé, mais sans doute plus énergique, plus indépendant. Il avait répondu sans faire d'histoires aux questions de Pam, de façon succincte et précise, avec une politesse forcée. Il était conscient de l'énormité des actes qu'il avait commis. Il paraissait contrit, envisageait sérieusement de prendre un nouveau départ. Pam estimait que l'expérience lui avait appris à reconnaître ceux qu'elle pouvait croire de ceux qui la menaient en bateau. Avec Shane Donald, elle n'avait jamais eu de certitudes.

Évaluer le risque. Quelle part de danger représentait sa libération ? En toute logique, rien ne justifiait cette appréhension viscérale qu'elle éprouvait, au plus profond d'elle-même. Et d'autres personnes qu'elle, d'autres spécialistes, avaient analysé son cas, pesé le pour et le contre, pris la décision appropriée, idoine.

Sur le chemin du foyer, pour le troisième entretien de la matinée, elle acheta un beignet et un café et se donna dix minutes, garée sur une aire de repos, pour relire le dossier de Donald. Échec scolaire, cellule familiale dysfonctionnelle, victime de maltraitance, influençable. Au procès, l'avocate de Donald avait soutenu que son client était, à sa façon, tout autant victime que la jeune fille que McKeirnan et lui avaient violée et tuée. Pam en était moins sûre. Il n'y avait pas beaucoup d'atrocités qu'elle n'eût déjà rencontrées, mais, avec un peu d'imagination pour combler les blancs du compte rendu, ce que Donald et son acolyte avaient fait subir aux jeunes femmes qu'ils avaient séquestrées lui donnait encore la chair de poule ; et, parcourue par un long frisson d'appréhension, elle ne put s'empêcher de regarder autour d'elle, soudain consciente d'être une jeune femme assise toute seule dans sa voiture et qui n'avait pas pris la précaution élémentaire de verrouiller les portières.

Le temps qu'elle atteigne le foyer et gare sa Toyota le long du trottoir, elle avait retrouvé son calme. Après un coup d'œil au rétro pour vérifier qu'elle n'avait pas de traces de sucre glace autour de la bouche, elle se dirigea vers la porte d'entrée : un mètre soixante-dix-huit et près de soixante-huit kilos, des épaules et des bras musclés par la pratique du volley-ball, un tailleur gris pâle ample sur un col roulé noir, des cheveux autrefois blonds qui avaient foncé au fil des années, coupés court et en brosse, une serviette en cuir, au format A4, sur un bras.

– Pam. (Comme à son habitude, Gribbens l'accueillit sur le seuil, la main tendue.) Je suis content de vous voir.

– Moi aussi, Peter.

– Allons dans mon bureau, vous pourrez vous y entretenir avec Shane.

– Si vous êtes sûr que cela ne vous dérange pas.

Lors de leur première rencontre, Gribbens lui avait demandé de quelle confession elle était ; à la seconde, il l'avait invitée à se joindre à lui et à son épouse pour une randonnée d'une journée dans les Pennines. Comme il avait fait chou blanc dans les deux cas, il s'était depuis retranché derrière la jovialité quelque peu tonitruante qui lui était habituelle.

– Comment se comporte-t-il ? demanda Pam.

– Oh, plutôt bien, il me semble. Plutôt bien. Il est calme, il reste dans son coin. Jusqu'à maintenant, du moins. Pas de manifestations d'agressivité. Mais cela dit, ce ne sont que les premiers, les tout premiers jours.

– Eh bien, plus tôt vous me l'amènerez...

– Ah. Oui. Oui, bien sûr.

Quand Donald entra dans la pièce, Gribbens referma la porte derrière son dos.

– Shane, entre donc. Assieds-toi.

Il s'exécuta, son regard passant très vite du visage de Pam à la fenêtre, derrière elle, au mur, au cuir éraflé du bout de ses chaussures.

– Alors, Shane, comment se passe ton installation, à ton avis ?

– Bien, je crois.

– Pas de problème avec les autres pensionnaires ?

Donald secoua la tête.

– Et avec le personnel ?

Donald cligna des yeux et se rongea un ongle.

– Shane ?

– Non, y a rien. Ça baigne.

– Tu es sûr ? Parce que, s'il y a quoi que ce soit qui te tracasse, autant en parler tout de suite.

– Non, comme je l'ai dit, ça va.

– Et ton compagnon de chambre ? Je suppose que tu partages une chambre ?

– Royal, ouais. Il est bien. Il me laisse tranquille.

– Parfait. Maintenant, il y a deux ou trois conditions de ta remise en liberté que j'aimerais revoir avec toi, pour être sûre que c'est bien clair dans ta tête. Pour voir s'il y a des questions que tu aimerais me poser. D'accord ?

Donald hocha la tête. Le règlement. Il connaissait les règles à respecter, les rituels à observer. Fais ci, fais ça. Cette fois, il avait tout de suite perçu le tic-tac de l'horloge, le petit déclic qui accompagnait chaque mouvement des aiguilles. Tiens-moi régulièrement au courant de tes activités, disait Pam. Essaie de ne pas être en retard. Respecte les horaires du foyer. S'il y a quoi que ce soit qui te tracasse, parles-en d'abord à ton référent, puis à moi. D'accord, Shane ? C'est d'accord ?

Donald gigota un peu sur sa chaise.

– En résumé, reprit Pam, tu dois éviter de faire tout ce qui est interdit par les termes de ta libération conditionnelle. Absolument tout.

Elle était en train de lui secouer sérieusement les puces, elle en avait conscience, et ce n'était pas la meilleure façon de procéder pour qu'il continue à lui faire confiance, certainement pas. Mais à chaque fois qu'elle le regardait, qu'elle voyait cette tête de fouine, la façon dont la peau autour de ses ongles était rongée, à vif, Pam ne pouvait empêcher certaines images de surgir dans son esprit. Ce qu'il avait fait avec ces mains-là.

– Shane ? Tu comprends ?

– Oui. Ouais, bien sûr.

Et puis il eut ce petit sourire bref sur ses lèvres minces, et ce fut Pam qui détourna les yeux.

– Nous allons t'aider à trouver un emploi..., dit-elle, reprenant le dessus. T'aider à te réinsérer dans la vie de tous les jours, mais la plus grande part du travail, ce sera à toi de l'assurer. C'est une chance qu'on te donne, une chance que d'une certaine façon tu as gagnée. À toi de faire ce qu'il faut pour que ça marche.

Donald marmonna quelque chose qu'elle n'entendit pas, qu'elle ne comprit pas.

Pam fit passer l'une des feuilles de son dossier sur le dessus de la pile.

– Ta sœur, Irene, tu as pris contact avec elle ?

Un signe de dénégation.

– Mais tu vas le faire ?

– Ouais, ce soir. J'avais prévu de le faire ce soir.

La sœur aînée de Shane Donald vivait tout près, à Marsden. Pam le savait. Dans un trou perdu, guère plus qu'un village éparpillé de part et d'autre de l'A62, qu'elle avait traversé de nombreuses fois en voiture en se rendant d'Oldham à Manchester. Irene était le seul membre de la famille qui eût régulièrement rendu visite à Donald pendant son incarcération. Le fait qu'elle habite la région de Huddersfield était l'une des raisons du choix de cette ville pour le transfert de Shane.

– Nous en avons déjà parlé, non ? fit Pam. On a dit que ce serait bien pour toi que tu ailles un moment chez elle, dans sa famille. Qu'on s'arrange pour que tu y passes un week-end.

Donald se rappelait le mari d'Irene, cette expression de mépris haineux sur son visage la dernière fois qu'ils s'étaient rencontrés.

106

– Je pense qu'Irene pourrait persuader ta mère de venir te voir avant peu. Est-ce que ça te ferait plaisir ?

Pas de réponse.

– Shane ?

– Ouais, ça serait bien, je suppose.

La mère de Shane n'était pas allée le voir en prison plus d'une demi-douzaine de fois, réalisa Pam. Peut-être avait-elle honte, honte de ce qu'il avait fait, et se sentait-elle en quelque sorte responsable.

– Il y a une dernière chose que je voulais mentionner, ajouta Pam. Dont je souhaitais que tu prennes conscience. Il y a un ou deux journaux locaux, près de l'endroit où vivait Lucy Padmore, qui publient des articles depuis un certain temps, déjà, sur ta remise en liberté. Dans l'ensemble, ils sont plutôt hostiles, j'en ai bien peur. Le père de Lucy, il a proféré des menaces, il a dit bien haut ce qu'il ferait s'il apprenait où tu te trouves.

Donald avait porté une main à sa bouche, ses dents tirant sur un petit morceau de peau rose à la lisière de l'ongle du pouce.

– Si cette campagne de presse n'est pas reprise au niveau national, dit Pam, et je ne vois pas pourquoi elle le serait, il n'y a aucune raison que les gens d'ici l'apprennent. Mais si j'étais toi, je ferais attention de ne pas parler à n'importe qui, et j'en dirais le moins possible sur le motif de ma condamnation, à tout hasard. Compris ?

Un bref hochement de tête.

Pam rassembla ses documents et glissa le dossier dans sa serviette en cuir.

– Je t'attends donc à mon bureau, Shane, dans une semaine. À onze heures et demie. L'adresse est sur ma carte.

Quand Donald sortit, Gribbens rôdait devant la porte. Dès qu'elle l'aurait informé des points essentiels de l'entretien, Pam aurait besoin de lui poser quelques questions sur l'un des autres pensionnaires du foyer, puis elle pourrait repartir. Un sandwich rapide, puis retour au bureau pour une réunion prévue à deux heures sur le cas d'un habitué du vol à l'étalage. Avant toute chose, elle avait besoin d'une cigarette. Quand elle avait accepté de partager la maison d'Hebden avec un farouche militant anti-tabac, elle avait accueilli cette solution comme une excellente occasion d'arrêter de fumer. Le paquet de Marlboro Light rangé dans sa boîte à gants n'était là qu'en cas d'urgence. Cinq cents mètres plus loin, elle gara sa voiture, coupa le moteur, descendit sa vitre jusqu'à mi-hauteur et alluma sa première cigarette depuis bientôt deux mois. Ce qui l'avait le plus troublée dans l'entretien avec Shane Donald, ce n'était pas qu'il ait évité, la plupart du temps, de la regarder en face, mais le fait que la seule fois où il avait posé les yeux sur elle, ses lèvres avaient esquissé un sourire.

## 13

La plupart des crimes contre des enfants, Elder le savait, étaient commis au sein de leur famille. Par un oncle. Un beau-père. La mère ou le père. Trevor Blacklock avait été interrogé à six reprises en une semaine. Un enquêteur avait eu un doute, une intuition, mais Blacklock n'avait jamais été mis en garde, jamais inculpé.

La maison était située dans une courte rangée de constructions mitoyennes en arc de cercle, qui faisait partie d'une résidence plutôt récente à la lisière ouest de Tamworth – garages, pelouses, maisons jumelles. Le long de la clôture, le parterre de roses semblait bien implanté ; de chaque côté de la porte d'entrée, dans des bacs, poussaient des géraniums, blancs et de plusieurs nuances de rouge. En téléphonant la veille, Elder avait été accueilli par le brusque « Allô » de Trevor Blacklock. Dès qu'Elder avait prononcé le nom de Susan, la communication avait été coupée. Quand il rappela un peu plus tard, l'appareil était déconnecté.

À présent, à dix heures passées, Blacklock devait être à son travail ; la porte coulissante du garage était baissée sur le tiers de la hauteur, et aucune voiture n'était visible à l'intérieur. Des pots de peinture étaient alignés avec soin le long d'un mur ; sur celui d'en face, des outils de jardin pendaient à des crochets. Dans certains quartiers, pensa Elder, ils n'auraient pas tardé à retrouver leur liberté.

Pendant un moment, un visage de femme apparut à l'une des fenêtres en façade, pour observer la rue.

Elder s'approcha de la porte et sonna.

Petite et frêle, elle faisait presque penser à un oiseau. Elle avait dans les trente-cinq ans, des cheveux bruns, des yeux marron au regard nerveux.

– Il n'y a aucune chance, je suppose, que Trevor soit encore à la maison ?

– Oh, non. Il y a bien deux heures qu'il est parti. Et même plus.

– Ce n'est pas le genre à faire la grasse matinée, alors ?

Un bref instant, elle sourit.

– Ce n'est pas demain la veille. S'il n'est pas là à huit heures pile, le garage le réclame à tue-tête au téléphone.

– Dommage, fit Elder. Je passais à tout hasard.

– Vous êtes un ami, alors ?

– Plutôt un ami d'Helen, en fait.

– Helen ? (Puis :) Oh. Oh, je vois.

– Je pourrais toujours passer à son travail. Juste pour lui dire bonjour.

– Trevor et Helen, ils n'ont pas vraiment gardé le contact...

– Non, je sais. C'est dommage, non ? Si vous voulez bien m'indiquer le chemin, je vais y aller tout de suite.

Il y avait un vélo d'enfant, remarqua Elder, appuyé contre le mur du vestibule, derrière l'endroit où se tenait la jeune femme.

Le hall d'exposition occupait la majeure partie de la façade, des voitures neuves aux carrosseries lustrées entre lesquelles circulaient des commerciaux en costumes satinés, parmi des plantes en pot aux feuilles luisantes. La réception se trouvait sur le côté, un comptoir peu profond et incurvé derrière lequel une blonde frêle parlait avec vivacité au téléphone, tapotant de sa main libre sur un clavier d'ordinateur.

Elder attendit jusqu'au moment où, avec un air dégoûté, elle reposa le combiné.

– Il y a des gens, dit-elle, qui s'attendent à ce que vous fassiez des miracles.

Presque aussitôt, l'appareil sonna de nouveau, et elle mit l'appel en attente.

– Trevor Blacklock, annonça Elder. J'aimerais savoir où je peux le trouver.

– Aux pièces détachées. Vous franchissez cette porte, là, vous contournez la première travée, et c'est sur votre droite.

Un ongle rose lui indiquait la direction.

Un certificat encadré était fixé au mur : Trevor Blacklock avait décroché la médaille d'or du meilleur magasinier au stage annuel de formation de la compagnie. Blacklock en personne se tenait derrière le comptoir, vêtu d'une chemisette jaune, son nom épinglé à sa poche de poitrine, au cas où l'on douterait de son identité. Il avait cinquante ans, estima Elder, ou cinquante-deux. Ils étaient du même âge.

– Monsieur ? fit Blacklock. Vous désirez ?

Les doigts de sa main gauche pianotaient sur le clavier de l'ordinateur, prêts à lancer une recherche.

– Je voulais vous poser quelques questions, dit Elder. Au sujet de Susan.

Blacklock recula d'un pas et agrippa des deux mains le rebord du comptoir.

– Et comment êtes-vous arrivé jusqu'ici, bon sang ? Comment avez-vous su où je travaillais ?

– Peu importe.

– Si, je veux savoir.

111

– Très bien, j'ai demandé. À votre femme. Ou votre compagne, je ne sais pas.

– Vous n'avez aucun droit.

– Mais enfin, je ne vois vraiment pas pourquoi vous montez sur vos grands chevaux. Dix minutes de votre temps, c'est tout ce dont j'ai besoin.

– Non.

– Pourquoi ?

– Parce que vous n'avez pas le droit, bon sang !

– Écoutez, dit Elder d'une voix égale, s'efforçant de reprendre le contrôle de la situation. Je ne suis pas flic, je ne suis pas journaliste.

– Je sais qui vous êtes.

– Alors, vous savez que j'ai participé à l'enquête quand Susan a disparu.

– Je sais que vous avez menti.

– Jamais délibérément.

– *Je la trouverai*, voilà ce que vous avez dit.

– Je sais.

– Et vous l'avez trouvée ? C'est pour ça que vous êtes là aujourd'hui ?

– Non.

– Alors, sortez d'ici et laissez-moi tranquille. Je n'ai rien à dire.

Un mécanicien vint demander des plaquettes de frein ; un client avait besoin de balais d'essuie-glaces pour une Vauxhall Corsa. Elder fit demi-tour et s'en alla.

Il fit une dernière tentative le soir même. Le journal télévisé de dix-huit heures devait tout juste se terminer et le dîner, probablement, était prêt à côté du micro-ondes ou en train de mijoter sur un coin de la cuisinière.

Ce fut l'épouse qui vint ouvrir, énergique et efficace à présent, un peu de farine adhérant par endroits à ses mains.

– Mon mari n'a rien à vous dire...

Et puis il vint en personne se poster derrière elle, la chemisette qu'il portait à son travail à présent remplacée par une confortable chemise à carreaux, mais la tension visible autour de sa bouche et de ses yeux n'avait rien de confortable.

– Ce qui est arrivé à sa fille il y a bien longtemps, c'est quelque chose que Trevor regrettera toujours. Mais c'était dans une autre vie. Aujourd'hui, sa vie, c'est ici, avec nous. J'espère seulement que vous êtes capable de le comprendre.

Cela sentait le discours préparé, le communiqué destiné à la presse. Et comme pour clore le chapitre, au moment idéal, une petite fille de sept ou huit ans, le portrait parfait de sa mère, apparut entre eux sur le seuil.

– Daisy, dit la femme, rentre, tu veux bien ?

Au lieu d'obéir, la fillette s'appuya contre Blacklock qui, instinctivement, l'entoura de son bras, lui caressa les cheveux.

Ils étaient encore plantés dans l'encadrement de la porte quand Elder remonta dans sa voiture, mit le contact, passa la marche arrière et commença à reculer.

## 14

– En terrain neutre, alors, avait dit Maureen Prior lorsque Elder lui avait suggéré au téléphone qu'ils se retrouvent à l'Arboretum, le parc de la ville qui s'étire en longueur au centre de Nottingham à partir de la lisière Est du cimetière et la route de Mansfield.

Ce ne fut pas Maureen qu'Elder aperçut en premier, cependant, mais Charlie Resnick, l'inspecteur principal, les mains dans les poches de l'imperméable beige informe qu'il portait par tous les temps ; Resnick qui contournait le kiosque à musique pour descendre vers la sortie de Waverley Street. De là, il pourrait traverser le cimetière pour remonter jusqu'à Canning Circus et le commissariat où son équipe de la police judiciaire avait ses bureaux.

– Charlie.

– Frank.

Les deux hommes avaient sensiblement la même taille, dépassant le mètre quatre-vingts de deux ou trois centimètres, Resnick le plus lourd des deux d'une bonne dizaine de kilos.

– Alors, demanda Resnick, la retraite, comment ça se passe ?

– Pas trop mal.

Resnick parut sceptique.

– Tu dois avoir engrangé tes trente années réglementaires, Charlie. Tu devrais essayer. Pour voir si ça te plaît.

Resnick secoua la tête.

– Je vais persévérer encore un moment.

– Et mourir à la tâche ?

– J'espère ne pas en arriver là.

Il y avait une traînée jaunâtre, remarqua Elder, qui avait séché sur le devant de la chemise de Resnick, tout près de sa cravate.

– C'est dans le Devon, c'est ça ? demanda Resnick. L'endroit où tu t'es retiré.

– En Cornouailles.

– Et qu'est-ce qui te ramène ici ?

– Oh, tu sais...

Elder eut un geste vague.

Resnick hocha la tête.

– Bon, il faut que je file. Ça m'a fait plaisir de te revoir, Frank.

– À moi aussi, Charlie.

Elder le regarda s'éloigner, d'une démarche plutôt légère pour un homme de son embonpoint. Il n'avait pas encore tout à fait disparu que Maureen descendait l'allée centrale menant à la roseraie, marchant d'un pas vif.

– Vous avez parlé du bon vieux temps ?

– Quelque chose comme ça.

Maureen opina du chef.

– Je n'ai travaillé avec lui qu'une seule fois. Ça m'a plu. C'est un bon flic.

– Ça m'étonne qu'il soit encore à Canning Circus, toujours inspecteur principal.

– Ce n'est pas comme si on ne lui avait pas donné sa chance. Il aurait pu passer inspecteur divisionnaire, à la tête des Crimes majeurs, au moment où l'unité était mise sur pied. D'après ce qu'on m'a dit, on lui a plus ou moins offert le poste sur un plateau.

115

– Et il a refusé ?

– Trop de tâches administratives, probablement. Trop de paperasse. Il aime toujours sortir de son bureau pour aller sur le terrain, notre Charlie. Se salir les mains.

– Je peux le comprendre.

– Et puis, tu te rappelles cette inspectrice adjointe de son équipe, Kellogg ? Lynn Kellogg ?

Elder croyait s'en souvenir : un visage rond, une voix douce, plutôt robuste, proche de la trentaine.

– Ils se sont mis en ménage il y a quelques années, juste au moment où ils mettaient en place la Division des crimes majeurs. Kellogg était sur les rangs pour un poste d'inspectrice. Cela aurait pu se révéler délicat, qu'ils travaillent ensemble, tu sais...

Elder savait. Il avait vu ce genre de situation se produire et se terminer par une séparation.

– Le résultat, c'est que Resnick a refusé le poste, préférant rester où il était. Kellogg est montée en grade en passant aux Crimes majeurs. Ça, c'était avant que l'unité soit séparée en deux branches basées sur des sites différents. Elle mène bien sa barque, d'ailleurs. Elle est inspectrice, elle se fait mousser à Carlton.

L'autre site, celui où Elder et Maureen avaient travaillé ensemble, se trouvait à trente minutes de la ville en voiture, à Mansfield, à présent dans un nouveau bâtiment qui ressemblait à un hôtel de seconde zone.

– Et ils sont toujours ensemble ? demanda Elder. Resnick et Kellogg ?

– Pour autant que je sache, répondit Maureen. (Puis, voyant le sourire dubitatif d'Elder :) Quoi ? Qu'est-ce qu'il y a de drôle ?

– Resnick. Je n'aurais jamais cru que c'était son genre.

– De quel genre tu parles ?

– Tu sais. La fascination pour les femmes plus jeunes que lui. Les liaisons secrètes. Les histoires d'amour.

– Tu désapprouves ?

– Non, ce n'est pas ça..., dit Elder (même si, en vérité, il n'en était pas si sûr). C'est plutôt que je l'ai toujours pris pour un type qui avait une vie assez sinistre, en fait.

– C'est peut-être ce qui fait une partie de son charme, fit Maureen avec un sourire. Ça, et le fait qu'il ressemble à un gros nounours qu'on a envie de câliner. Pas comme certains que je pourrais citer.

– Marchons, fit sèchement Elder. Je voulais te parler de Shane Donald.

Maureen n'avait pas grand-chose de nouveau à lui apprendre. Les deux journaux locaux continuaient de publier des articles sur la libération de Donald, refusant de laisser l'affaire s'éteindre. De leur côté, les parents de Lucy Padmore avaient récolté plusieurs milliers de signatures réclamant que la loi condamne tous les meurtriers à une peine de prison à perpétuité, sans compromis sur le sens du mot perpétuité. David Padmore continuait à raconter à qui voulait l'entendre ce qu'il ferait subir à Shane Donald si l'occasion lui en était donnée.

– À ton avis, il se passera combien de temps avant que toute l'affaire se répande au niveau national ? demanda Elder. Qu'elle s'étale à la une de toutes les feuilles de la presse populaire. Que les journalistes se mettent en quatre pour retrouver la trace de Donald.

– On ne sait jamais, il pourrait avoir de la chance.

Elder ne pensait pas que la chance et Shane Donald aient jamais été les meilleurs amis du monde, ni même qu'ils aient seulement fait connaissance.

117

– Comment ça s'est passé, dans le Yorkshire ? dit Maureen. Tu as découvert quelque chose ?

Il lui fit un compte rendu de ses recherches, sans rien passer sous silence, la visite franchement stérile au père de Susan Blacklock, les deux ou trois amis du groupe de théâtre dont il s'efforçait toujours de retrouver la trace.

Pendant un moment, après son récit, Maureen demeura pensive, ne disant pas un mot.

– Alors ? finit par demander Elder.

Ils étaient parvenus à la lisière Est du parc, près de la batterie de canons que les Anglais avaient rapportés de Crimée.

– Tu ne crains pas, en remuant tous ces souvenirs, de traumatiser de nouveau la mère de Susan ?

– Bien sûr que si.

Ils poursuivirent leur chemin, empruntant le tunnel qui passe sous Addison Street pour ressortir de l'autre côté.

– Tu n'es pas venu seulement pour ça, dit Maureen. On aurait pu avoir cette conversation au téléphone.

Elder sourit.

– C'est Katherine. Elle court demain. C'est le championnat interclubs du Comté, à Harvey Hadden.

– Tu passes la nuit ici, alors ?

– C'est ça. J'avais l'intention de réserver dans une de ces maisons qui ont des chambres d'hôtes, sur la route de Mansfield.

Maureen fit la grimace.

– Des tomates en conserve et du thé trop infusé au petit déjeuner, avec des représentants de commerce ? Et si tu passais un coup de fil à Willie Bell ? Il a une maison près de Mapperley Top, il y vit seul. Il prend des pensionnaires, de temps en temps, rien que des gens de chez nous, tu vois. Il apprécie la compagnie, je crois, autant que l'argent que ça lui rapporte. Rien de luxueux, mais c'est propre. À ce qu'on m'a dit.

Elder connaissait Willie Bell. C'était un inspecteur qui était venu de la région de Dumfries et Galloway dix ans plus tôt, et qui continuait encore à rouler légèrement les « r » comme dans son Écosse natale. Il avait été marié, autrefois, semblait se souvenir Elder. Comme nous tous, finalement, pensat-il.

– Si tu as son numéro, dit Elder, je lui téléphonerai plus tard.

Sortant son portable de son sac, Maureen enfonça la touche *Menu*, puis *Répertoire*, et *Appeler*.

– Tiens, dit-elle en lui tendant l'appareil. Si tu le faisais tout de suite ?

## 15

Debout dans le bureau de Peter Gribbens, au milieu de la matinée, Pam Wilson regardait la photo posée sur sa table de travail. Gribbens et sa femme. Vanessa, c'était bien ça? Pam croyait bien qu'elle s'appelait Vanessa. Tous les deux en tenue de randonneurs, à mi-pente d'une montagne quelconque, dans la région des lacs sans doute, affichant l'un comme l'autre le sourire béat des élus de Dieu, ce qui était parfait dans ce petit coin de Son jardin. Un jour, elle avait demandé à Gribbens, alors que l'un de ses pensionnaires avait pris la fuite, lui crachant au visage la confiance qu'il avait mise en lui, comment il parvenait à rester aussi positif, souriant même, jour après jour, déception après déception.

– Je prie, avait-il répondu sans hésiter une seconde. Je demande au Seigneur de me donner la force et je prie. (Puis il avait ajouté, en riant :) Et je lui demande aussi de la Marmite [1], bien sûr, du pain grillé et une tasse de thé bien fort.

Pam n'avait jamais aimé la Marmite, même quand elle était enfant. Et qu'autour de son assiette son père alignait des petits soldats à la Marmite. Quant au reste... Une seule visite au catéchisme, et un

1. Marmite : pâte à tartiner aux extraits de levure et de légumes.

béguin préadolescent (qui lui semblait à présent totalement invraisemblable) pour le chanteur Cliff Richard, cela ne suffit pas à faire une chrétienne.

La porte s'ouvrit et Shane Donald entra furtivement.

– Shane. Avance. Assieds-toi.

– Qu'est-ce qui va pas ?

– Comment ça ?

– Je devais vous voir à votre bureau, c'est ce que vous avez dit.

– C'est exact.

– Alors, quoi ?

– Je passais par là, c'est tout. Et j'ai pour toi ce qui pourrait bien être des bonnes nouvelles.

Pam s'assit, attendant qu'il fasse de même. Derrière des paupières qui clignaient sans cesse et ne s'ouvraient qu'à demi, les yeux de Donald semblaient ne jamais accommoder complètement. Ce matin, Pam portait une veste en coton noir pardessus un haut gris et ample, un pantalon de velours noir et une paire de Kickers bleues usagées qu'elle avait depuis des années.

– Les nouvelles, c'est au sujet d'un emploi. L'un des supermarchés de la ville, parmi les plus importants, ils ont un poste à pourvoir...

– C'est pas pour moi.

– Comment ça ?

– Ils me prendront pas.

– Pourquoi dis-tu ça ?

– Vous savez pourquoi.

– Dis-moi.

– Pas quand ils sauront ce que j'ai fait.

– Ils ne le sauront pas. On ne leur donnera aucun détail. Pas un seul.

– Ils sauront que j'ai fait de la taule.

– Bien sûr.

– Alors, pourquoi...

121

– Shane, écoute, nous avons déjà parlé de tout ça. Et de toute façon, je leur ai déjà parlé. Ils me connaissent. Ce ne sera pas la première fois qu'ils nous donneront un coup de main. Ça fait partie de la politique de l'entreprise.

– Ouais ?

– Oui.

– Ce boulot, c'est quoi, alors ?

– Oh, ça consiste surtout à travailler dans le magasin, à remplir les rayonnages, ce genre de chose. À récupérer les Caddie dans le parking de temps en temps, à s'assurer qu'ils sont rangés au bon endroit. À te rendre utile, d'une façon générale.

Donald gigotait sur sa chaise, se rongeait les ongles, regardait le plancher.

– C'est un début, Shane...

– C'est de la merde, voilà ce que c'est. (L'âpreté de sa voix surprit Pam.) C'est un boulot pour les mômes qui sèchent l'école.

– Shane, comme je te l'ai dit, c'est un début, voilà ce qui est important. Prouve-nous que tu peux te tenir à cet emploi-là, et après, nous verrons. Nous verrons si tu peux passer à autre chose. D'accord ?

Pas de réponse.

– Shane ?

À présent, il la regardait, sans ciller.

– C'est tout ? fit-il.

– Qu'est-ce que tu veux dire ?

– C'est tout ce que vous aviez à me dire ?

Il s'était à moitié hissé hors de son fauteuil.

– Non. Pas vraiment. Je me demandais, au sujet de ta sœur...

Lentement, il se rassit.

– ... je me demandais si tu avais pris contact avec elle ?

– J'ai dit que je le ferais, non ? Qu'est-ce qui se passe ? Vous me faites pas confiance ?

122

– Non, ce n'est pas ça du tout. Je voulais seulement savoir comment cela se présentait, quelles dispositions vous aviez prises. Ça m'intéresse.

– Je vais la voir en ville, dans un café.

– Plutôt que d'aller chez elle.

– C'est ce que j'ai dit.

– Pour la première fois, je suppose que c'est une bonne idée.

Donald grogna.

– C'est lui, hein? Ce connard de Neville.

– Le mari d'Irene, tu veux dire?

– Ce connard, oui.

– Shane, s'il te plaît...

– Quoi? Qu'est-ce qui va pas?

– Ton langage, ça n'arrange rien.

– Mon langage?

– Oui.

– Quand je parle de lui? (Donald eut un rire de gorge.) Vous l'avez déjà rencontré, non?

– Une fois. Brièvement.

– Alors, vous savez que c'est un connard.

Au lieu de compter jusqu'à dix, lentement, dans sa tête, Pam se remémora une conférence sur « le vocabulaire à employer dans une société multiculturelle » – quand on s'adresse à des clients, éviter à tout prix des termes tels que « à donf' », « remonter les bretelles », « souffler dans les bronches ». Pour autant qu'elle s'en souvienne, rien n'avait été dit sur le terme « connard ».

– Shane, fit-elle, pourquoi as-tu cette réaction quand tu parles de lui? C'est ton beau-frère.

– Pourquoi? Parce qu'il peut pas me blairer, voilà pourquoi. Parce qu'il veut pas qu'Irene me parle. Parce qu'il aimerait mieux que je sois mort.

– Je suis sûre que tu exagères. Et on sait bien qu'Irene veut t'aider, n'est-ce pas? Tout ce qu'on peut espérer, c'est qu'avec le temps, Neville

123

revienne à de meilleurs sentiments. (Elle recula un peu son siège.) Quand as-tu rendez-vous avec elle ?

– Cet après-midi. À trois heures.

– Bien. Et l'entretien au supermarché, c'est lundi matin. À onze heures. Je viendrai avec toi, si tu veux.

Le café se trouvait près de l'ancienne halle du marché. C'était un petit établissement au plafond bas avec des chaises à lames de bois et des tables branlantes qui vacillaient au moindre contact. Les vitres, en façade comme au fond de la salle, étaient couvertes de buée. Des plantes en pot en divers états de décomposition pendaient tristement. Totalement déplacé, hors du temps comme de l'espace, un petit lecteur de disques compacts crachait des chansons qui parlaient de soleil et de surf : *California Dreaming*, *California Girls*, *Surf's Up*, *Surfin' USA*. « De la branlette pure et simple, ces conneries-là », avait déclaré McKeirnan – Shane s'en souvenait encore. « De la musique de branleurs, et puis c'est tout. »

Pour sa part, il n'était ni pour ni contre.

– Shane, par ici !

Irene était là, elle se levait pesamment pour l'accueillir. Bon sang, ce qu'elle avait grossi ! Elle n'était pas enceinte une fois de plus, quand même ? Pas à son âge.

– Shane, je suis si contente de te voir.

Elle lui couvrit le visage de baisers et le serra dans ses bras à lui briser la colonne vertébrale.

– Bon, d'accord, d'accord. Ça ira comme ça.

Gêné, Donald la repoussa.

– Ça me fait plaisir de te voir, tu comprends ? (Irene, radieuse, était tout sourire.) Tiens, dit-elle en lui fourrant un peu d'argent dans la main, va t'acheter quelque chose à boire. Et à manger, aussi.

Rien qu'à te voir, on comprend que t'en as besoin. Ils te laissent crever de faim, dans ce foyer, ou quoi ?

– Toi, on dirait que t'as à manger pour deux.

– Merci bien.

Elle resta assise à sa place, à remuer son sucre dans son thé en attendant qu'il se fasse servir. Shane, son petit frère. Au tribunal, quand elle avait entendu les témoignages, le récit détaillé de ce que l'autre type et lui avaient fait, cela lui avait soulevé le cœur. Plus tard, elle avait vomi jusqu'à en avoir la gorge à vif.

– Alors, comment ça se passe ? demanda-t-elle dès qu'il fut assis. T'es bien traité ?

– Ouais, ça va. Je me plains pas. Et toi, comment ça va ? Et les enfants ?

– Oh, tu sais...

L'aîné, pensa Irene, n'est pas beaucoup plus vieux que Shane ne l'était au moment où on l'a envoyé en prison ; la seconde à peine un an de moins que la fille qu'ils ont tuée – qu'ils ont assassinée, sans parler du reste.

« Tu crois », avait dit Neville, « que je vais le laisser s'approcher à moins d'un kilomètre d'ici ? À moins d'un kilomètre de notre Alice ? Après ce qu'il a fait ? »

Et, agrippant Irene par le bras, il l'avait fait pivoter sur elle-même, lui tordant le bras derrière le dos, la propulsant vers leur fille de treize ans qui restait figée, perplexe et à moitié terrifiée, près de la porte de la cuisine.

« Regarde-la. Vas-y, regarde-la bien. Prends ton temps. Et maintenant, repense à ce qu'il a fait, ton cher petit frère. Et ose me dire que tu veux le voir ici, sous notre toit. »

Relâchant Irene, il était sorti en claquant la porte, laissant la mère et la fille face à face. Alice tendit la main puis, quand Irene leva la sienne pour s'en saisir, se déroba et suivit son père dans la pièce voisine.

125

– Là où t'habites, fit Donald. Il me laissera jamais y mettre les pieds, hein ?

– Non, mon chou. Non, répondit-elle à voix basse. Je crains que non. Pas pour le moment, en tout cas.

– Je suis leur oncle, tu sais. Je fais partie de la famille. Ça compte pas, ça, quand même ?

D'une main qui tremblait presque, Irene alluma une cigarette au mégot de la précédente. Elle s'était promis de ne pas pleurer. Elle ne pleurerait pas.

Donald regarda deux feuilletons à la suite, puis il joua au billard avec Royal Jeavons, remportant deux parties sur cinq, son meilleur résultat jusqu'à maintenant. Quand il lui parla du boulot au super-marché, au lieu de le charrier d'une façon ou d'une autre, Jeavons le surprit.

– D'accord, mec, c'est pas génial, mais c'est un job, non ? C'est pas pour le restant de ta vie. Six mois, c'est ça ? Alors que t'as passé combien de temps en taule ? Non. Compte les jours, compte le temps qui passe, tu sais comment il faut faire.

Peu après, Jeavons s'était mis à discuter avec un groupe d'autres types, échangeant des claques dans le dos et des plaisanteries, et Donald s'était éloigné.

– Tout va bien, Shane ? (Peter Gribbens l'atten-dait dans l'escalier.) Tu as vu ta sœur aujourd'hui, je crois. Comment ça s'est passé ?

– Bien, ouais. Très bien.

– Tu vas bientôt passer un week-end chez elle, alors ? Avec toute la famille.

– Ouais, bientôt.

– Parfait ! Il n'y a rien de mieux.

Claquant la porte derrière lui, Donald arracha du lit les draps et la couverture, balança les oreillers à travers la chambre, et bascula le lit lui-même pour le dresser sur le flanc ; il ôta les tiroirs de la commode, en répandit le contenu par terre, tenta de renverser l'armoire et n'y parvint pas. Finalement, il se précipita contre le mur et se cogna violemment la tête. Il se flanqua des coups de poing en plein visage. Une, deux, trois fois, et plus.

Il était à genoux, le nez en sang, une coupure au-dessus de l'œil, quand Royal Jeavons entra dans la chambre.

– Oh, merde ! Qu'est-ce que t'as foutu, bordel ?

Il redressa le lit de Donald, le força à s'asseoir dessus, la tête penchée en arrière pour arrêter l'hémorragie, redescendit au rez-de-chaussée et en revint avec de la glace enveloppée dans une serviette qu'il posa sur l'hématome, autour de l'œil.

– Prends ça. Tiens-le en place.

Avec un gant de toilette et des serviettes en papier, il nettoya Donald du mieux qu'il put. Il disparut encore quelques minutes et revint avec de l'aspirine. Il remplit une tasse en plastique au lavabo.

– Avale-moi ça.

Il remit en place les tiroirs de la commode, les remplit, puis ramassa sur le plancher les draps et la couverture.

– Tu ferais mieux de te coucher, maintenant, d'accord ?

Quand Donald fut recroquevillé sur le matelas, les genoux remontés contre la poitrine, Jeavons étendit soigneusement sur lui le drap puis la couverture.

– Il va falloir qu'on invente une histoire pour expliquer tout ça, tu t'en doutes, non ? T'as trébuché et t'es tombé dans l'escalier, quelque chose que Gribbens pourra avaler. Espérons que ça soit pas trop moche demain matin, pas vrai ? Maintenant, dors.

De retour dans sa moitié de la chambre, assis en tailleur sur son lit, Jeavons prit son lecteur de CD et mit les écouteurs en place sur ses oreilles.

## 16

Au tirage au sort, Katherine avait hérité du couloir extérieur. Elder sentit la tension lui nouer l'estomac lorsque, avec les sept autres concurrentes, sa fille se mit à sautiller sur place et à faire des étirements, en attendant que le starter leur ordonne de se mettre en position de départ. Trois cents mètres, moins d'un tour complet de la piste. Katherine avait noué ses cheveux derrière elle, son dossard flottait un peu au vent de mai. À présent, les huit filles rejoignaient leurs marques. Un dernier étirement pour Katherine, levant les bras très haut avant de caler ses chaussures dans les starting-blocks et de se pencher en avant, les doigts écartés, frôlant le bord de la ligne, la tension raidissant les muscles de ses épaules et de ses bras, les yeux braqués devant elle et la tête parfaitement immobile. Le pistolet retentit, comme toujours bien plus tôt que ne s'y attendait Elder, et elles s'élancèrent. Katherine avait pris un bon départ, mais toutes les autres aussi. Quinze mètres, vingt-cinq, trente. À cause du décalage, il était impossible de juger laquelle des huit avait déjà pris l'avantage, à supposer qu'il y en eût une.

Katherine, du fait qu'elle occupait le dernier couloir, fut la première à entrer dans la courbe, les autres filles se déployant derrière elle en un demichevron presque parfait. Au niveau national, le temps de référence était de 40 secondes et 7 dixièmes, et le minimum exigé pour participer aux championnats scolaires anglais de 41 secondes et 6 dixièmes. Les chiffres résonnaient dans sa tête.

L'une des trois athlètes noires, puissante et musclée, gagnait à présent du terrain dans le second couloir. Grande, le teint pâle et de longs cheveux flottant au vent, la concurrente qui se trouvait juste à gauche de Katherine calquait son allure sur elle. À la sortie du dernier virage, les trois filles abordèrent la dernière ligne droite avec une avance assez nette sur les autres. Elder se rendit compte qu'il criait le nom de sa fille, couvrant le bruit de la foule qui s'était amassée près de la ligne d'arrivée. La Noire prit la tête pendant deux, trois foulées, puis Katherine revint sur elle, se hissant à sa hauteur à vingt mètres de la ligne, la bouche ouverte, la poitrine en avant, la tête en arrière ; les deux concurrentes, au coude à coude, cherchant à se départager, lorsque la grande blonde surgit entre elles, touchant le ruban du torse, un poing levé en signe de triomphe.

Tout autour d'Elder des voix s'élevèrent, excitées, commentant la fin de la course, et toute son attention se concentrait sur Katherine qui, accroupie au bord de la piste, la tête baissée, regardait le sol.

– Elle a bien couru.

Au son de cette voix, celle de sa femme, Elder se retourna. Il était de nouveau tendu, mais de façon différente.

– Tu ne trouves pas ? demanda Joanne. Qu'elle a bien couru ?

– Si, c'est vrai.

Joanne portait une veste en peau, au cuir vieilli et froissé avec art, un T-shirt bleu délavé et un jean qui semblait neuf, des Nike bicolores, bleu et blanc. Des yeux verts. Un fard à lèvres rose, rose pâle. Soit elle avait passé un bon moment sous une lampe à bronzer, soit Martyn et elle avaient pris des vacances. En Sardaigne ? Aux Bahamas ? À Tenerife ?

– Elle n'a pas eu de chance, dit Elder.

– Elle est deuxième.

– Ça s'est joué à peu.

– Tu crois qu'elle a pu finir troisième ?

– On va devoir attendre l'annonce des résultats.

– Oui.

Autour d'eux, les gens circulaient, changeaient de place, en attendant la prochaine épreuve, la prochaine course.

– Je ne savais pas que tu viendrais, dit Elder.

– Bien sûr que je suis venue.

– Je ne t'ai pas vue.

– Non.

– Joanne...

– Oui ?

– Non, rien.

Elle paraissait plus âgée, se dit Elder, aucun maquillage apparent ne masquant les ridules qui se déployaient en éventail à partir de ses yeux. Elle semblait plus âgée, et cela lui allait à merveille. S'il avait pu le faire, il aurait tendu les bras vers elle.

– Tu es ici pour longtemps, Frank ? Tu es seulement venu pour la compétition, ou quoi ?

– Je vais rester deux jours, sans doute ; peut-être trois.

– Et tu dors où ?

– À Mapperley Top. Chez l'ami d'une amie.

– Tu reverras Katherine ?

– J'espère bien.

– Je t'aurais bien dit de venir à la maison, Frank, seulement...

Frank secoua la tête, un sourire passant sur ses lèvres.

– Ça ne fait rien.

Elle fit un pas vers lui et il ne bougea pas d'un pouce.

– Pourquoi tu n'irais pas voir Katherine quand elle se sera changée ? Je l'attendrai à la voiture.

– Tu es sûre ?

Elle acquiesça d'un signe de tête.

– Évidemment. (Puis :) Tu as bonne mine, Frank. L'air de la Cornouailles, ça doit te faire du bien.

– Quelque chose comme ça.

Il repensait à leur première rencontre, il y avait de cela un peu plus de vingt ans. Profitant d'un jour de congé, il s'était rendu à Lincoln. Il s'était promené au hasard dans les rues pavées, remontant vers le château, pour passer le temps, en fait, et rien de plus, sans regarder où il allait. Joanne, sortant d'un café, lui était littéralement rentrée dedans, le choc la projetant presque au sol. Sans réfléchir, Elder l'avait rattrapée, stoppant sa chute, la surprise et la colère qu'exprimait le visage de Joanne s'effaçant bien vite pour laisser place à un sourire.

– Au revoir, Frank, lui disait-elle à présent.

C'était stupide de rester planté là pour la regarder s'éloigner.


Figés, les traits de Katherine affichaient un air maussade. Son sac de sport pendait à son épaule, ses cheveux étaient encore humides au sortir de la douche. Elder la prit maladroitement dans ses bras, esquissant une étreinte à laquelle elle se déroba instinctivement. Le baiser d'Elder manqua son visage et ne trouva que l'arrière de sa tête.

– Bien joué.

– Ne te moque pas de moi.

– Je ne me moque pas.

– Tu as vu ce qui s'est passé.

– Tu es arrivée deuxième.

– Créditée du même temps que la troisième.

– Tu as fini deuxième, de peu.

– J'ai perdu, merde !

– Katherine.

– Quoi ?

Elder secoua la tête. La réprimande avait franchi ses lèvres avant qu'il n'ait eu le temps de réfléchir.

– Cette course, je l'avais, dit Katherine. Et je l'ai perdue.

Elder tint sa langue. Confronté à la colère de sa fille, il ne savait pas quoi dire.

– J'ai dépassé Beverley. J'ai été prétentieuse. Je n'ai pas réfléchi. Je n'ai pas fait attention. J'ai levé le pied.

– Non.

Katherine pencha la tête, l'air interrogateur.

– Quoi ? C'est toi qui as couru, et pas moi ?

– Non. Je t'ai regardée. Et il ne m'a pas semblé...

– J'ai levé le pied.

– D'accord, si tu le dis. (Il voulut lui prendre la main, et elle s'écarta de lui.) Ta mère est dans la voiture.

– Ouais, d'accord.

– Je t'accompagne.

– Fais comme tu veux.

Ils atteignirent le parking sans dire un mot, Katherine saluant en cours de route deux ou trois autres athlètes d'un bref signe de tête.

– Et maintenant, qu'est-ce qu'il y a au programme ? demanda Elder. En ce qui concerne la compétition, je veux dire.

– Il y a un championnat interrégional le mois prochain. Pour les scolaires. En supposant que je sois sélectionnée.

– Tu le seras, c'est sûr.

– Pas nécessairement.

– Tu as fini bien au-dessous du minimum requis.

On avait annoncé pour Katherine un temps de 40 secondes et 43 centièmes.

– Tu connais le record national, en scolaire? (Elder secoua la tête.) 38'35". Si je cours comme aujourd'hui, je serai laminée. Je ne franchirai même pas les éliminatoires.

– Alors, cours plus vite.

– Ah, ouais? Et comment est-ce que j'y arriverai?

Elder haussa les épaules.

– Il suffit que tu t'entraînes. Que tu t'endurcisses.

Il n'y avait guère d'humour dans le rire de Katherine.

– Papa, tu dis des conneries.

– Merci bien.

– Y a pas de quoi.

Baissant la tête, il l'embrassa sur la joue, et cette fois Katherine se laissa faire. La douche n'avait pas totalement éliminé le goût aigre de la transpiration.

– Je pourrais te retrouver quelque part, demain. Pour le déjeuner, peut-être?

– Je crois que je suis prise.

Elle lut la déception, évidente, sur le visage de son père.

– Et pour boire un café? proposa-t-elle. Je pourrais me libérer.

– Très bien.

– Il faut que j'aille acheter un bouquin chez Waterstone. Ils ont un salon de thé au premier. On n'a qu'à se retrouver là-bas.

Elder haussa les épaules.

– Où tu voudras.

– À onze heures et demie, alors. D'accord?

Et, balançant son sac, elle s'en alla. Elder hésita à la suivre, mais y renonça dès que Joanne, sortant de la Range Rover pour aller à sa rencontre, l'eut entourée de ses bras, Katherine laissant tomber son sac à ses pieds. *C'est maman*, avait dit Katherine. *C'est elle que tu aurais dû aimer plus.*

J'aurais dû vous aimer toutes les deux davantage, pensa Elder en s'éloignant. Et moins aimer autre chose – mon métier, moi-même. Peut-être vous ai-je aimées toutes les deux autant que j'ai pu. C'était une réflexion mélancolique, mais pas nécessairement inexacte.

# 17

Instantanément, Donald fut tiré du sommeil, sans savoir par quoi, ni pour quelle raison il avait été réveillé. Pas un bruit. Il n'y avait rien d'autre que, de temps à autre, une voiture qui accélérait pour grimper la côte, sous la fenêtre, une lame de plancher qui craquait parce que la maison reprenait ses aises quand bon lui semblait. Dans la chambre, les contours étaient plus nets, à présent : les meubles trapus, anguleux, la silhouette de Jeavons sous les draps dans le lit d'en face. Le long de ses bras, et il se demandait pourquoi, Donald avait la chair de poule. En prison, surtout les premières années, il s'était souvent réveillé en sueur, après un cauchemar peuplé de diverses parties du corps humain et d'objets luisant de sperme, de sang, de merde. Du métal et du verre. Aux contours déchiquetés. Doux au toucher. Des hurlements et un rire. Le rire de McKeirnan. Sa psychothérapie l'avait aidé, son traitement aussi, lui permettant de rejeter la faute sur son complice, de comprendre ce qui lui était arrivé. De dormir. Mais pas cette nuit.

Tendant le bras, il consulta sa montre : deux heures dix-sept.

Il tira la couverture sur son épaule et se tourna vers le mur ; sous sa hanche et son bras, la consistance du matelas lui devenait déjà familière.

– Shane.

La voix était si feutrée qu'elle aurait pu venir de l'intérieur de sa tête, de son propre cerveau.

– Shane.

Toujours aussi feutrée. Insidieuse.

– Shane.

Retenant son souffle, Donald se retourna dans l'autre sens. C'était quelqu'un d'autre, et pas Jeavons, dans le lit voisin.

– Qui... ?

Où était Royal ? Pourquoi n'était-il plus là ?

– Réveille-toi, mon petit Shaney. Ouvre les yeux.

Une lampe torche s'alluma. Le type la tenait sous son propre menton, pour éclairer son visage, et Donald le reconnut. Il faisait partie de ce groupe de quatre ou cinq qui traînaient toujours ensemble, s'agglutinaient dans les coins, crachaient des remarques, balançaient des vannes, mettaient les autres au défi de leur tenir tête, de leur répondre. Clayton ? Carter ? Claymore ? Cleave ? Oui, c'était ça, pensa-t-il. Cleave.

– Y a pas d'ange gardien, Shane, pour veiller sur toi. Pas cette nuit. Il est en bas avec mes potes, ils regardent une vidéo. Un porno. (Cleave ricana.) C'est mieux que de rester là à t'écouter gémir dans ton sommeil. Remarque, ça m'étonne, Shane, après ce que t'as fait, que tu sois encore capable de dormir.

La voix de Cleave n'était plus feutrée, à présent, elle se durcissait.

– T'as pas de conscience, Shane ? T'as pas de conscience du tout, merde !

En un seul et même mouvement, tout en souplesse, Cleave sortit du lit et se leva, en T-shirt, caleçon, un cutter à la main, la lame sortie du manche.

– Y a des gens qui te cherchent, Shane, tu le sais ? Le père de cette fille que tu as tuée. Il veut te retrouver. Pour te faire du mal.

D'un geste, Cleave fendit le drap que tenait Donald, l'ouvrant pratiquement du haut jusqu'en bas, de la proue à la poupe.

– Comme ça, fit Cleave. Le bruit de tes tripes qui se répandent. De tes boyaux qui se font la malle.

En un éclair, il amena la pointe de la lame juste sous le nez de Donald, à la limite de sa lèvre supérieure, les premières gouttes de sang s'écoulant dans sa bouche depuis une entaille minuscule.

– La prochaine fois, dit Cleave. (Goguenard, il rit de nouveau, sans bruit.) La prochaine fois, à moins que...

Il recula jusqu'au lit, et de sous l'oreiller de Jeavons il sortit un journal, plié en deux.

– Tiens. (Le dépliant d'une secousse, il leva sa lampe électrique pour que Donald puisse le lire.) C'est mon frère qui m'a envoyé ça. Il habite là-bas, tu vois, il avait entendu parler de toi, il savait pourquoi t'étais en taule, ce que t'avais fait. Et il buvait un coup au pub quand le père de la petite ramenait sa grande gueule pour dire à tout le monde combien il était prêt à raquer pour savoir où t'es. Padmore, c'est ça ? Cinq mille livres, il propose. Et même plus. Et pourquoi il veut te retrouver, à ton avis, Shane ? Tu crois qu'il veut te serrer la main ? (Nouveau rire, nouvelle pression sur la lame.) Non, Shaney, il veut te faire la peau, c'est clair. Mais il veut t'en faire baver, avant. Salement. À cause de ce que t'as fait à sa gamine.

Cleave recula. Pas beaucoup.

– Un coup de téléphone. Pas besoin de me fatiguer plus. Cinq mille livres. Et pourquoi je me gênerais ? Hein ? Un simple coup de fil. Tout ce pognon, en liquide. Et ça ferait de moi un citoyen modèle.

Qui a fait ce qu'il fallait pour que t'aies ce que tu mérites.

– Fais pas ça.

La voix de Donald, à peine audible, manquait d'assurance.

– Quoi ? Qu'est-ce que t'as dit ?

– Fais pas ça. S'il te plaît, fais pas ça.

Cleave ricana.

– « S'il te plaît. » J'adore. « S'il te plaît. » Et qu'est-ce que tu vas faire pour moi, hein ? Et ça va me rapporter quoi, de pas te cafter ? Hein, Shane, ça va me rapporter quoi ?

– Je sais pas.

– Comment ? Parle plus fort.

– Je sais pas.

– Moi, je vais te le dire..., fit Cleave en s'age-nouillant près de Donald, son visage tout près du sien. Tu peux me filer du fric, voilà ce que tu peux faire.

– J'ai pas...

– Quoi ?

– J'ai pas d'argent.

– Mais tu peux en trouver, par contre. T'as une sœur, non ? Tu vois, je suis au courant. Tout ce qui se passe dans cette turne, je l'apprends. Tu peux demander du fric à ta sœur.

– Non.

– Bien sûr que si. Tu demandes, tu empruntes, tu voles si tu peux pas faire autrement. Je m'en tape. Du moment qu'il arrive dans ma poche. Du moment que tu fais ce que je veux, ce que je te dis de faire. (La lame s'éloigna du nez de Donald pour se poser sur une paupière, juste au-dessus de l'œil.) Mon esclave, Shane, voilà ce que tu vas devenir. Tu me fileras du pognon, tu cireras mes pompes, tu m'apporteras mon thé. J'ai toujours rêvé d'en avoir un... Un esclave, un... Comment ça s'appelle, dans

138

les vieux films où y a des larbins ? Un valet de pied, c'est ça ? (Cleave s'esclaffa.) Tu m'aideras à prendre mon pied, aussi. Un seul mot de ma part, et tu te mettras à genoux pour me sucer la bite, me lécher le trou du cul, tout ce qui me fera plaisir. D'accord, Shane ? D'accord ? Sinon, je passe ce coup de téléphone. Je dis au père de Lucy Padmore où tu te trouves. Et t'as pas envie que ça arrive, hein, Shane ? Hein ? Dis-moi, Shaney ? Hein ?

– Non, répondit Donald à voix basse. Non, j'en ai pas envie.

Et il ferma les yeux.

Quand Elder arriva au premier étage de la librairie, le dimanche matin, Katherine était déjà assise près de la fenêtre, les genoux relevés, lisant un magazine, un double *latte* et un pain au chocolat sur une petite table à côté d'elle.

Elder commanda un café filtre et un petit pain, puis se joignit à elle. Plus de la moitié des autres chaises étaient déjà prises. Sur un siège bas, une femme était assise avec un livre et un jus d'orange, donnant sans aucune gêne le sein à son bébé. À l'une des autres tables, un homme à lunettes tapotait sur le clavier de son ordinateur portable. Un couple d'âge mûr feuilletait les différents cahiers de leur journal du dimanche, se les échangeant, prenant le temps de lire les articles qui attiraient leur regard.

– C'est l'un de tes repaires habituels ? demanda Elder.

Katherine haussa les épaules.

– Pas vraiment. C'est juste un endroit où je peux me poser.

– Et tu as besoin de ça ?

– Bien sûr. Oui. Parfois.

– C'est difficile, alors, à la maison ?

– Non.

– Mais si tu...

– N'insiste pas, papa, tu veux ?

D'accord. Elder brisa un morceau de son petit pain, et il s'émietta entre ses doigts. Le café était frais, mais peut-être pas aussi fort qu'il l'aurait souhaité.

– Je regrette pour hier, dit Katherine. Après la course. J'étais de mauvais poil.

– Ce n'est pas grave.

– Ouais, enfin, je n'aurais pas dû te sauter sur le râble de cette façon.

– Tu étais contrariée. En colère.

– Ce n'est pas sur toi que j'aurais dû passer ma colère.

Elder mangea un autre bout de son petit pain, en proposa un morceau à Katherine, qui refusa.

– Tu as vraiment quelque chose à faire à l'heure du déjeuner ?

– Oui, vraiment.

– Quand on aura fini notre café, on pourra aller marcher un moment, au moins ? Il y a longtemps que je ne suis pas venu ici, tu sais. Les choses changent.

– D'accord.

En sortant de la librairie, ils suivirent Bridlesmith Gate, passant devant l'un des salons de coiffure de Martyn, celui que Joanne, à sa connaissance, gérait toujours. Ni Elder ni Katherine n'y firent allusion, et ils ne jetèrent même pas un regard à l'établissement. Puis ce fut Low Pavement, Castle Gate, et le passage souterrain qui permet d'éviter le flot constant de la circulation qui s'écoule le long de Maid Marian Way. Ils montèrent donc jusqu'au château, une promenade rapide dans les jardins, en bavardant de temps à autre mais sans aucune gêne, sans aborder de sujets importants, pas réellement, parlant de choses et d'autres. Il offrit un cornet de glace à Katherine, et pendant un moment, elle fut de nouveau petite fille. Papa, tu me payes une glace ? Tu me payes une glace ?

Quittant le château, ils grimpèrent une suite de rues étroites pour obliquer vers Upper Parliament Street, passant devant ce qui était encore un grand magasin de la chaîne Co-op la dernière fois qu'Elder était venu dans ce quartier. Cinq minutes plus tard, ils redescendaient vers la place de l'ancien marché ; les cliques habituelles de poivrots étaient vautrées sur l'herbe des talus.

– Je te reverrai ? demanda Elder. Avant mon départ, je veux dire ?

– Ça dépend de toi.

– Je te téléphonerai.

– Appelle-moi sur mon portable.

– Tu as toujours le même numéro ?

– Toujours.

– D'accord.

Il l'embrassa sur la joue. Katherine lui rendit son baiser, lui pressa brièvement le bras, et déguerpit. Traversant la place, Elder remonta Kings Street vers l'endroit où il savait trouver un Pizza Express. Au centre-ville, le cinéma Odeon était condamné, comme l'avait été l'ABC, mais apparemment il y avait un nouveau complexe multisalles à l'endroit où s'élevait autrefois l'immeuble de l'*Evening Post*. Il voulait partir à la recherche de quelques anciens membres du groupe théâtral de Susan Blacklock, mais cela allait devoir attendre le lundi matin. Pour finir le week-end, il passerait le temps en allant voir un film.

Finalement, il s'endormit dans la rangée F, à peine dérangé par l'odeur et le bruit du pop-corn dont les spectateurs secouaient les cornets comme des maracas, ni par le bourdonnement presque permanent des conversations à voix basse.

Sa chambre, dans la maison de Willie Bell, possédait un lit d'un mètre vingt – pas vraiment un lit double, expliqua Willie, à moins d'être en très bons termes avec l'autre occupant. L'étagère à livres était partiellement remplie d'anciennes livraisons de *L'Année du Foot* et de vieux numéros de *Penthouse* et de *La Revue de la police*. Il y avait deux chaises droites et une petite table carrée, un fauteuil étroit mais profond aux ressorts imprévisibles, et une armoire encastrée à l'intérieur de laquelle une douzaine de cintres métalliques cliquetaient à chaque fois qu'on ouvrait la porte. Un petit téléviseur était posé sur une commode dans un coin, et un réveil à aiguilles luminescentes à côté du lit. La fenêtre donnait sur une suite de jardins, au bout desquels des lumières brillaient à l'arrière des maisons, à travers des rideaux et des stores de couleur à demi fermés.

Comme cadeau de bienvenue, Bell avait posé sur la table une bouteille d'Aberlour, ainsi qu'un verre à fond épais.

Elder s'assit un moment, écoutant les sons qui lui parvenaient : le téléviseur de Bell à travers le plancher ; les basses assourdies d'une musique provenant de la maison voisine, derrière le mur mitoyen ; des aboiements sporadiques, le premier déclenchant une réaction en chaîne jusqu'à ce que tous les chiens fassent de nouveau silence ; et puis, aigu et surnaturel, le cri d'un renard, d'un couple de renards en rut.

Raflant à la fois la bouteille et le verre, il les emporta au rez-de-chaussée.

Quelques heures plus tard, les deux hommes étaient installés confortablement dans le salon de devant, les restes d'un curry à emporter empilés au bout de la table, la bouteille d'Aberlour vide aux deux tiers. Willie Bell s'était révélé intarissable sur les clubs de foot de Partick Thistle et Kilmarnock ; la duplicité des femmes, des épouses en particulier ;

142

la beauté des paysages champêtres de la région où il avait grandi. Elder opinait du chef, glissant un mot de temps à autre pour apporter sa contribution.

Quand le téléphone sonna, Bell décrocha et grommela son propre nom; après avoir prêté l'oreille un instant, il tendit le combiné à Elder.

– Shane Donald, annonça Maureen. Il a pris le large. On vient de nous en informer officiellement, à l'instant même. Au regard de la loi, il est en fuite.

## 18

Refermant le verrou derrière elle, Pam longea la rangée de maisons mitoyennes vers le sentier qui la mènerait rapidement au sommet de la colline d'où l'on dominait la ville. Chaussures de sport, bas de survêtement gris et haut à capuche assorti. Quand elle s'était installée dans la maison de Hebden Bridge, elle s'était entêtée à continuer de courir tous les matins, terrain escarpé ou pas. Mais quand elle eut trébuché par deux fois sur un sol inégal, son genou gauche, déjà fragile, avait menacé de céder au moindre prétexte. Donc, son exercice quotidien, désormais, c'était cela : trente minutes de marche à pied à allure soutenue, en ouvrant et refermant les bras devant elle, énergiquement, pour faire grimper son rythme cardiaque. La première partie de son itinéraire contournait un petit bois, après quoi un chemin étroit, bordé d'un côté par des buissons de myrtilles, la hissait jusqu'à une ancienne allée forestière, presque entièrement envahie par la végétation, tracée d'est en ouest, et qui continuait de s'élever pour enfin s'aplanir au sommet. C'était là que Pam marquait une pause et, aspirant lentement de longues goulées d'air, se retournait pour voir à ses pieds la vallée tout entière.

Les cheminées d'usine, depuis longtemps désaffectées, s'élevaient très haut par-dessus les alignements d'habitations, tassées les unes sur les autres, le canal courant parmi elles comme un fil. De l'autre côté de la vallée, les champs s'élevaient le long d'une pente escarpée, quadrillés par des murs bas en pierre, parsemés çà et là par des corps de ferme sur les pentes exposées au nord.

Sur la droite, émergeant d'une grappe de toitures lointaines, s'élevait la tour de l'église d'Heptonstall, où reposait, ainsi que son colocataire Danny le lui avait appris, la poétesse Sylvia Plath. Tout cela énoncé d'une façon quelque peu solennelle, comme s'il s'attendait à ce que Pam soit impressionnée, qu'elle parte aussitôt en pèlerinage. Mais Pam avait un peu étudié Plath à l'université, dans le cadre d'un module en deuxième année de psycho. *Lady Lazare* et *Mon papa*, des œuvres hystériques et trop enfiévrées au goût de Pam. Pauvre femme. Terrifiée. Et de quelle façon elle avait mis fin à tout ça ! À trente ans, ne supportant plus la vie, la tête dans le four, le gaz ouvert en grand. Pourquoi certaines étudiantes de sa connaissance vénéraient-elles Sylvia Plath comme une sorte d'icône féministe ? Au point d'accrocher dans leur chambre des affiches de la poétesse à côté de celles de Virginia Woolf et de Janis Joplin ? Pam ne l'avait jamais vraiment compris. Que ces trois femmes aient été des martyres, peut-être, d'une certaine façon. Mais des modèles, jamais de la vie.

Pivotant sur ses talons, elle suivit le sentier d'un pas énergique. Dans quelques centaines de mètres, elle escaladerait un mur pour traverser un pré où paissaient des moutons. Une fois la barrière franchie, de l'autre côté, elle entamerait la descente vers la ville.

Shane Donald. Gribbens avait appelé Pam du foyer le matin même de sa disparition. Quelque chose l'avait poussé à partir, l'avait affolé, peut-être. Gribbens avait parlé à son voisin de chambre, sans résultat ; il allait interroger les autres pensionnaires, il verrait bien ce qu'il pourrait apprendre. Comme Donald n'avait pratiquement pas d'argent, peu de vêtements, Gribbens ne pensait pas qu'il pourrait aller bien loin. Avec un peu de chance, il pourrait même changer d'avis, revenir à la raison, réintégrer le foyer.

À présent, la police, informée que Donald avait pris la fuite, devait être à sa recherche. Avec quel empressement, Pam n'en savait rien. Les gens se rappelaient, malgré tout, pour quels crimes McKeirnan et lui avaient été condamnés, même si, avec le temps, les détails restaient flous ou démesurément grossis. Ces deux-là n'étaient pas gravés dans la mémoire collective comme Brady et Hindley, comme l'éventreur du Yorkshire, Mary Bell ou ces deux gamins qui avaient tué le pauvre Jamie Bulger. Mais pour certaines personnes, dans quelques endroits du pays en particulier, ils rôdaient toujours dans les ténèbres où s'égarait l'imagination des parents, les soirs où leur fille adolescente n'était pas rentrée à la maison à l'heure dite, et que le dernier train, le dernier bus étaient déjà passés.

– Ce que vous avez fait, Shane, Alan et toi, comment tu vois ça aujourd'hui, avec le recul ?

– C'était pas bien, hein ? Évidemment. Pas bien du tout.

Au moment où elle tourna la clé dans la serrure, Pam décida de se ménager un créneau dans son emploi du temps trop chargé, afin de rendre visite à la sœur de Shane Donald. Pour voir ce qu'elle savait, à supposer qu'elle sache quelque chose.

146

Derrière la haie en broussaille, le petit bout de jardin accueillait plusieurs vélos d'enfant – à la plupart desquels il manquait un élément important, comme une roue ou le guidon – un landau renversé, un assortiment de jouets. Un projet de parterre de fleurs avait sombré sous les crottes de chien et la négligence des occupants. La porte d'entrée était entrouverte, la sonnette ne fonctionnait plus.

Pam éleva la voix pour s'annoncer. Au bout d'un moment, Irene apparut, un tablier passé sur une chemise d'homme et une jupe froissée, aux pieds une paire de pantoufles comme celles que la mère de Pam aimait porter quand elle était seule, roses, confortables, avec un pompon au bout.

– Je ne sais pas si vous vous souvenez de moi, dit Pam en montrant sa carte.

– C'est Shane, non ? Il s'est encore fourré dans un sale pétrin.

– Il s'est enfui du foyer, je le crains.

– Quel petit crétin. Vous feriez mieux d'entrer.

Le matin même, le départ des enfants, cinq en tout, avait été pareil à un ouragan. Des assiettes, des chaussettes, des livres de classe, des tasses de couleur et des magazines, des chaussures de sport orphelines et des vêtements abandonnés traînaient pêle-mêle sur les dossiers de chaise, sur toutes les surfaces disponibles, et d'un bout à l'autre du plancher. Une petite fille aux grands yeux sombres et aux cheveux emmêlés était restée à la maison, allongée sur le canapé sous une couverture miteuse.

– C'est Tara, elle est malade, expliqua Irene. Tara, mon chou, tu veux boire quelque chose ? Un jus de fruit ? Un verre de lait ? Attends une minute pendant que je mets de l'eau à chauffer, pour faire du thé pour la dame et pour moi. (Puis, s'adressant à Pam par-dessus son épaule :) Si je vous disais que j'ai eu deux minutes à moi depuis ce matin, je menti-

147

rais. Et Neville, c'est pas lui qui m'aide. Il les fait pleurer, voilà ce qu'il fait. Il leur crie dessus jusqu'à ce qu'ils se mettent à hurler ou à geindre, sauf l'aînée qui se rebiffe et qui engueule son père, et puis il s'en va en claquant la porte. Il me laisse me débrouiller avec eux. Du lait, je suppose, et du sucre. Un ou deux ?

– Pas de sucre, merci.

– Comme vous voudrez.

Pam se fit un peu de place sur une chaise et s'assit. Quand elle sourit à la petite fille (cinq ans, estima Pam, cinq ou six ans), celle-ci tira sur sa couverture et se cacha la tête.

– Vous n'êtes pas venue chez moi dans l'espoir de le retrouver, dit Irene en passant à Pam sa tasse de thé. Ce serait une perte de temps, ça. Jamais il mettrait les pieds chez moi, pas avec ce que Neville pense de lui. Neville, il veut pas laisser Shane s'approcher des mômes, voilà ce qu'il y a. Je sais, quand vous m'avez parlé l'autre jour pour me dire que Shane allait sortir de prison, ma foi, j'ai cru que je pourrais lui faire changer d'avis, à Neville. Que je pourrais arriver à le convaincre. Mais il ne veut rien savoir. Après, vous savez... Enfin, vous pouvez comprendre.

Effectivement, Pam était capable de comprendre.

– Je pensais simplement, dit-elle, que vous pourriez avoir une idée de ce qui a poussé Shane à quitter le foyer, et de l'endroit où il a pu aller.

– Moi ?

– Vous lui avez parlé, l'autre jour. J'ai supposé qu'il aurait pu vous donner un indice quelconque.

– Non, ma petite. Il a pas dit grand-chose, en fait. Il m'a demandé des nouvelles des mômes, tout ça. Oh, il a dit que vous lui aviez trouvé du boulot. Dans un supermarché. Ça, il me l'a dit. (Irene but une gorgée de thé.) Il y a des biscuits, si vous voulez, j'aurais dû vous en proposer plus tôt. Des sablés, et puis il me reste peut-être quelques biscuits fourrés.

Pam secoua la tête.

– Non, merci, ça va. À propos du foyer, Shane vous a dit comment se passait son installation ?

Irene réfléchit à la question.

– Le type avec qui il partageait sa chambre, Shane m'a dit qu'il était bien, surtout pour un Noir. C'est à peu près tout.

– Il ne vous a pas laissé entendre qu'il songeait à s'enfuir ?

– Non. Non. Pas du tout.

– Et vous n'avez pas une idée, Irene, de l'endroit où il aurait pu aller ?

– Non, ma petite. J'ai bien peur que non.

– Il aurait pu retourner chez lui ? À Sunderland ?

– C'est le dernier endroit où il mettrait les pieds. Il peut être n'importe où, mais sûrement pas là, à mon avis.

– Et il a des amis qui...

Irene sortit une cigarette et l'alluma.

– Si vous le connaissiez aussi bien que vous devriez, c'est pas une question que vous me poseriez. C'est pas le genre à se faire des amis facilement, notre Shane. Ce serait peut-être mieux pour lui, d'ailleurs. À moins qu'ils soient du genre de cette espèce de salopard, bien sûr. Celui qui l'a entraîné.

Pam hocha la tête et but un peu de son thé, trop fade et noyé par le lait.

– Au cas où il prendrait contact avec vous..., commença-t-elle.

– Il le fera pas.

– Mais s'il le fait, s'il vous plaît, dites-lui de m'appeler. Je peux faire quelque chose pour lui. Il n'est peut-être pas trop tard pour arranger les choses. Sinon, je crains qu'il ait de graves ennuis.

Tendant le bras, elle posa une carte de visite sur le bras du fauteuil d'Irene.

Sans raison apparente, la petite fille se mit à geindre, puis à pleurer.

– Je l'aiderai, ajouta Pam en se levant de son siège. C'est mon boulot.

– Bon sang, tais-toi donc, Tara, fit Irene. Je vais pas supporter tes pleurnicheries toute la journée.

Elle accompagna Pam jusqu'au bout de la courte allée, franchissant avec elle le portail absent.

– Il a eu une vie de chien, vous savez. Shane. Tout le monde s'en prenait à lui. Pendant toute son enfance. C'était l'avorton de la famille, vous savez comment ça se passe. Si il avait décidé de se foutre en l'air un jour ou l'autre, ça m'aurait pas étonnée.

Pam hocha la tête et prit congé. Quand elle repassa devant la maison après un demi-tour au bout de la rue, Irene était toujours là. Pam lui fit un signe de la main, mais Irene ne réagit pas.

– J'ai cru qu'elle allait jamais se tirer, dit Shane Donald à l'instant où sa sœur rentra dans la maison. J'ai cru qu'elle allait rester là à bavasser pendant des heures. Cette salope qui fourre son nez partout.

Surveillant la maison, Donald avait attendu que Neville et les mômes soient partis – tous sauf Tara. Quand Irene ouvrit la porte, l'étonnement lui coupa le souffle, puis elle le fit entrer bien vite. Comme il avait dormi dehors, ses vêtements étaient dans un triste état, ses mains et son visage couverts de crasse. Elle lui fit couler un bain et lui prépara un petit déjeuner, du bacon, des œufs et des haricots.

Le crâne rasé de frais, nerveux, Donald sursautait à chaque nouveau bruit. Il avait trente ans et pourtant, à part ce qui hantait son regard, il semblait toujours en avoir dix-sept. Son petit frère. Pendant combien d'années l'avait-elle pris dans ses bras, en larmes, brisé ? Chut, Shane. Chut, ça va aller. Elle tendait le bras vers lui, à présent, ses doigts l'effleurant à peine avant qu'il ne se rétracte.

– Ce type au foyer, dit Irene, celui qui t'a menacé. Tu ne pourrais pas en parler à quelqu'un ? Tu sais, à un responsable ?

– Tu plaisantes, j'espère ? Imagine ce qui m'arriverait si je faisais ça. J'aurais de la chance de m'en sortir vivant. Et puis, si c'était pas lui, ce serait quelqu'un d'autre.

– Suppose, tu sais, que tu le payes, que tu lui donnes de l'argent.

– Quel argent ?

– Celui que tu me demanderais, comme il a dit.

– Et après ?

– Je t'aurais donné ce que j'aurais pu.

Donald s'esclaffa.

– De l'argent gagné au loto ? Un billet de dix ? Cinquante livres ? Combien de temps tu crois qu'il fermerait sa gueule pour des sommes pareilles ? Alors qu'un type propose cinq mille livres, putain ! cinq mille à son frère ?

– D'abord, tu sais même pas si c'est vrai. Il a très bien pu te raconter ça pour te faire marcher.

D'un geste de colère, Donald repoussa son assiette et sa tasse.

– J'ai vu l'article dans le journal, d'accord ? Sur le père qui poussait une gueulante.

Alors, Irene le regarda.

– Bon..., fit-elle, se penchant au-dessus de la table. Je vais laver tout ça.

Elle avait hâte d'échapper au regard de son frère. Elle ne voulait pas qu'il voie dans ses yeux des larmes qui n'étaient pas pour lui, mais pour quelqu'un qu'elle n'avait jamais vu.

Il rejoignit Irene au premier pendant qu'elle triait les vieux vêtements de son mari, à la recherche de ceux qui pourraient à peu près lui aller, et dont Neville ne remarquerait peut-être pas la disparition.

– Tu vas aller où ?

– J'en sais rien. Au Pays de Galles, peut-être bien.

– Bon sang, mais pourquoi ça ?

– Un type que j'ai connu en taule, il disait qu'on peut y vivre pour pas cher du tout. Rien qu'en faisant des petits boulots, tu vois.

– Tu nous tiendras au courant ?

– Hmm ?

– Tu nous diras où tu es ? T'enverras une carte postale, quelque chose ?

– Ouais, bien sûr.

Pour l'instant, Irene avait trouvé un jean qui pourrait convenir, avec une ceinture et en faisant des revers au bas du pantalon ; deux chemises, trois T-shirts, un pull avec une trace de peinture sur l'une des manches, des sous-vêtements d'un goût douteux, des chaussettes. Neville avait des pieds immenses ; Shane devrait se contenter des chaussures qu'il avait aux pieds.

– Elle avait ton âge, non ? Cette fille, Lucy.

Shane fixa Irene jusqu'à ce qu'elle détourne les yeux. Quand il se leva et quitta la chambre, elle finit d'entasser les vêtements dans un vieux sac de sport.

– Une autre tasse de thé avant que tu partes ?

– Non, merci.

Entre ses doigts, Irene tenait la carte de Pam.

– Tiens.

– C'est quoi ?

– Prends ça.

– Pour quoi faire ?

– Tu devrais peut-être aller la voir.

– Ouais. Et je devrais peut-être me livrer aux flics.

– Shane, elle pourrait sans doute t'aider.

152

– M'aider à retourner en taule, tu veux dire.

– Non. Elle a dit qu'elle pourrait arranger les choses.

– Ouais ? Et comment elle espère y arriver ?

– Elle me plaît bien. Pour quelqu'un qui fait ce métier. Elle est réglo, je crois. Tu pourrais lui faire confiance.

– Tu crois ?

– C'est toujours mieux que de partir au Pays de Galles ou je ne sais où. Dans un endroit que tu connais pas. (Elle posa une main sur la sienne, et cette fois, il ne se déroba pas.) Tu devrais essayer. De parler à la contrôleuse judiciaire. Donne-lui une chance. (Irene serra plus fort la main de Shane.) Promets-le-moi, Shane. Tu me le promets, oui ?

– Il faut que j'y aille.

– Tiens.

Elle lui glissa dans la main un billet de vingt livres et un paquet de Silk Cut. Elle le serra dans ses bras et, maladroitement, il mit à son tour les bras autour d'elle. Rangés au fond du sac, il y avait deux sand-wiches au fromage et aux cornichons et une barre chocolatée. Il avait déjà pris dans le tiroir de la cui-sine le plus aiguisé des petits couteaux ; ce salopard de Cleave avait eu le dessus sur lui, au foyer, et il n'était pas question que ce genre de situation se reproduise.

– Bon. Tu ferais mieux de partir, maintenant.

Et elle referma la porte pour ne pas être obligée de le regarder s'éloigner.

– M'man ! cria Tara depuis la pièce voisine. M'man, j'ai soif.

– J'arrive.

Quand Neville rentra du travail, les deux aînés étaient au premier. Ils écoutaient Eminem à plein volume sur leur stéréo camelotée, en braillant les

153

paroles à l'unisson. Alice, avec Tara sur ses genoux, regardait la télé. Brian, dans le jardin de derrière, shootait dans son ballon pour le faire rebondir contre le mur. Irene était assise sur le canapé, une cannette de bière à la main, une cigarette à la bouche, le visage ruisselant de larmes.

– J'en ai ras le bol ! hurla Neville.

Et, sans prendre la peine de refermer la porte derrière lui, il partit au pub.

La promenade matinale de Pam sur la colline lui semblait appartenir non seulement à un autre jour, mais à une tout autre époque, voire un autre pays. La frustration de sa visite à la sœur de Shane Donald mise à part, elle avait passé la majeure partie de son temps à poursuivre des clients qui avaient manqué leur rendez-vous, où à tenter de ne pas perdre son calme avec ceux qui avaient fini par arriver. De plus, son capitaine l'avait réprimandée pour ce qu'il considérait de toute évidence comme du travail administratif bâclé et puis, au moment où elle allait partir, lui avait de plus conseillé de donner un coup de pouce à sa carrière en passant une maîtrise de gestion. Au milieu de tout cela, Gribbens avait appelé du foyer : derrière le départ précipité de Shane Donald, il y avait, semblait-il, une tentative d'intimidation, mais pour l'instant il n'avait pas encore découvert quels en étaient la nature et le responsable.

À dix-neuf heures cinq, Pam ferma enfin son ordinateur, glissa deux dossiers dans son sac, où ils rejoignirent un roman de Nick Hornby qu'elle lisait tard le soir, éteignit la lumière et se dirigea vers la sortie.

Son capitaine, elle eut le plaisir de le constater, était encore à son bureau, alors que tous ses collègues avaient quitté le navire. Sa voiture était garée à l'autre bout du parking maintenant désert.

Installée au volant, elle tourna la clé de contact et alluma machinalement la radio, balayant la gamme des fréquences sans rien trouver qui retienne son attention, pour finalement choisir de revenir au silence. Ses épaules étaient raides, ankylosées, et elle ressentait une douleur au creux des reins. Ce qu'il lui fallait, c'était quelques longueurs de piscine, suivies d'un sauna, et peut-être d'un bon massage, qu'on s'occupe d'elle avec amour. Ce qu'elle fit, ce fut d'ouvrir la boîte à gants pour chercher ses cigarettes. Elle alluma la radio de nouveau, et cette fois le hasard la fit tomber sur un morceau mi-soul, mi-jazz, une voix de femme, un saxophone. Aspirant une longue bouffée, elle se carra contre son dossier et ferma les yeux.

– Ne bougez pas, dit Shane Donald.

C'était comme un murmure à l'intérieur de sa tête.

L'espace d'un instant, elle crut que c'était une hallucination, un rêve.

Puis la pointe du couteau se fit pressante contre sa nuque.

## 19

Elder était convenu avec Katherine qu'ils se retrouveraient au centre-ville quand elle aurait terminé son entraînement, et quinze minutes après l'heure dite, il était toujours à faire les cent pas entre les deux lions de pierre, au bout de la place. Tout autour de lui, des filles en robe légère, en mini-jupe et dos-nu, bavardaient, gloussaient et fumaient, avant de partir vers les pubs voisins avec leurs copains. Certains jeunes se tenaient à l'écart – des garçons comme des filles – feignant de ne pas regarder leur montre, jouant la nonchalance jusqu'au moment où apparaissait la personne qu'ils attendaient.

Vingt minutes de retard.

Vingt-cinq.

Quelques instants plus tôt, il avait appelé Maureen, et l'avait cueillie juste avant qu'elle ne quitte son service : jusqu'à présent, aucune nouvelle de Shane Donald. Mais après tout, comme elle l'avait dit, cette fuite, c'était tout récent. Ils s'étaient mis d'accord pour se retrouver, si c'était possible, et boire un verre ensemble le lendemain soir, quand Elder aurait vu Paul Latham, le professeur de théâtre de l'ancien lycée de Susan. Maureen s'était

montrée expéditive, mais pas inamicale, plutôt efficace au téléphone.

Ses pensées dérivèrent de Maureen à Maddy
Birch avec qui il avait travaillé – combien d'années
auparavant ? – quatorze ou quinze. Une bonne
enquêtrice à sa façon, Maddy, même si elle n'avait
pas la motivation sans faille de Maureen. Un bon
flic, et une femme de valeur, et c'est pour cette raison qu'il l'avait choisie pour interroger Shane
Donald : il émanait d'elle une certaine chaleur, une
douceur, même, le sentiment qu'elle avait à cœur de
comprendre vos problèmes. Tandis qu'avec Maureen, la plupart du temps, le fait qu'elle soit
une femme était complètement oblitéré et ne
créait pas d'obstacle, à moins qu'elle ne décide le
contraire.

À sa droite, une jeune fille aux cheveux bruns et
bouclés, en talons hauts, une femme en vérité, se
jeta au cou d'un homme souriant et l'embrassa sur
la bouche.

Elder se demanda où se trouvait Maddy Birch, à
présent, sans doute inspectrice principale dans l'une
de ces petites villes des Wolds, ou aux alentours,
Market Rasen ou Louth. À moins qu'elle ait quitté
le métier, se soit mariée, qu'elle ait eu deux mômes
et qu'elle vive à présent dans une jolie résidence
près de Lincoln, les trimballant en quatre-quatre
entre l'école et les Scouts ou autre chose. Un soir,
tard, alors qu'ils étaient tous les deux passablement
éméchés après le pot de départ d'un collègue, ils
avaient échoué en titubant dans une encoignure de
porte et Elder s'était retrouvé avec une main sur son
sein. Quand ils s'étaient séparés quelques instants
plus tard, le souffle court, il avait vu, à la lueur des
devantures du trottoir d'en face, le vert de ses yeux
pétiller de malice.

– Papa ! Papa ! (C'était Katherine, son sac
de sport sur l'épaule, qui longeait les fontaines

en courant vers lui.) Papa, excuse-moi d'être en retard.

Quand ils s'engagèrent dans King Street en quittant la place, Katherine supposa que son père l'emmenait au Pizza Express, mais Elder lui fit traverser la rue pour entrer au Loch Fyne Oysters, un restaurant de poissons et fruits de mer – une excellente surprise.

– Tu as quelque chose à fêter ? demanda-t-elle.

– Rien de particulier, fit Elder. Pourquoi ?

– C'est juste que...

Elle fit un geste vague.

– Quoi ?

– Rien, papa. Rien, d'accord ?

Ils s'installèrent l'un en face de l'autre dans un box à dossiers hauts. Le restaurant était déjà rempli aux trois quarts. La serveuse leur apporta le menu, leur annonça les plats du jour, et les quitta pour leur laisser le temps de se décider.

– De toute façon, dit Elder, je parie que tu es venue ici avec ta mère des dizaines de fois.

– Martyn et maman préfèrent aller chez Sonny.

– Je vois.

Elder commanda une bière et Katherine, après un regard furtif à son père, un verre du blanc maison. L'un et l'autre étudièrent le menu avec attention.

– Bon, fit Katherine en se penchant en avant, je vais te dire ce que je pense. Le fait que tu m'amènes dans un endroit comme celui-ci, un peu spécial, c'est comme si... Ça me donne l'impression que tu t'apprêtes à, je ne sais pas, m'annoncer une grande nouvelle, tu vois.

– À quel sujet ?

– Je ne sais pas.

– Bon, quel genre de nouvelle ?

158

– Que tu quittes le pays, peut-être. Que tu émigres. En Nouvelle-Zélande. Au Canada. Ou que tu as rencontré quelqu'un. Que tu te remaries.

– Il faudrait que je divorce d'abord.

– Ne plaisante pas.

– Excuse-moi. Je ne savais pas ce que ça te contrarierait.

– Quoi ?

– Que je sois avec quelqu'un d'autre.

– C'est le cas ?

– Non.

– Eh bien, alors ?

– En fait, si je me souviens bien, tu as dit que ce serait une bonne idée.

– Ce n'était pas la même chose.

– Comment ça ?

– Je parlais de coucher avec quelqu'un, c'est tout. Je pensais que ça te ferait du bien.

Malgré lui, Elder souriait.

– Merci beaucoup.

– Je ne pensais pas à quelque chose de vraiment sérieux. Tu sais, vivre ensemble. S'installer sous le même toit.

– Et si je vivais, comment dire, si je vivais en couple, de façon permanente, ce serait vraiment un problème ?

– Pour moi, tu veux dire ?

– Oui.

– Bien sûr.

– Mais pourquoi ?

– Parce que ça changerait beaucoup de choses.

Elder lui prit la main.

– Mais les choses ont changé, ma chérie. Il y a trois ans.

– Je sais.

Katherine prit du crabe, puis du cabillaud rôti ; Elder, un petit bol de moules suivi d'un steak de flétan.

159

– Eh bien, fit Katherine en levant son verre, même si tu n'as rien à fêter, moi si.

– Dis-moi.

– Le championnat interrégional. Je suis sélectionnée.

– Excellent.

– Ne dis surtout pas que tu me l'avais dit.

– Je te l'avais dit.

Katherine lui tira la langue, et l'espace d'une seconde, elle redevint aux yeux de son père une gamine de douze ans à peine, aux longues jambes, les cheveux noués en une seule tresse, son uniforme d'écolière un peu de travers.

Après le café, ils ressortirent du restaurant et presque aussitôt faillirent percuter un couple qui passait bras dessus bras dessous en riant.

– Pardon, dit machinalement Elder.

Au moment où il faisait un geste pour signifier que tout allait bien, l'homme aperçut Katherine, s'arrêta et sourit.

– Bonjour, Kate.

– Bonjour.

Il n'avait pas trente ans, estima Elder, jean et blouson de cuir. La fille qui l'accompagnait, un peu plus jeune, les cheveux coiffés en pétard au-dessus d'un bandana vert foncé, portait un pantalon de soie crème, un haut chatoyant. Le sourire de l'homme s'élargit quand son regard passa de Katherine à Elder.

– Oh, je vous présente mon père. Papa, voici Alan. Il enseigne dans notre lycée.

– Ravi de vous connaître, monsieur Elder.

Elder le salua d'un signe de tête.

– Bon, il faut qu'on y aille. Passez une bonne soirée.

Elder et Katherine les regardèrent traverser la rue.

160

– Tu l'as comme prof ? demanda Elder.

– Non. (Katherine secoua la tête.) Il enseigne les langues étrangères, le français et l'espagnol. Surtout dans les petites classes.

– Elle est jolie, la fille qui l'accompagnait.

– Oui, fit Katherine. Elle est en terminale.

## 20

Pam ne savait pas depuis combien de temps elle était dans cette position, calée contre l'appuie-tête du siège conducteur, la pointe du couteau de Donald tenue d'une main pas très ferme contre sa peau. Assez longtemps pour que sa respiration se calme, que la chanson, à la radio, cède la place à quelque chose de plus langoureux et hors de propos. Et à chaque seconde, elle s'efforçait de ne pas regarder de façon trop manifeste vers les bureaux du contrôle judiciaire où une lumière solitaire brillait toujours. À l'autre bout du parking, en diagonale, la Volvo de son capitaine attendait. S'il décidait maintenant qu'il était l'heure de rentrer chez lui, il la verrait sûrement dans sa voiture, sa silhouette derrière le volant, et il viendrait voir si elle n'avait pas d'ennuis.

Mais rien ne se passa. Personne ne sortit ni entra.

– Shane..., dit-elle doucement d'une voix qu'elle s'efforçait de garder aussi égale que possible. S'il te plaît, range ce couteau.

Quand il se pencha en avant, elle sentit le souffle chaud de Donald dans son cou, son oreille.

– Jamais de la vie.

– Mais tu n'en as pas besoin.

– J'ai pas confiance en vous.

– Mais tu es là.

– Irene a dit que vous m'aideriez.

– Je peux t'aider. C'est vrai, je peux le faire. Mais pas de cette façon.

Elle commença à se retourner. La main de Donald tressauta, et la pointe du couteau lui perça la peau du cou.

– Je vous avais prévenue.

– Je sais, je sais.

Dans l'espace confiné de la voiture, Pam captait l'odeur de Donald, celle de sa transpiration, de sa peur qui se mêlait à la sienne.

– Shane, écoute, il n'y a rien que je puisse faire contre toi. Pourquoi tu ne rangerais pas ce couteau, qu'on puisse parler ? Parler de façon raisonnable. On pourrait rentrer, aller dans mon bureau...

– Non !

– D'accord, d'accord, on parlera ici. Seulement, il faut que tu ranges ce couteau.

– Comment je sais si je peux vous faire confiance ?

– Parce que tu peux, c'est tout.

– Vous mentez.

– Non, Shane, je ne mens pas.

– À la première occasion, vous allez me livrer aux flics.

– C'est faux.

La musique, sur l'autoradio, fut remplacée par l'indicatif de la station, puis par la voix d'un homme grave et suffisant qui vendait des assurances vie.

– Shane, dit Pam, je vais bouger.

– Non.

– Il le faut. J'ai trop mal au dos. Je veux simplement me redresser un peu, c'est tout. Voilà.

Elle pouvait voir son visage dans le rétro, à présent, d'un blanc grisâtre, angoissé, une pellicule de sueur au-dessus des sourcils, sur l'arête du nez.

– Shane, dit-elle en s'adressant à son reflet. Ta sœur t'a dit que je pourrais t'aider, et elle avait raison. Mais il faut que tu poses ce couteau d'abord, c'est compris ?

La chanson *Street Life* surgit des petits haut-parleurs des portières, guillerette et enjouée.

– Shane ?

Pam retint son souffle alors que la pression diminuait, puis disparut.

– D'accord, je vais me retourner, maintenant.

– Non !

– Bon, laisse-moi éteindre ça, au moins. Qu'on puisse s'entendre normalement.

Entre deux syllabes, la voix du chanteur disparut. Le silence se fit dans la voiture ; les échos de la circulation, à l'extérieur, restaient lointains, assourdis.

– Alors, allez-y, fit Shane. Racontez-moi ça. Si vous voulez m'aider, dites-moi ce que vous pouvez faire.

Les mensonges se bousculaient dans la tête de Pam tandis qu'elle hésitait, ne sachant que dire. La situation de Donald était délicate, et se compliquait à chaque minute. Et ce numéro grotesque avec son couteau ! À quoi pensait-il ? Et même si elle gardait le silence sur ce détail, les conséquences de son acte étaient graves.

– Écoute, commença-t-elle, il y a une chose que tu dois comprendre. Après ce que tu as fait, t'enfuir du foyer, enfreindre le couvre-feu, ta licence devra être révoquée. Et personne n'y pourra rien.

– Vous voulez dire que je vais retourner en taule ?

– Oui.

Le poing de Donald frappa la vitre.

– Alors, à quoi ça sert de discuter, bordel !

– Ça sert à voir comment je peux t'aider à présenter la chose, ce qui s'est passé, ce que ça repré-

164

sente. À essayer de trouver une raison de faire ce que tu as fait. T'aider à t'expliquer.

Donald ne dit rien, se tortilla un peu sur son siège.

– Quand tu as quitté le foyer, reprit Pam, était-ce parce que quelqu'un t'avait menacé d'une façon ou d'une autre ? Parce que si c'est le cas, si tu as pensé que tu étais vraiment en danger, eh bien, ce serait une raison, n'est-ce pas ?

– Et ça arrangerait le coup ?

– Pas exactement. Mais je suis sûre que c'est quelque chose que la commission des libérations conditionnelles prendrait en considération.

– Vous leur diriez.

– Oui, je suppose que je pourrais essayer de...

– Vous leur diriez. Pour me défendre. Pour expliquer.

Pam inspira longuement.

– Je ferais un rapport...

– J'en veux pas, de votre putain de rapport !

– D'accord, d'accord. Je peux leur parler directement, je suis sûre que c'est possible. Mais, Shane, écoute, c'est important. Il faut que tu poses le couteau, maintenant. Une bonne fois pour toutes. Donne-le-moi. Et puis il faut que tu ailles – je viendrai avec toi si tu veux – il faut que tu ailles au commissariat le plus proche, pour te livrer à la police.

– Non.

– Shane, écoute. Plus tôt tu le feras, mieux ça vaudra pour toi. Après, on pourra reconstituer exactement ce qui s'est passé, et je pourrai essayer de t'aider à expliquer. Mais il faut que tu te livres à la police. Il le faut. Il n'y a pas d'autre choix.

Ni l'un ni l'autre n'avaient entendu les pas qui s'approchaient avant qu'ils ne soient tout près de la voiture, le capitaine appelant le nom de Pam tandis qu'il se penchait à la fenêtre, une main tendue pour frapper à la vitre. Au moment même où Donald ouvrait d'une main la portière du côté opposé, de l'autre il raflait le sac de Pam sur le siège avant. L'instant d'après, il escaladait le muret et disparaissait, le cri que poussa le capitaine ne s'adressant plus qu'à des ombres, et Pam, penchée en avant, le front contre le pare-brise, s'agrippa au volant de toutes ses forces.

Son capitaine accompagna Pam au commissariat de police et, plein de sollicitude, resta avec elle tandis qu'elle faisait sa déposition. Elle eut beau affirmer qu'elle se sentait bien, quoique légèrement secouée par l'incident, le médecin de la police l'examina, lui mit une pommade antiseptique et un pansement adhésif sur la nuque, et lui conseilla d'avaler deux comprimés de Nurofen. À l'heure du déjeuner, Pam était allée prendre de l'argent à un distributeur automatique, ce qui voulait dire qu'il y avait pas loin de cent livres dans son sac, ainsi que l'assortiment habituel de cartes de crédit. Elle pourrait signaler leur vol, bien sûr, dès qu'elle aurait accès à un téléphone. Une heure, peut-être un peu plus, après son arrivée au commissariat, elle était assise devant une tasse de thé, une cigarette à la main, quand les larmes commencèrent à couler, sans bruit, sur son visage, et elle se mit à trembler. Le capitaine lui donna quelques petites tapes sur l'épaule mais, prudent dans ce genre de situation, s'abstint de lui tenir la main.

Nommé depuis peu, le commissaire avait hâte que ses hommes s'attellent à autre chose qu'aux affaires d'ivresse sur la voie publique, de vol à l'arraché, de revente de drogue aux coins des rues, et à la série habituelle de conflits conjugaux inextricables. Qu'un meurtrier condamné ait pris la fuite et se trouve peut-être encore dans votre juridiction, c'était une chose, qu'il agresse à l'arme blanche son contrôleur judiciaire, c'en était une tout autre. Vol et voies de fait. Coincez ce petit salopard et renvoyez-le au trou, et avant qu'il ne repasse devant la Commission des libérations conditionnelles, il sera déjà bardé de couches pour vieillards incontinents, aux prises avec Alzheimer.

Le regain d'activité qui s'ensuivit n'échappa pas entièrement au journaliste local chargé des affaires criminelles ; il s'empressa de se faire accorder quelques faveurs, surtout de la part de l'inspecteur avec lequel il buvait un coup après le service. Ensuite, il s'arrangea pour qu'un photographe saisisse au vol quelques clichés de Pam quittant le commissariat, l'air encore un peu hébété. Ce journaliste était aussi le correspondant d'un quotidien national qui, comme plusieurs de ses rivaux, n'avait jamais perdu de vue l'indignation populaire suscitée par la libération de Shane Donald, attendant de voir si elle prenait de l'ampleur ou se flétrissait au gré de la rumeur. Et à présent, le rédacteur en chef, attentif à la guerre des tirages et au principe des parts de marché, envoyait des pisse-copie fouiller les archives, pour déterrer tous les détails croustillants du crime de l'époque et du procès subséquent qui feraient de l'effet dans le climat actuel. Bon, d'accord, une fille de seize ans ne faisait pas vibrer la corde pédophile aussi fort qu'une victime à peine pubère, mais cette affaire était suffisamment juteuse, surtout dans ses zones d'ombre, pour rendre plus virulente une campagne sur le thème : « Pourquoi relâcher de tels monstres ? » Quelques onces de lubricité mélangées à une bonne pinte d'indignation vertueuse, et vous touchez droit au cœur la classe moyenne de l'Angleterre.

« Alors, brailla-t-il à tous les journalistes présents dans la salle de rédaction, bougez-vous le cul, foncez là-haut, à Huddersfield, ramenez les confidences de cette contrôleuse judiciaire et puis, si ce n'est pas un vrai cageot, des tas de photos. Pendant que vous y serez, faites un tour au foyer, voyez ce que vous pouvez soutirer aux autres pensionnaires. Oh, et notre correspondant pense que ce type qui s'est fait la malle a de la famille dans le coin, une sœur, quelque chose comme ça. Et puis, il y a un certain Padmore qui vocifère dans toute la presse du Nottinghamshire, celui dont la fille a été violée et assassinée. Voyez ce qu'on peut faire pour relancer un peu cette histoire-là, trouver une nouvelle approche. Et pour terminer avec ce Shane Donald, qu'est-ce qu'il en pense, le type qui l'a arrêté ? Quel effet ça lui fait de voir tout son boulot foutu en l'air ? Et à son avis, Donald, dans quelle catégorie de salopards pervers il le classe, au fait ? Alors, qu'est-ce que vous foutez encore là ? En route, et plus vite que ça. »

## 21

Au nord, l'autoroute était coupée par un accident de circulation. En perdant son chargement, un semi-remorque avait provoqué un carambolage de vingt-trois voitures, bloquant les trois voies ; le bouchon atteignait déjà vingt-deux kilomètres, et ça ne s'arrangeait pas. Des déviations étaient mises en place. Elder opta pour les départementales qui le firent passer par Langley Mill et Codnor, sur des routes sinueuses et bombées témoignant de la présence, dans cette région, de galeries de mines désaffectées qui transperçaient le sous-sol en tous sens. Ensuite, il reprit la direction du nord par Alfreston et Clay Cross jusqu'à ce que, à proximité de Wingernorth, il aperçoive le célèbre clocher tordu de Chesterfield penché au-dessus des toits.

Il avait fixé rendez-vous à Paul Latham sur la place de l'ancien marché. Latham, taille moyenne, corpulence moyenne, un type très moyen, en fait, une fleur à la boutonnière, qui devait suffire à le distinguer, les gens n'ayant guère l'occasion d'en porter à Chesterfield, sinon aux enterrements. Quoi qu'il en soit, Elder le repéra facilement, assis sur l'un des bancs publics, le nez dans un bouquin : teint de rose, cheveux longs à contre-courant de la mode et dont les boucles débordaient sur le col de son costume de velours pâle, un sac en cuir souple, à bandoulière, posé près de lui.

– Monsieur Latham ?

– Paul.

– Paul, donc. Frank. Frank Elder.

La poignée de main de Latham fut brève et énergique.

– C'est gentil à vous de me consacrer du temps.

Latham sourit.

– Vous m'avez permis d'échapper à la cantine, et à sa version rustique des macaronis au gratin. Ou à une montagne de frites.

– Qu'est-ce que vous suggérez ?

– Ce ne sont pas les pubs qui manquent. Quoique vous n'y mettiez jamais les pieds pendant le service, je suppose.

Elder secoua la tête.

– Je ne suis plus de service depuis des années.

– Je pensais...

– Excusez-moi, j'aurais peut-être dû être plus explicite au téléphone. Il y a déjà un certain temps que j'ai démissionné de la police. Cet entretien est simplement... à titre personnel, je suppose.

– Je vois.

Elder se demanda si c'était un effet de son imagination, mais Latham n'avait-il pas eu l'air soulagé d'apprendre que sa visite n'avait rien d'officiel ?

– Un pub me conviendrait très bien.

Ils trouvèrent un coin de salle où ils purent parler. Elder, se laissant tenter par l'idée de manger quelque chose, commanda un pâté en croûte pour accompagner sa demi pinte de bière. Latham se contenta d'un jus de fruits et d'un paquet de cacahuètes.

– Le théâtre, c'est donc ce que vous enseignez ?

– Oui, et un peu de littérature anglaise. La communication, aussi, je dois enseigner ça, maintenant.

– Vous leur faites étudier des publicités, des articles de journaux, ce genre de chose ?

Latham s'esclaffa.

– On regarde surtout de vieux épisodes de feuilletons populaires, et puis on leur trouve une justification avec un peu de blabla sociologique.

Il était encore plutôt juvénile quand il riait, pensa Elder, beau garçon dans le genre artiste. Difficile de deviner son âge, mais il n'était pas aussi jeune qu'il le paraissait au premier abord. Pas loin des quarante-cinq ans. Ce qui voudrait dire qu'il en avait trente quand Susan Blacklock avait disparu, ou peut-être un an de moins.

– Vous vous souvenez de Susan ? demanda Elder.

– Bien sûr. (Le visage de Latham se fit grave.) Une fille adorable. Spéciale.

– En quel sens ?

– Ah... Par où commencer ? D'abord, elle était intelligente. Elle était capable de comprendre les choses avec davantage de maturité que la plupart. Les relations, par exemple.

– Les relations ?

– Entre les personnages.

– Vous voulez dire, dans les pièces de théâtre ?

– Elle saisissait l'implicite, elle lisait entre les lignes.

– Et cela faisait d'elle quelqu'un de spécial ?

– Pour une fille de son âge, oui, je crois. Surtout si l'on considère son milieu familial.

Elder le regarda durement.

– Je ne suis pas sûr de comprendre.

– En général, quand vous rencontrez ce genre de personnalité, il suffit de gratter un peu la surface pour apprendre que le papa est écrivain, la maman membre influent d'une troupe de théâtre de province. Mais dans le cas de Susan, ma foi, si vous avez rencontré les parents, vous comprendrez ce que je veux dire. Des gens très gentils, mais je doute que l'un ou l'autre ait jamais eu une seule idée originale. Et je serais surpris qu'il y ait dans la maison un seul bouquin qui ne soit pas de Patricia Cornwell ou de Tom Clancy. (Latham versa au creux de sa paume une nouvelle ration de cacahuètes.) Je ne vois rien de répréhensible à cela, comprenez-moi bien, mais ce n'est pas le genre de milieu socioculturel propre à engendrer la réflexion créative et le discernement.

Elder sentit que Latham commençait à lui taper sur les nerfs.

– Comment expliquez-vous, alors, cette aptitude, si c'est bien le mot, que possédait Susan? C'était une sorte d'intuition, ou quoi?

– Un talent inné? (Latham mâcha ses cacahuètes d'un air pensif.) Je crois que c'est assez vrai, en un sens. C'était un don. Une sorte d'atavisme, peut-être. Mais cela n'expliquerait pas tout. Non, elle était éveillée, désireuse d'apprendre, elle se plongeait complètement dans toutes les activités que je proposais, elle abattait un travail considérable. C'était comme si... (Pendant un instant, les mains jointes devant lui, Latham ferma les yeux.) C'était comme si elle ne voulait pas être là où elle se trouvait, comme si le théâtre, le fait de jouer la comédie, était une façon pour elle de s'évader, de partir ailleurs.

– Où exactement?

Latham sourit.

– Qui sait?

Elder s'entêta.

– Elle était différente des autres, en ce cas, de ses amies? Comment s'appelaient certaines d'entre elles? Siobhan. Lynsey.

– C'est une question de degré. De sérieux. Pour les autres, il s'agissait davantage d'un jeu. Non qu'elles aient manqué de talent, entendons-nous

172

bien. Siobhan a même fréquenté un cours d'art dramatique, et s'est façonné un semblant de carrière. (Il leva son verre.) Elle fait même une apparition de temps en temps dans un feuilleton télévisé. En général, dans un rôle de pute.

– Et Susan, c'est aussi ce qu'elle souhaitait, à votre avis, devenir actrice ?

– Susan, actrice ? Non, je ne crois pas.

Elder se servit de son couteau pour enduire de moutarde une tranche de son pâté de porc.

– Susan, vous n'avez plus jamais eu de ses nouvelles après cet été-là ? Une carte postale, un coup de téléphone de temps en temps, quelque chose comme ça ?

– Non, rien du tout. Sinon, j'en aurais informé ses parents, la police.

– Bien sûr. (Elder mâcha sa bouchée de viande, puis avala une gorgée de bière.) Et Siobhan ? Lynsey ?

– Si. L'une comme l'autre, elles ont fait ce qu'il fallait pour rester en contact. Des cartes de vœux pour Noël, par exemple. Un petit mot de Siobhan si elle avait un petit rôle quelque part, une dramatique à la radio, une télé.

– Vous avez leurs adresses, alors ?

Latham réfléchit à la question.

– Pour Lynsey, je n'en suis pas sûr. Mais Siobhan, oui, je crois bien. Quelque part à Londres. Mais est-ce encore son adresse actuelle, je ne saurais le dire. Ils mènent un peu une vie de nomade, vous savez, les acteurs.

– Cela ne vous ennuierait pas de me les communiquer, malgré tout ?

Perplexe, Latham hésita.

– Je peux toujours retrouver leur trace d'une autre façon, ajouta Elder. Cela me simplifierait la tâche, c'est tout.

– Très bien. (Latham farfouilla dans son sac et en sortit un Filofax plein à craquer ; sous le nom de Siobhan Banham, cinq ou six adresses avaient été biffées et remplacées.) Voilà : London, NW1.

Latham ôta le capuchon de son stylo-bille, arracha une page de papier bleu de son agenda, et retranscrit l'adresse d'une écriture précise, ornée de quelques fioritures.

Elder le remercia et glissa la feuille de papier dans sa poche de poitrine.

Latham regarda sa montre.

– Il faudrait vraiment que j'y aille. Le premier cours de l'après-midi. Théâtre, troisième année. Si je n'arrive pas à l'heure, ils vont démolir le hall.

En sortant du pub, Elder tendit la main à Latham.

– Les garçons de votre groupe, Susan s'y intéressait ?

Une expression, impossible à définir, passa sur les traits de Latham.

– Comment ça, elle s'y intéressait ?

– Vous savez, copain-copine. Attraction réciproque. Amitié. Sexe.

– Pas que je sache.

– Et vous l'auriez su, je veux dire, si cela avait été un tant soit peu sérieux.

– Pas nécessairement.

– Mais vous avez dû en voir un certain nombre, en dehors de vos cours, pendant les sorties au théâtre et le reste. S'il y avait eu une idylle en cours...

– J'aurais pu le remarquer, je suppose. Mais, non. Non, je regrette, je crains de ne pas pouvoir vous aider à ce sujet.

Elder soutint son regard.

– Je me demande pourquoi vous me posez cette question ? ajouta Latham.

– Oh, je n'ai pas de raison particulière. Simple curiosité, sans doute. Pour tenter de combler quelques vides.

– Je vois. Eh bien, comme je vous le disais, je dois...

– Théâtre, troisième année, vous devez retourner au lycée.

– Oui.

– Encore merci pour votre patience.

Elder regarda Latham s'éloigner rapidement, en contournant les flâneurs et les badauds de l'heure du déjeuner, les mères de famille à poussette, les jeunes gens qui grignotaient des hamburgers à emporter ou des beignets de poulet, de jeunes enfants n'en faisant qu'à leur tête, insensibles aux menaces comme aux cajoleries. Il repensait à ce que Latham avait dit de Susan, qui cherchait à s'évader, à partir ailleurs. N'était-ce pas ce que tous les enfants, tous les jeunes, souhaitaient à un certain moment de leur vie, tout particulièrement les adolescents ? Qui ne s'était jamais laissé allé à rêvasser, à entretenir ce fantasme dans lequel il était un enfant trouvé, élevé par des gens qui n'étaient pas ses vrais parents ?

Il avait presque atteint le bout de la place, pour regagner l'endroit où sa voiture était garée, quand les manchettes des journaux attirèrent son regard. *UN TUEUR EN LIBERTÉ. UNE CONTRÔLEUSE JUDICIAIRE SOUS LA MENACE D'UN COUTEAU*. Il fouilla ses poches pour trouver de la monnaie. En haut de la une, sur le côté droit, il y avait une photo de Shane Donald tel qu'il était en 1989, et sous le pli du journal, un cliché flou d'Elder lui-même quittant le tribunal après que Donald et McKeirnan eurent été déclarés coupables.

Maureen pria ses collègues de l'excuser quand elle vit Elder entrer dans le bar.

– Tu as vu ça ? demanda-t-il en frappant le journal du dos de sa main libre.

Maureen hocha la tête.

– Ils ne t'ont même pas pris sous ton meilleur profil.

Il lui paya une autre demi-pinte, commanda un Jameson's et un verre d'eau pour lui-même, et ils parvinrent à trouver un endroit où ils n'eurent pas besoin de hurler pour se faire entendre par-dessus le vacarme des jeux électroniques ou du téléviseur mural réglé sur une chaîne de sport.

– Tu sais ce que j'ai du mal à avaler ? dit Elder. Cette façon qu'ils ont de jouer les vertueux, comme s'ils faisaient en quelque sorte œuvre de salubrité publique. En élevant des types comme Shane Donald au rang de célébrité médiatique.

– Et en le forçant à se terrer encore plus dans la clandestinité.

Elder acquiesça.

– Sans parler de l'étalage qu'ils font de tous les détails scabreux du drame, dont ils tartinent les pages intérieures.

– Ça fait vendre des journaux.

– Sans aucun doute. Je me demande quel effet cela peut avoir sur les familles des victimes.

– À en croire le *Post*, le père de Lucy Padmore est déjà bien énervé ; avec ça, ils vont le mettre en orbite.

Elder pensait à Helen Blacklock, qui lisait peut-être en ce moment même le récit des horreurs infligées à Lucy Padmore, imaginant sa propre fille souffrant de la même façon.

– Comment progresse ta petite enquête personnelle ? demanda Maureen.

Quand il eut fini de lui rendre compte, brièvement, de son entretien avec Paul Latham, le visage de Maureen se fendit d'un sourire.

– Qu'est-ce qu'il y a ?

– Il n'a pas vraiment gagné tes suffrages comme personnalité du mois.

– Pas vraiment.

– Tu crois qu'il y a autre chose ? Que le fait que vous n'ayez pas sympathisé ?

– Je n'en sais rien.

– Mais si c'était le cas, ça ne te déplairait pas.

Elder haussa les épaules et goûta à son whiskey.

– N'importe quelle information concrète serait précieuse.

Il demanda à Maureen sur quelles affaires elle travaillait en ce moment, et ils parlèrent du métier devant une nouvelle tournée. Deux ou trois autres policiers qui avaient fini leur service vinrent échanger quelques mots avec Maureen, lui dire bonsoir, et jeter un coup d'œil à son compagnon.

– En voilà qui vont alimenter les rumeurs dès demain matin, il me semble, commenta Elder.

– Grand bien leur fasse, dit Maureen.

– Un autre ? proposa Elder en désignant le verre vide de Maureen.

– Il vaut mieux pas.

– Maddy Birch, fit Elder, ce nom te dit quelque chose ?

– Elle est inspectrice principale, non ? Quelque part dans le Lincolnshire. Ton ancien territoire. J'ai eu l'occasion de la croiser plusieurs fois. Mais pas récemment, cela dit. Pourquoi tu me demandes ça ?

– Oh, je n'ai pas de raison particulière. Je pensais seulement que tu savais peut-être où elle était en poste.

Penchant la tête en arrière, Maureen s'esclaffa.

– Tu es en rut, Frank ?

Elder eut l'élégance de rougir tandis qu'il décrochait sa veste du portemanteau.

Dehors, une pluie fine avait commencé à tomber.

– Tu n'as pas envie de manger un morceau, je suppose ? dit Elder.

Maureen secoua la tête.

– Non, merci. (Puis, souriant :) Tu aurais dû m'inviter avant de me parler de Maddy Birch. Remarque, ça n'aurait rien changé à ma réponse. Bonsoir, Frank.

Chez un Grec, pas très loin de chez Willie Bell, il acheta un kebab à emporter avec de la sauce au chili. Willie était sorti. Elder trouva une bière dans le frigo, mit son repas dans une assiette, et s'installa devant la télévision. Dans une rue éclairée au néon et noyée sous une pluie artificielle, deux flics new-yorkais délogeaient des junkies réfugiés sous des porches de magasins, en parlant vite du coin de la bouche. Dans son portefeuille, il avait le numéro du portable de Katherine, mais il était sans doute trop tard pour l'appeler. Et ce n'était pas à Katherine qu'il pensait, mais à Joanne. Au stade, le bleu de son T-shirt, la coupe de son jean. *Je t'aurais bien dit de venir à la maison, Frank, seulement...* Joanne, Maddy Birch – pourquoi, se demanda Elder, était-il à ce point fasciné par les yeux verts ?

Il finit son kebab, éteignit le téléviseur, et monta se coucher.

À la première heure, le lendemain matin, Pam Wilson se retrouva assiégée sur le seuil de sa propre maison. Elle eut beau passer en force entre les journalistes, refusant de parler, elle comprit qu'ils trouveraient le moyen de lui attribuer des déclarations. À onze heures, Irene avait invité un jeune reporter compatissant à boire une tasse de thé. Au bout d'un quart d'heure – c'est-à-dire, douze ou treize minutes trop tard – elle le regrettait déjà. Au cours de l'après-midi, son mari, Neville, se vit proposer un contrat exclusif pour raconter son histoire, j'ai un assassin dans ma famille, ou quelque chose de semblable, et il signa sur la ligne en pointillés.

De Shane Donald, il n'y avait aucune trace.

## 22

Quatre heures, ou presque, il lui avait fallu pour trouver un type qui veuille bien l'emmener, quatre heures à traîner sur le parking des poids lourds, à demander aux chauffeurs qui, le plus souvent, passaient près de lui sans même lui adresser la parole. Manchester, mec. Manchester. Allez, quoi. S'il avait été une de ces pétasses en bas résille, la jupe à ras du cul, comme celle qu'il avait vue grimper dans la cabine d'un semi-remorque transportant des pièces détachées pour voitures, il n'aurait pas eu de problème. Au lieu de quoi, il restait planté là, les mains dans les poches, la tête rentrée dans les épaules, la pluie giflant son visage. Tu m'emmènes, dis ? Salaud. Salaud. Salaud. Connard.

Un peu plus tôt, il s'était réchauffé à la cafétéria, un pâté en croûte avec des frites, un paquet de clopes, du thé avec plein de sucre. L'argent qu'il avait trouvé dans le sac de la contrôleuse judiciaire lui permettrait de tenir un petit moment s'il faisait attention, s'il le faisait durer ; pas de danger qu'il utilise ses cartes de crédit, même en imitant sa signature du mieux possible. Aucune caissière, bigleuse ou pas, ne le prendrait jamais pour Pamela Wilson, dont le nom s'étalait en grosses lettres au verso. À la première occasion, il les revendrait, laissant quelqu'un d'autre courir le risque de se faire choper.

En fin de compte, ce fut un étranger qui le fit monter dans son bahut. Un Hollandais, qui faisait la navette trois fois par semaine, de Rotterdam à Immingham puis la M180, la M62, Leeds, Bradford, Manchester et retour. Content d'avoir de la compagnie. Dans la cabine, les photos habituelles, arrachées aux pages de magazines érotiques. Ils n'étaient pas sur la route depuis cinq minutes que le chauffeur enfonçait une cassette dans le lecteur.

– Le blues. T'aimes le blues ?

Donald n'en savait rien.

– Les Fabulous Thunderbirds. Je les ai vus en Hollande. Pas plus tard que l'année dernière.

– Ah, ouais.

– Écoute-moi ça. *Look Watcha Done*. (Il monta le volume encore un peu.) Kid Ramos. Sacré guitariste, hein ? Ça te plaît ?

Donald trouva que ça ressemblait à une scie circulaire qui tournerait à l'intérieur de sa tête.

– Bon, alors, qu'est-ce que t'aimes, comme genre de musique ? Allez, faut que tu parles, d'accord ? Pour m'empêcher de m'endormir. Quel genre de musique ?

– Je sais pas.

– Mais si, tu dois savoir.

Pour doubler un autre camion, le Hollandais fit un écart sur la chaussée trempée, et une gerbe d'eau déferla comme une vague sur le pare-brise. Donald se rappela les soirées dans la caravane, et McKeirnan qui lui disait, assieds-toi, assieds-toi cinq minutes, bordel, et écoute un peu ça.

– Eddie Cochran, dit Donald. C'est ça que j'aime. Gene Vincent et Eddie Cochran, ce genre de truc.

– Oui. (Le visage du chauffeur afficha un sourire las.) Eddie Cochran, *Fifteen Flight Rock*. Je connais.

Donald croyait que c'était plutôt *Twenty Flight Rock*, mais il n'avait aucune envie de discuter. Fermant les yeux, il feignit de dormir.

Il avait dû s'endormir pour de bon. Tout à coup, il prit conscience qu'on le secouait, le chauffeur, penché vers lui, lui aboyait au visage :

– Allez, il faut que tu te réveilles.

Le clignotant du camion se reflétait sur la surface de la route.

– On est arrivé. Terminus.

Ils étaient sortis de l'autoroute pour s'arrêter devant l'entrée d'une petite zone industrielle dont les bâtiments, pour la plupart, étaient noyés dans l'ombre.

– Allez. Il faut que tu descendes, maintenant. Je vais avoir des ennuis.

Donald bâilla, se frotta les yeux des deux mains. Il avait froid, un frisson le parcourait des pieds à la tête. Dans la pénombre, il vit un gardien en uniforme s'approcher des grilles.

– On est où, bordel ?

– Manchester.

Passant le bras devant Donald, le Hollandais abaissa la poignée et ouvrit la portière.

– Salut, Eddie.

– Quoi ?

– Eddie Cochran, fit le Hollandais en s'esclaffant.

Tenant d'une main le sac que sa sœur lui avait donné, Donald sauta à terre et s'écarta alors que le camion redémarrait d'un bond. Au moins, pensa-t-il, cette putain de pluie s'est arrêtée. Le temps qu'il regagne la route principale, elle s'était remise à tomber.

De chaque côté de la chaussée, des entrepôts, quelconques et anonymes, étaient séparés par des terrains vagues entourés de clôtures.

– Mais je suis où, putain ! se demanda Donald à voix haute. À Manchester ? Ça ressemble pas à Manchester, ce merdier.

Au premier rond-point, il y avait des panneaux indicateurs pour Oldham, Rochdale, Stalybridge, Ashton-under-Lyne-de-mes-deux. Après une attente qui lui parut durer pas loin d'une demi-heure, lorsque la première voiture apparut et que Donald descendit du trottoir, le bras tendu et le pouce brandi, le conducteur donna un brusque coup de volant vers lui et dérapa à travers une flaque d'eau, le trempant de la taille aux pieds.

– Espèce d'enfoiré ! hurla Donald derrière lui. Gros con !

Manchester (Centre-ville), annonçait le panneau, vingt kilomètres.

L'un comme l'autre, son capitaine et son commandant avaient encouragé Pam à prendre un congé, à partir quelque part, voir du pays, s'offrir des vacances ; à rester chez elle, si elle ne pouvait faire autrement, à repeindre la salle de bains, vernir l'escalier. Brusquement, tous les rendez-vous de son agenda semblaient avoir perdu leur importance ; on pouvait les reprogrammer, les distribuer aux collègues, les reporter indéfiniment. Si elle avait eu le sentiment que toutes ces mesures étaient dictées par son état de santé et non par l'intérêt du service, elle en aurait été d'autant plus ravie. En fait, elle avait besoin de travailler, d'être assise à son bureau, d'avoir ce moyen de penser à autre chose.

Quand les deux policiers en uniforme entrèrent, elle crut d'abord qu'on avait retrouvé Donald, et aussi – elle ne savait pas pourquoi cette idée lui était venue, ni ce qu'elle redoutait, sinon qu'elle avait la certitude que c'était grave – que quelque chose lui était arrivé. Mais lorsqu'ils ouvrirent ce qui ressemblait à un sac-poubelle gris et en sortirent son sac, elle comprit qu'elle s'était trompée.

– Vous reconnaissez ceci ?

– Bien sûr.

– C'est à vous ?

– Oui.

– C'est celui qui a été volé ?

– Par Shane Donald, oui.

– Il n'y a aucun doute ?

Pam regarda le sac de nouveau.

– Non. Absolument aucun. Où l'a-t-on retrouvé ?

– Je ne sais pas si on peut..., commença l'un des policiers.

– Sur une aire de repos de l'autoroute, dit le second. Sur la M62, en direction de l'ouest. Dans les toilettes pour hommes. Coincé derrière une chasse d'eau.

– Je suppose que mon portefeuille n'y était plus ?

– Je crains que non.

– Si nous pouvions vous demander d'identifier le contenu ? dit le premier policier.

Sortis d'un second sac, ses effets personnels s'étalèrent lentement sur son bureau. Carnet de rendez-vous, carnet d'adresses, des dossiers, son exemplaire de *La Bonté mode d'emploi* de Nick Hornby, plusieurs lettres écornées auxquelles elle avait l'intention de répondre sans jamais trouver le temps ; l'emballage bleu brillant, révélateur, de plusieurs barres de chocolat Cadbury aux fruits et aux noisettes ; un briquet et des allumettes, mais pas de cigarettes ; deux Bic noirs et un bout de crayon ; des tampons périodiques, des cartes de visite, des timbres, des clés.

– Tout est à vous ? demanda l'un des policiers.

Pam hocha la tête.

– Tout est à moi.

– Désolé pour le portefeuille, dit son collègue. J'espère qu'il n'y avait pas trop d'argent à l'intérieur.

183

– Encore assez.

Il eut un sourire compatissant.

– Peu importe, dit Pam d'un ton enjoué. Il servira peut-être à une bonne cause.

Aucun des deux policiers ne parut apprécier la plaisanterie, si c'en était une.

– Il n'y a aucune nouvelle, je suppose ? demanda-t-elle. Concernant Shane Donald, je veux dire.

– On ne peut pas vraiment le dire, mademoiselle. Mademoiselle ? Il lui avait lu les lignes de la main ?

– Même si nos chefs savaient quelque chose, ça m'étonnerait qu'ils nous tiennent au courant.

– Je peux garder mon sac, maintenant ? demanda Pam. Mes affaires ?

Elle pouvait. Les deux hommes hochèrent la tête, marmonnèrent un au revoir, et sortirent. Dupond et Dupont. Elle doutait que l'un ou l'autre ait plus de vingt-quatre ou vingt-cinq ans. Il n'y avait pas que leur visite, ces derniers temps, qui lui eût fait prendre conscience de son âge, et du fait qu'elle était mortelle. Un couteau, même tenu d'une main peu sûre, contre la peau de votre cou, y parvient très bien. Pam l'avait découvert.

Elle détestait cette idée ; elle le détestait, lui, Donald. À cause de cette sensation qu'il avait suscitée chez elle, à ce moment-là. Celle d'être vulnérable. Et terrifiée.

À cause de cette sensation qui la hantait encore maintenant, par sa faute.


Il avait acheté un sandwich au bacon, deux tranches bien grasses et de la sauce ketchup qui dégoulinait de chaque côté du pain, du thé dans un gobelet en polystyrène muni d'un couvercle, et un Twix. De l'autre côté de la rue, en face des magasins qui se succédaient en enfilade, il y avait un jardin public : des bancs çà et là le long d'une allée étroite, un manège cassé et quelques balançoires pour les mômes, des pelouses rasées à force d'être piétinées. À l'autre bout, des toilettes en brique construites à ras de la rue suivante. Le banc que choisit Donald était couvert de graffitis, comme les autres, et il manquait l'une des lattes de bois au dossier. Il s'assit sans rien demander à personne, avala la dernière bouchée de son sandwich qu'il fit passer avec le fond de son gobelet de thé, et il pensa à McKeirnan. À sa place, maintenant, qu'est-ce qu'il aurait fait, McKeirnan ? Qu'est-ce qu'il ferait en ce moment même ?

En jacassant, deux pies plongèrent d'un arbre et sautillèrent sur le sol non loin de lui, se disputant un bout de papier d'argent envolé d'une poubelle trop pleine.

La réponse, bien sûr, c'était que McKeirnan ne se serait jamais retrouvé dans un endroit pareil, pour commencer.

Alan McKeirnan, qui savait se tirer de n'importe quelle situation, au baratin, à la rigolade, en faisant du charme. Non pas parce qu'il était irlandais ou quoi que ce soit, pas vraiment. Oh, en remontant à deux ou trois générations, peut-être, son grand-père ou son arrière-grand-père était venu du Comté Wicklow ou d'un autre coin, pour construire une voie ferrée ou creuser une saloperie de canal, un de ces boulots pour lesquels on a besoin de muscle mais pas tellement de cervelle. Le père de McKeirnan, lui, il avait bossé dans le bâtiment, il était maçon dans la journée, et le soir il chantait et il jouait de la guitare. Dans les pubs tout le long de Kilburn High Road, Harlesden, Royal Oak. Parfois avec deux ou trois autres types, parfois seul. En 1959, trois ans avant la naissance d'Alan, il avait passé une audition. Un groupe de rock-and-roll, Johnny Kidd et les Pirates, cherchait un bassiste. En plein milieu d'une chanson, Kidd avait débranché l'ampli de McKeirnan père et lui avait ri au nez. Et puis, à en croire la légende, il avait eu pitié de lui et l'avait engagé comme roadie. Pendant un temps. Johnny Kidd et les Pirates.

Quand Alan était vraiment ivre, vraiment parti, tard dans la nuit et chargé aux amphètes, c'étaient leurs disques qu'il passait, leurs chansons qu'il chantait. Il les écoutait en se trémoussant, jouant d'une guitare imaginaire. *Please Don't Touch*, *Shakin' All Over*, *Linda Lu*.

« C'était mon parrain, tu sais », répétait McKeirnan. Bourré, plutôt fatigué, à trois heures du matin, les bouteilles d'alcool presque vides, étalé sur le plancher avec un joint entre les doigts. « Mon putain de parrain, Johnny Kidd, bordel ! »

C'était faux.

McKeirnan lui avait dit la vérité, un jour, alors qu'ils s'installaient tous les deux sur un champ de foire à Cleethorpes ; un matin au ciel bleu et limpide, Donald s'en souvenait, froid, pas un nuage en vue. « Il lui a demandé », expliqua McKeirnan, « mon vieux, il lui a demandé de venir, tu sais, à l'église, pour le baptême, et Johnny a dit – c'était pas son vrai nom, il s'appelait Fred, Frederick, Frederick Heath – bref, Johnny a dit, bien sûr, je viendrai, et puis, bien sûr, il est jamais venu. C'était pas grave, qu'il a dit mon père, il a promis qu'il le ferait, et moi, ça me suffit. Si quelqu'un te demande qui c'est ton parrain, tu lui réponds, Johnny Kidd ; tu leur dis ça, et tu verras la gueule qu'ils feront. Bien sûr, Johnny était déjà mort, à ce moment-là, il s'est tué dans un accident de bagnole quand j'avais seulement quatre ans. Mais ça, je sais pas pourquoi, mon vieux, il s'arrangeait toujours pour l'oublier. » McKeirnan avait eu un rire aigre. « Probablement qu'il lui a jamais rien demandé, ce pauvre mytho. »

Une mère poussait un petit enfant sur l'une des balançoires ; une horde de mômes de huit ou neuf ans courait après un ballon. Deux types en pardessus et bonnet de laine, assis trois bancs plus loin, se passaient une bouteille de cidre. Les voitures, remarqua Donald, se garaient le long du trottoir juste derrière les toilettes, restaient là de cinq à dix minutes, puis repartaient.

Le père de McKeirnan avait fini comme ça, se souvint Donald, et même pire encore, à dormir sur un banc de Kensal Green, se glissant en douce dans le cimetière la nuit pour s'abriter du mauvais temps. Il buvait du cidre bon marché, de la bière en boîte, quatre pour le prix de trois. À l'occasion, une bouteille de porto. Des mignonnettes de whisky. N'importe quoi. Il était mort quand Alan avait à peine douze ans. Quant à sa mère, c'était un souvenir et pas grand-chose de plus. Pendant un an ou deux, divers membres de la famille se l'étaient refilé comme un paquet de linge sale, comme des fringues d'occasion. Puis on l'avait placé dans divers foyers, d'où il s'échappait constamment. Les champs de foire devinrent son habitat naturel.

« Johnny Kidd, moi, je vais te dire », l'avait entrepris McKeirnan en une autre occasion, alors qu'ils regardaient la marée descendre à Camber Sands. « Johnny, il a eu la bonne idée. Il s'est arrangé pour claquer bien avant d'avoir trente ans, un accident de la route, bang ! Comme Eddie Cochran, comme James Dean. Avant d'être vieux et fatigué. » McKeirnan avait marqué une pause, le temps d'allumer une cigarette. « Cochran, l'accident où il a laissé sa peau, il a bien failli dégommer Gene Vincent, aussi. Il lui a bousillé sa jambe qui était déjà bien amochée. Le pauvre type, il essayait déjà de se suicider en picolant, il aurait dû tirer le rideau à ce moment-là. Je l'ai vu une fois, tu sais, un de mes oncles m'a emmené à un festival de rock, à Lowestoft, un bled comme ça. Ou à Great Yarmouth. J'avais huit ou neuf ans. Ce gros mec est entré sur scène avec un appareil ortho-pédique à la jambe. Un costume en cuir noir. Le visage tellement bouffi qu'on voyait à peine ses yeux. Dramatique. Quelques mois plus tard, il mourait d'un ulcère. Un ulcère ! Qu'est-ce que c'est que cette mort à la con ? » Il avait agrippé Donald par le devant de sa chemise. « Si je suis encore vivant à plus de trente ans et que t'es encore là, tu viens me trouver, d'accord ? Tu viens me trouver, bordel, et tu me fais la peau, je me fous bien de savoir comment. Ouais ? Tu me le promets ? Tu me donnes ta parole, oui ou merde ? »

Bien sûr, Donald avait promis. Que pouvait-il faire d'autre ?

Et aujourd'hui, McKeirnan avait largement plus de trente ans. Pas loin de quarante. Et il était bouclé dans une prison où il n'avait parlé à personne, où il n'avait pas eu ce qu'on pourrait appeler une conver-sation, depuis des années.

S'il était ici, que ferait McKeirnan ?

Une nouvelle voiture, s'ajoutant à la procession incessante, longea lentement le jardin public avant de revenir en marche arrière et de s'arrêter. Se levant de son siège, Donald vit un homme en costume bleu sor-tir de la voiture, la verrouiller, et regarder brièvē-ment autour de lui avant de disparaître dans les toilettes.

Donald entra et se dirigea vers les urinoirs. Le seul occupant était l'homme au costume bleu. Donald se posta deux places plus loin que lui et baissa la ferme-ture à glissière de sa braguette. Au bout d'un moment, il jeta un regard en biais au type, qui lui fit un clin d'œil. Il devait avoir une cinquantaine d'années, supposa Donald. Un obèse au visage rond, sanguin. L'homme fit un nouveau clin d'œil et Donald répondit en hochant la tête.

Sans se rajuster, le type entra à reculons dans l'une des cabines, laissant la porte entrouverte. Donald le voyait, assis sur le siège, qui s'astiquait avec ardeur, le pantalon aux genoux.

Donald fit volte-face, fonça dans la cabine, et referma d'un coup de pied la porte derrière lui. L'homme hurla et tenta de se lever, mais le couteau était déjà à quelques centimètres de son visage.

– Non! Pas ça! S'il vous plaît!

– Tes poches, tu les vides, maintenant. Tout de suite!

Fouillant ses poches, il en sortit son portefeuille, de l'argent, des clés.

– Pose ça par terre, sur le carrelage. Maintenant, tu pousses tout avec ton pied, dans le coin, là.

Donald ramassa le portefeuille et l'argent, renvoya d'un coup de pied le trousseau de clés contre le mur.

– Tes clés de voiture.

– Non, je peux pas.

Le couteau jaillit vers ses yeux et le type tressaillit, se protégeant le visage de l'avant-bras. Donald lui décocha un coup de pied en pleine poitrine.

– Tes clés de voiture, vite.

Il les lui arracha des mains et ressortit d'un bond, claquant la porte en partant. McKeirnan l'avait laissé conduire à plusieurs reprises quand il se sentait trop fatigué ou trop ivre, et Donald se demanda s'il se rappellerait comment faire. Il lui fallut plusieurs minutes pour démarrer la voiture et comprendre comment fonctionnait la boîte de vitesses, et pendant tout ce temps l'homme au costume bleu resta à pleurer dans les toilettes, assis sur le siège, le pantalon sur les chaussures.

## 23

À deux ou trois minutes près, le train à destination de St Pancras était à l'heure. Elder avait passé le temps du voyage à lire ou à regarder par la fenêtre, s'efforçant de s'isoler du brouhaha envahissant des téléphones portables. Après plusieurs jours de sale temps, dont la faute incombait apparemment à quelque chose qui s'était passé ou non aux Açores, la matinée était belle et ensoleillée, et dans les prés l'herbe brillait comme de l'argent. Le roman qu'il lisait, *Kes*, de Barry Hines, racontait l'histoire d'un gamin d'une petite ville minière qui dresse un faucon. On en avait tiré un film qu'Elder n'avait jamais vu. Chétif, persécuté, le môme est un souffre-douleur à l'école, et chez lui, on l'ignore à moitié. Sans son faucon crécerelle, à qui il a appris à se poser sur son gant et qu'il en est venu à aimer, il n'aurait jamais rien eu dans son existence. Il serait parti à la dérive. Pour devenir quoi ?

Quand on grandit, pensa Elder, peu importe la famille d'où l'on vient, on a besoin de quelque chose de plus, de quelque chose d'exaltant. Pour Katherine, c'était la course à pied, pour Susan Blacklock, cela avait été le théâtre, et pour Shane Donald... Pour lui, cela avait été Alan McKeirnan. Les fêtes foraines et le rock-and-roll des pionniers, et le plaisir d'infliger la douleur. Le sexe et la torture. Et aujourd'hui, après treize ans en prison, presque la moitié de sa vie, il était en fuite. Quelque part dans le pays, seul. À commettre quels méfaits ?

Dans les champs, le soleil brillait toujours du même éclat, ornant les arbres de franges lumineuses. Un petit enfant, qui pédalait sur son tricycle à côté de sa mère, s'arrêta pour saluer le train en agitant la main. Elder ferma son livre et ferma les yeux. Dans moins de vingt minutes, il serait arrivé.

Le quartier de Londres où vivait Siobhan Banham semblait assez éloigné de toute station de métro. Autour des gares de St Pancras et King's Cross, les rues étaient totalement bloquées par les embouteillages ; la file d'attente pour les taxis, interminable, avançait lentement. Elder consulta son plan et décida de s'y rendre à pied. La prostituée plantée à l'angle de Goods Way leva à peine les yeux quand il passa devant elle. Dix-sept ans, pensa Elder, dix-huit tout au plus, des ecchymoses autour du cou, un haut à manches longues pour cacher les traces d'aiguille sur ses bras.

D'un côté, la rue était bordée par un étrange assortiment de magasins d'accessoires automobiles que séparaient çà et là des boutiques vendant du mobilier de bureau d'occasion et des antiquités d'origine douteuse. À un petit jardin public succédaient l'hôpital de St Pancras, puis quelques immeubles de bureaux récents et l'entrée d'une jardinerie, alors que la route s'élevait pour enjamber un canal. C'étaient des appartements, à présent, des bâtiments bas en brique jaunâtre, qui menaient à un quartier résidentiel de maisons victoriennes puis à Camden Square. South Villas commençait au sommet de la côte : un ensemble de constructions massives depuis longtemps divisées en appartements.

Siobhan habitait dans la troisième maison, au deuxième étage. Le nom de Banham était joliment inscrit à l'encre violette, parmi d'autres, le long de l'interphone.

– Vous n'êtes pas le plombier ?

– Je crains que non.

– Alors vous devez être le policier.

– Je plaide coupable.

– Montez.

Siobhan était plus petite qu'Elder ne l'imaginait, pâle de teint, avec une épaisse chevelure d'un roux saisissant. Écarlate, se serait-il risqué à le qualifier, si on l'avait poussé. Elle portait un jean et une longue chemise ample sans col. Elle était pieds nus.

– À chaque fois que j'utilise la machine à laver, j'inonde le carrelage de la cuisine, lui expliqua-t-elle dans l'escalier. Vous n'y connaissez rien en lave-linge, je suppose ?

– Je regrette. Je préfère fréquenter les laveries automatiques.

– Bon, tant pis. Entrez, entrez.

Un chat blanc était lové sur un canapé bas drapé d'un tissu à rayures orange et marron, sur lequel étaient éparpillés des coussins de couleurs vives. Sur le parquet ciré, on avait posé des tapis indiens étroits. Une table en métal, peinte en gris. Des livres et des disques compacts sur les étagères, dans des caisses disposées à intervalles réguliers sur le plancher. Des affiches de théâtre sur les murs. Sur l'une d'elles, celle du Gate à Notting Hill, Elder repéra le nom de Siobhan en tête de la distribution, donnée dans l'ordre alphabétique.

– Bel appartement, fit Elder.

– Oui, il est génial. Très au-dessus de mes moyens, bien sûr. Je partageais le loyer il y a encore un mois. Tina est tombée enceinte et a décidé de rentrer chez elle, à Kirkwall. Vous imaginez ce que ça doit être, de vivre dans les Orcades ?

– Non.

– Moi non plus. Du café ou une infusion ?

– Vous n'auriez pas du thé ?

– Je regrette de ressembler à ce point à un cliché, mais je n'ai que de la tisane. Menthe poivrée ou camomille.

– Le café, ce n'est pas du pissenlit ?

– Du Lavazza, en fait. En grains, cent pour cent arabica. Spécialité de la maison. Et j'ai une de ces petites cafetières italiennes octogonales pour le faire.

– Alors, ce sera du café.

– Très bien, installez-vous. Ne vous inquiétez pas pour Vanessa, elle ne mord pas.

Vanessa ne semblait pas vouloir envisager le moindre mouvement nécessitant plus d'énergie que l'étirement d'une papatte. Ayant examiné Elder d'un œil mauvais, elle se remit à feindre le sommeil.

Siobhan s'arrêta sur le seuil de la cuisine.

– Je peux éteindre ça, si ça vous dérange.

Elder, qui n'avait eu que vaguement conscience d'une musique de fond, secoua la tête.

– Non, c'est bien.

Quand Siobhan revint, presque sept ou huit minutes plus tard, la musique, une sorte d'instrument à cordes, sans doute moyen-oriental – un *oud*, peut-être ? – s'était enroulée autour de son cerveau.

Le café était bon, fort et sans amertume, et Elder but le sien avec un peu de lait. Siobhan posa le chat par terre et prit place à un bout du canapé, Elder étant installé à l'autre extrémité. Après avoir inspecté le dessous de sa queue pendant quelques instants, Vanessa remonta s'installer. Elle se coucha en rond entre eux deux, faisant jouer ses griffes pour les planter dans un petit coussin bleu.

– Quand vous avez appelé, dit Siobhan, je me suis dit, si ce n'est pas pour le travail... Je crois tou-

193

jours, quand le téléphone sonne, pendant ces quelques secondes entre l'instant où je décroche et celui où j'entends la voix de la personne au bout du fil, je crois toujours que c'est mon agent qui va m'apprendre que la Royal Shakespeare Company cherche à me joindre, ou que quelqu'un s'est cassé la jambe et qu'on m'attend de toute urgence au Théâtre national. Au lieu de quoi, si c'est vraiment pour le travail, c'est soit une tournée Shakespeare organisée par le British Council en Croatie et au Kazakhstan, soit une apparition de quarante secondes en bergère frustrée dans un feuilleton rural. Le dernier engagement que j'ai eu – ce n'est pas ma vraie couleur de cheveux, vous savez – c'était une adaptation théâtrale d'*Autant en emporte le vent* au Centre culturel de Battersea, avec quatre autres acteurs et une douzaine de marionnettes assorties. Ne me demandez même pas comment étaient les marionnettes.

Elle plongea les deux mains dans le labyrinthe de sa chevelure et secoua la tête de droite à gauche.

– Excusez-moi, qu'est-ce que je disais ?

– Quand j'ai appelé.

– Ah, oui. Eh bien, je me suis dit que c'était sans doute au sujet de Susan. Avant même que vous ayez dit son nom. Je pensais à elle, sans doute. Après avoir vu les informations, à la télé. Ce type qui s'est évadé, qui a pris la fuite, je ne sais pas. En liberté, en tout cas. Shane Donald, il s'appelle ? Quand Susan a disparu, on a pensé que c'était lui qui l'avait tuée, non ? La police. Vous. C'est bien ce que vous avez cru ? C'était votre hypothèse, à l'époque ?

– C'était fort probable, en effet. Donald et McKeirnan. Tout portait à croire...

– Mais vous, personnellement, c'est ce que vous avez cru ? C'était aussi votre sentiment ?

Elder ne répondit pas tout de suite.

– Oui.

– Et aujourd'hui ?

– Aujourd'hui, je ne sais plus. Je persiste à croire que c'est une possibilité, mais... (Il haussa les épaules.) Franchement, je n'en sais rien.

– Pauvre Susan, dit Siobhan.

– Vous étiez proches. De vraies amies.

– Oui. Pas autant que je l'étais de Lynsey. Lyns et moi, on était copines depuis la maternelle. Mais, oui, cette année-là, je dirais qu'on était très liées, toutes les trois. Aussi proches de Susan qu'il était possible de l'être.

Bien que discret, le bruit que fit la tasse d'Elder quand il la reposa dans la soucoupe fut clairement audible.

– Continuez, dit-il.

– Je ne sais pas comment expliquer ça. C'était sa façon d'être avec les gens. Elle vous laissait venir à elle, tout près, tout près, et puis...

Siobhan leva les deux mains devant elle, les paumes en avant, les doigts écartés.

– Certaines personnes sont comme ça, dit Elder. Secrètes.

– Oui.

– Il y avait donc des choses qu'elle gardait pour elle ?

– Je le suppose.

– Des histoires de famille ?

Siobhan fit pivoter ses jambes, et le chat leva la tête, l'air courroucé.

– En partie, oui. Je veux dire, Lynsey et moi, on était tout le temps fourrées chez l'une ou chez l'autre. On se connaissait depuis plus longtemps, bien sûr, mais quand même. Je serais surprise qu'on soit allées chez Susan plus de deux fois par an.

– Et pourquoi, d'après vous ?

– Je crois qu'elle était un peu... pas honteuse, vraiment, mais gênée. Pourtant, il n'y avait aucune raison. C'était comme si elle vivait dans un taudis. Et sa mère... Sa mère était aussi gentille qu'on peut l'être. Pas une intellectuelle, vous voyez, mais ce n'est pas un défaut. (Elle s'esclaffa.) Ça vaut mieux qu'une mère qui boit du gin-tonic comme du petit lait et qui vous traîne sans cesse à des auditions.

– Et le père de Susan ? demanda Elder. Quelle impression vous faisait-il ?

Siobhan but une gorgée de café tandis qu'elle réfléchissait.

– C'est difficile à dire. En fait, la plupart du temps, il n'était pas là, il travaillait, je pense. Et quand on le voyait, ma foi, il n'y avait rien à lui reprocher. C'est tout ce qu'on pouvait dire. Je crois qu'il nous évitait le plus possible.

– Et avec Susan ? Il se comportait comment ?

Siobhan fit saillir sa lèvre inférieure.

– D'une façon assez normale. En sa présence, cependant, elle était plutôt réservée, ça, je l'ai remarqué. Elle marchait sur des œufs, vous voyez ? Comme pour éviter de le mettre en colère.

– Le mettre en colère ?

– Je l'ai entendu incendier Susan, une fois. Lyns et moi, on est arrivées en avance pour aller quelque part avec elle. Un vrai concours de hurlements. On l'entendait de l'extérieur, dans la rue.

– Vous savez pourquoi il en avait après elle ?

– Oh, une histoire de garçon. Quelqu'un dont Susan s'était amourachée. Un vrai petit voyou, en plus. Pas étonnant que son père se soit fait des cheveux. Encore qu'il n'avait pas vraiment de raison de s'inquiéter. Cette histoire-là s'est terminée plus ou moins avant d'avoir commencé. Il a largué Susan, il y a eu les larmes et les lamentations habituelles, et bientôt, elle l'avait oublié et s'amusait de nouveau avec nous. Attendez...

Elle bondit sur ses pieds, effrayant le chat, et prit un album sur l'une des étagères.

– Je pensais que vous aimeriez jeter un coup d'œil à ces photos.

Dans la première de la série, le groupe de théâtre était rassemblé devant le minibus de l'école, prêt à partir. Susan Blacklock se tenait tout à fait sur la droite, un peu à l'écart des autres. Il y avait huit filles et quatre garçons en tout ; au milieu, devant le groupe, Paul Latham, souriant, vêtu d'un costume informe blanc cassé. Sur la plupart des autres clichés – devant le Royal Shakespeare Theatre à Stratford-upon-Avon, sur le trottoir devant la Roundhouse à Londres – Susan était avec Siobhan et une brune qui devait être Lynsey, supposa Elder.

– Oui, confirma Siobhan quand il lui posa la question, c'est Lyns.

Il y avait d'autres photos des trois filles, posant seules ou par deux – riant, faisant des grimaces devant l'objectif, mimant les larmes. Siobhan avec deux doigts dans la bouche, l'élargissant au maximum ; Lynsey tirant la langue. Des chapeaux ridicules, des badges, des vêtements bariolés. Trois copines, trois jeunes filles qui partageaient les meilleurs moments de leur adolescence.

– Vous la voyez encore beaucoup ? demanda Elder. Lynsey.

– Oui, jusqu'à l'année dernière. Et puis elle a rencontré un garçon qui fait carrière comme comique, et elle l'a suivi quand il est retourné chez lui au Canada. À Toronto. Ce n'est pas le bout du monde, mais c'est l'impression que ça donne.

– Elle vous manque ?

– Oh, oui.

– Vous n'êtes pas allée là-bas ? Lui rendre visite ?

Siobhan le regarda.

– Vous savez comment c'est, quand vous croyez connaître quelqu'un vraiment bien. Cette personne est votre amie la plus proche, votre meilleure amie, et puis elle tombe amoureuse d'un type qui semble incarner tout ce que vous méprisez, et dont vous pensiez qu'elle le méprisait aussi. Et vous vous demandez : comment est-ce possible ? Et puis, avec le temps, vous commencez à vous dire que, peut-être, vous ne la connaissiez pas si bien que ça.

Quand Siobhan s'arrêta de parler, Elder eut le sentiment qu'elle était au bord des larmes, certainement émue.

– Vous revoulez du café ? Je crois qu'il en reste un peu.

Pendant qu'elle était dans la cuisine, Elder feuilleta de nouveau l'album. Sur l'une des photos, en plan moyen, Susan Blacklock, sérieuse mais souriante, regardait directement l'objectif. Elle était belle, pensa Elder. À cet instant précis. Belle.

– Qui a pris ça ? demanda-t-il quand Siobhan revint.

– Je n'en suis pas sûre. Cela aurait pu être... Ma foi, cela aurait pu être n'importe qui. Mais je dirais, M. Latham, probablement.

– Qu'est-ce qui vous fait croire ça ?

– Oh, la façon dont elle pose, vous voyez, comme pour un vrai portrait. Pas seulement un instantané de plus.

– Elle l'aimait bien, alors, M. Latham ?

– Bien sûr. On l'aimait toutes. On l'adorait, pratiquement.

– Il vous plaisait ?
Siobhan éclata de rire.

– Jamais de la vie.

– Pourquoi ?

– Il ne nous plaisait pas, c'est tout.

– Parce que c'était un prof ?

– Mon Dieu, non. Ce n'était pas pour ça. Lyns et moi, on avait toutes les deux le béguin pour Selvey, qui enseignait les maths. On le suivait, on cachait des petits mots dans son cahier d'appel, on lui téléphonait chez lui, parfois. On veillait tard le soir, à parler de lui, à imaginer comment ce serait de... vous voyez. Le plus triste, c'est que pendant ce temps-là, il sautait une pétasse de sa classe de première. L'histoire a éclaté au grand jour quand elle est tombée enceinte, qu'elle s'est bourrée de médicaments, et qu'on a dû lui faire un lavage d'estomac. Elle a perdu le bébé. Elle travaille chez Marks, maintenant, à Sheffield. Je la croise de temps en temps quand je retourne chez moi.

– Et lui ? Selvey ?

– Il a changé d'établissement. Il a été nommé proviseur adjoint quelque part dans le Derbyshire, paraît-il. Il est sans doute inspecteur dans le secondaire, à présent.

Elder ferma l'album et le cala contre le dossier du canapé.

– Alors, si Paul Latham n'était pas intouchable à vos yeux, dans votre imagination du moins...

– Pourquoi ne plaisait-il à aucune d'entre nous ? Je pense qu'au début, on était toutes sûres qu'il était gay. Vous savez, le théâtre, le fait de se costumer. Cette façon d'agiter les mains, d'exagérer les gestes.

– Mais il ne l'était pas ?

– Je ne pense pas. Je ne crois pas qu'il ait été quoi que ce soit. Sur le plan sexuel, je veux dire.

– Il n'est pas marié.

– Il ne l'était pas à l'époque. À moins qu'il ait caché sa femme au grenier. Il avait un cottage un peu à l'écart de la ville, sur la route de Matlock. Tout y était irréprochable. On aurait pu manger par terre.

– Vous y êtes allée, manifestement ?

– Il faisait une fête tous les ans, au début de l'été.

– Et c'est tout ?

– Lyns et moi, on y est allées plusieurs fois, avec deux ou trois autres membres du groupe, après les répétitions. Simplement, vous savez, pour décompresser.

– Et Susan ?

– Elle est peut-être venue avec nous une fois ou deux, oui, probablement.

– A-t-elle pu s'y rendre seule ? Savez-vous si cela lui est arrivé de lui rendre visite sans vous ?

Siobhan secouait la tête, mi-surprise, mi-amusée.

– Vous pensez qu'ils avaient une liaison, c'est ça ? Susan et Paul ?

– N'est-ce pas dans le domaine des choses possibles ?

– Non.

– Pouvez-vous en être sûre ?

– Même si elle n'en avait pas parlé – et elle l'aurait fait, les filles, secrètes ou pas, ne gardent pas ce genre de truc pour elles – vous ne pensez pas que l'une d'entre nous aurait remarqué quelque chose, alors qu'on passait tellement de temps ensemble ? Après les cours, le week-end, dans ce fichu minibus qui nous secouait comme des pruniers.

– Oui, je suppose.

– De toute façon, comme je vous le disais, Paul Latham, il n'avait pas le profil. Susan et lui ensemble, ça n'a aucun sens.

Elder se souvint de ce qu'elle avait dit sur le coup de foudre de son amie pour un comique canadien, mais préféra ne pas y revenir.

– Et les garçons du groupe, demanda-t-il. Est-il possible qu'elle se soit amourachée de l'un d'eux ?

Siobhan reprit l'album.

– Ces deux-là, en jean et veste assortie, ils étaient gays. Pas tout à fait sortis du placard, mais pas complètement cachés à l'intérieur non plus. (Elle s'esclaffa, un souvenir lui revenant soudain.) Jusqu'au jour où ils sont arrivés à la fête de fin d'année maquillés à la pelle à tarte, comme deux

200

clones de Boy George. Remarquez bien, je serais prête à parier qu'aujourd'hui ils ont l'un comme l'autre femme et enfants, une petite maison et un crédit sur vingt ans, le grand jeu. (Avec un petit mouvement du poignet, elle ajouta, affectant une voix genre « Cage aux folles » :) Ce n'était qu'une phase parmi d'autres, mon chou. (Elle rit.) Une sorte de transition qu'un camarade m'a aidée à franchir.

Son rire se transforma en un bref accès de toux, pour lequel elle s'excusa. Se reprenant, elle montra une autre photo.

– Rob, en revanche, Rob Shriver, c'était le chouchou de toutes les filles du groupe, s'il devait y en avoir un, mais il sortait avec Linda Fairburn depuis la quatrième. Vous savez, ils sont encore ensemble, ils ont trois mômes, heureux comme dans les contes de fées, dans une sorte de paradis néo-géorgien à Macclesfield. Chaque année, pour Noël, je reçois une de ces lettres circulaires accompagnée d'une photo des enfants. Vous savez, ces choses horribles dans un cadre en bristol, les gamins en uniforme de leur école, qui sourient face à l'objectif. De quoi vous faire vomir. Sauf que c'est adorable, dans le fond.

– Et lui ? demanda Elder en désignant un garçon plus grand que les autres, aux cheveux plutôt longs, à lunettes sans cerclage, debout à gauche de Susan.

– Stephen. Stephen Makepiece Bryan. Notre intellectuel maison. Il lisait Brecht tous les matins avant le petit déjeuner. Il prétendait que Mozart et Hendrix étaient Dieu. Des dieux. Et Shakespeare, bien sûr. Mais, non, quand j'y repense, Susan et lui s'entendaient plutôt bien. Enfants uniques l'un comme l'autre, je crois que cela a joué. Et, une fois, elle est bel et bien allée avec lui à un concert. De musique classique. Je me souviens qu'on l'avait taquinée, Lyns et moi, à ce sujet. Mais cela dit, je ne pense pas qu'il y ait eu quoi que ce soit, entre eux, de physique, vous voyez ? Stephen était sans doute bien trop amoureux de sa petite personne pour gaspiller ses sentiments envers quelqu'un d'autre.

– Ce Stephen, vous avez de ses nouvelles ?

– Non, mais je crois que Rob et Linda en reçoivent, je pourrais vous donner leur numéro, si vous voulez. Ou bien, essayez donc ce site sur Internet, Les Amis retrouvés, c'est bien le nom ? Il y figure peut-être.

– D'accord, merci. Je vais peut-être essayer ça. Bon, il faut que je vous laisse. J'ai suffisamment abusé de votre temps.

Siobhan fit une parodie de révérence.

– Monseigneur, il m'est loisible d'en disposer à ma guise.

– Shakespeare, de nouveau ?

– Plutôt une pub pour les chips. Laissez-moi vous trouver ce numéro de téléphone, et puis je vous raccompagne jusqu'en bas.

Le ciel s'était couvert un peu et laissait entrevoir de possibles averses. Tout change.

– Vous n'avez pas souvenir d'un retour tardif d'une sortie au théâtre de Newcastle ? demanda Elder. Le minibus qui tombe en panne. Un pneu crevé.

Siobhan réfléchit et secoua la tête.

– Pas particulièrement. Ce genre de chose se produisait tout le temps.

– Cette fois-là, le retour aurait eu lieu vraiment très tard. Vers trois ou quatre heures du matin.

– Non, je regrette. Le seul événement inhabituel dont je me souvienne, à Newcastle, c'est qu'on a fait tout ce chemin pour aller voir le National donner *Le Roi Lear*, et le rideau de fer s'est coincé. Ils ont dû renoncer à la représentation.

– Vous ne savez pas quand cela s'est produit ? Je veux dire, avec précision ?

– Non, désolée.

Elder s'écarta d'un pas.

– Encore merci pour le café. Et la conversation.

– Ça m'a fait plaisir de reparler de tout ça.

– Au revoir.

Elder leva une main et descendit la rue. En atteignant la place, il regarda sa montre, réfléchit aux horaires des trains pour rentrer chez lui, et pressa le pas. Chez lui. Quelle drôle d'expression. Une chambre louée et peu de choses qui lui appartiennent à part ses vêtements et quelques livres. Retournerait-il en Cornouailles quand tout ceci serait terminé ? Sinon, qu'avait-il au juste l'intention de faire ? Où irait-il ?

Pour l'instant, il se contenterait d'aller à St Pancras.

Une chose à la fois.

## 24

S'il ne s'était pas fait voler la voiture, Gerald Kersley ne serait jamais allé trouver la police. Ses cartes de crédit, il pouvait y faire opposition. L'argent liquide, il pouvait s'en passer. Mais une Renault Vel Satis pratiquement neuve, à la carrosserie satinée vierge de toute éraflure... Aucun espoir de se faire rembourser par son assureur sans en déclarer officiellement la perte.

Au commissariat le plus proche, un agent en tenue nota laborieusement tous les détails.

– Et quand vous avez garé votre voiture, monsieur, pour aller aux toilettes, c'était aux environs du quart ?

– Oui.

– Moins d'une demi-heure après être parti de chez vous ?

– J'ai mangé un curry hier soir, et j'ai été pris d'une envie pressante, vous savez comment c'est.

– Oui, monsieur. Bien sûr, dit l'agent.

Les toilettes du jardin public étaient un lieu de rendez-vous bien connu des homosexuels – un état de fait sur lequel la police fermait volontiers les yeux, sauf quand elle était saisie d'une plainte émanant d'un ardent défenseur de la morale.

204

– Et vous avez laissé la voiture garée combien de temps, monsieur ? Dix minutes ?

– Moins que ça. Beaucoup moins. Cinq tout au plus.

– Donc, le voleur a opéré plutôt rapidement. Il connaissait son affaire...

– En général, ils savent ce qu'ils font, non ?

– Il n'est pas possible que vous ayez, malencontreusement, laissé les clés dans la voiture ?

– Mon Dieu, non. Je ne suis pas idiot.

– Certainement pas, monsieur.

Le policier fit son possible pour masquer son petit sourire en coin.

On retrouva la Renault le lendemain, pliée autour d'un réverbère au sud de Stockport. Shane Donald avait réussi à perdre tous ses repères, à tourner en rond, et pour finir il était sorti de Manchester en direction du sud-est et non du sud-ouest comme il en avait l'intention. Écrasant l'accélérateur sur l'une des rares lignes droites, il avait dû se déporter pour éviter une camionnette de la poste et perdu le contrôle de la voiture. À part quelques bosses, quelques bleus et une coupure au front, il s'en était bien tiré. Raflant son sac, il était parti à pied, en traînant la jambe.

Une trentaine de minutes plus tard, Donald fit par hasard une découverte providentielle : une petite fête foraine itinérante installée sur un bout de terrain vague, des autos tamponneuses, une antique grande roue, quelques manèges et divers stands, un grand toboggan gonflable sur lequel des mômes grimpaient à l'aide d'un croisillon de cordes, avant de redescendre bruyamment avec force roulades et culbutes, en piaillant du début à la fin. Cinq tours pour deux livres, chaussures et adultes interdits.

Donald parcourut la fête dans tous les sens et finit par engager la conversation avec l'homme qui semblait diriger les opérations. Il se vanta un peu de ses expériences passées et se fit engager pour ramasser l'argent à l'entrée du toboggan, une tâche qu'il partagea avec un Croate bourru, les deux travaillant à tour de rôle.

Avec ses cheveux coupés tellement ras que de loin on l'aurait cru chauve, Donald pouvait être n'importe quel jeune homme de dix-neuf à trente ans. Seul son pansement au front pouvait le distinguer des autres. Toute ressemblance qu'il aurait pu avoir avec les photos de lui publiées dans la presse jusqu'à présent était, au mieux, négligeable.

Ce fut vers la fin de cette première journée, vers le soir en fait, alors que les lumières étaient allumées tout autour de lui et que flottait dans l'air l'odeur douceâtre des oignons frits provenant du comptoir aux hot-dogs, qu'il remarqua la fille debout au centre du stand hexagonal du jeu de fléchettes. Marquez cinquante points pour gagner un lot, sans faire de doubles, tapez au centre et vous marquez vingt points, les fléchettes personnelles ne sont pas autorisées. Le regard tourné vers les clients potentiels, elle clignait des yeux, la peau violette sous les néons de couleur, entourée de peluches et de chapeaux de cow-boy, tenant dans une main un jeu de fléchettes à empennages verts.

– Tu veux essayer ?

Donald haussa les épaules, secoua la tête. Cela faisait un quart d'heure, maintenant, peut-être plus, qu'il tournait autour du stand. Il s'éloigna et revint avec un sac de beignets au sucre, traîna encore un peu.

– Allez, essaye, pourquoi tu veux pas ? Je te ferai pas payer, d'accord ?

Il y avait un accent indéfinissable dans la voix de cette fille, à peine perceptible, qui rappelait vaguement le Nord du pays. Donald posa ses beignets et lui prit les fléchettes des mains. Elles ne faisaient pas le poids réglementaire, bien sûr, on en avait évidé le centre. Comment viser avec ça ? Il marqua dix-sept points et elle lui offrit un ours en peluche, orange pâle, des boutons à la place des yeux et un fil noir pour dessiner la bouche. Au lieu de le refuser, il dit merci et le coinça sous sa ceinture.

– Tiens, dit-il en tendant le sac en papier à présent imbibé de graisse. Prends-en un.

Elle portait, il le remarquait maintenant, un petit clou en argent à l'aile gauche du nez. Ses cheveux étaient coupés court. Quand elle mordit dans le beignet, un peu de sucre glace saupoudra sa lèvre supérieure.

– Je m'appelle Angel, dit-elle. Et toi ?

– Shane.

Il y avait des petits groupes de jeunes qui rôdaient autour du stand, qui s'apostrophaient et se poussaient les uns les autres. Quand l'un d'eux, n'ayant pas réussi ne serait-ce qu'à planter deux de ses trois fléchettes dans la cible, commença à injurier Angel, à la traiter de sale tricheuse, Donald le défia du regard et lui dit de dégager. À sa grande surprise, le gamin, après avoir menacé de le frapper pour ne pas perdre la face devant ses copains, fit exactement ce que Donald lui demandait.

– Merci, dit Angel. Mais t'avais pas besoin de te donner tout ce mal. J'entends ça tout le temps. Et même pire.

– C'est rien, fit Donald.

Quand les forains arrêtèrent leurs manèges vers deux heures du matin, il finit de faire la caisse au toboggan et revint pour aider Angel à remballer, verrouiller les panneaux latéraux.

– Merci, dit-elle de nouveau.

– C'est rien.

– Tu fumes ? demanda-t-elle.

207

– Ouais. Pourquoi pas ?

Angel roula un petit joint, gratta une allumette, l'amorça, puis le passa à Donald. Ils s'approchèrent de la courte pente marquant la limite du champ de foire et s'assirent.

– Où est-ce que tu dors ? Tu restes ici, ou quoi ?

Donald haussa les épaules.

– Je me disais que je pourrais peut-être emprunter une couverture, et pioncer par terre. Il fait pas froid.

Elle reprit le joint qu'il lui tendait à son tour, retint la fumée dans sa bouche, puis la fit descendre dans ses poumons. Il n'y avait pas longtemps qu'elle avait quitté l'école, soupçonna Donald. Elle devait avoir seize ans. Dix-sept.

– Et toi ? demanda Donald.

Angel désigna un petit groupe de caravanes.

– Je partage une piaule avec Della. Elle m'a adoptée, pour ainsi dire. Il y a quelques mois de ça, maintenant. Elle est sympa.

Donald hocha la tête.

– Tu t'appelles pas vraiment Angel ? dit-il.

– Si. Angel Elizabeth Ryan.

– Je croyais que tu me faisais marcher.

– C'est mon père qui m'a appelée comme ça.

Ils restèrent là un moment, à fumer, écoutant les bruits de la nuit, une rafale de rires surgissant de temps à autre d'un endroit quelconque du champ de foire, le passage sur la route, derrière eux, d'une voiture qui roulait fenêtres ouvertes avec la radio allumée.

– Shane...

– Ouais ?

– Tu vas rester avec nous, ou quoi ?

– Il a dit que je pouvais continuer de travailler au toboggan si je voulais.

– Tu vas le faire ?

– Pendant un moment, peut-être. Quelques jours. Pourquoi pas ?

– Où tu t'es fait ça ? demanda Angel, effleurant le pansement qu'il avait au front.

Shane sourit.

– J'ai planté une bagnole, tu vois ?

Elle se mit face à lui, et quand elle l'embrassa, il eut l'impression que ses lèvres étaient sèches et craquelées ; sa langue, vive et humide, pénétra dans la bouche de Donald, puis Angel s'écarta de lui. Il sentit qu'elle avait la chair de poule, tout le long de ses bras. Ils fumèrent le joint jusqu'au bout, puis Angel bondit sur ses pieds, époussetant son jean.

– Je ferais mieux de rentrer.

– D'accord.

Après son départ, il se retourna et pissa à l'endroit où il se trouvait, un long jet courbe qui semblait inépuisable. Il avait à peine fini qu'elle revenait vers lui, une couverture sur un bras.

– Tiens, Della dit que tu peux t'en servir.

Quand il essaya de l'embrasser de nouveau, elle tourna la tête.

– À demain.

– Ouais, à demain.

Il pensait encore à ce baiser, à sa précision, quand il s'endormit.


Donald travailla encore deux jours au toboggan, donnant un coup de main aux autos tamponneuses, aidant Angel à monter et démonter son stand. Le propriétaire des manèges, Otto, appartenait à une lignée de forains, nomades depuis plusieurs générations. Avant lui, la fête foraine avait appartenu à son père et son oncle. La plupart des gens qui travaillaient là faisaient partie de sa famille : ses fils, ses neveux, ses cousins. Della, la femme qui avait plus ou moins adopté Angel, était la sœur d'Otto.

L'un des cousins donna un sac de couchage à Donald et lui dit qu'il pouvait dormir à l'arrière du camion qui tractait la grande roue. Le deuxième soir, Della l'invita à dîner dans la caravane – un ragoût épais avec de la viande et des pommes de terre, une bouteille de vin rouge âpre. Des verres d'un alcool blanc qui fit tousser Donald. À un moment, Otto se joignit à eux, but abondamment, coupa une tranche de pain avec les doigts et sauça la marmite presque vide.

– Bon garçon, fit Otto en serrant l'épaule de Donald. Bon garçon, hein ?

J'ai trente ans, pensa Donald, je suis plus un petit garçon. Il ne dit rien.

Le lendemain, Della traversa le terrain vague jusqu'au toboggan où il travaillait, ses jupes traînant dans la poussière et la boue. En ce début d'après-midi, il y avait encore peu de monde, quelques jeunes enfants, des mères avec des poussettes ou des bébés suspendus sur leur poitrine.

– Angel, dit-elle, elle a eu une chienne de vie, tu le sais, ça ?

Donald hocha la tête, bien qu'en vérité il ne sût rien, sinon ce qu'il avait deviné.

– Sa mère se droguait, elle était bonne à rien. Son père, il était jamais là. Foyers de placement, familles d'accueil. Elle faisait des fugues tout le temps, la police la ramenait. Quand je l'ai trouvée, ça fait six mois, elle avait plus que la peau sur les os. Elle se supportait plus. Elle se tailladait avec un rasoir. Plus maintenant. C'est terminé, ça.

Elle s'approcha encore et saisit le bras de Donald.

– Si tu lui fais du mal, et qu'elle recommence à cause de toi, c'est moi qui vais te taillader. Là. (Lui lâchant le bras, elle plaqua aussitôt sa main entre les jambes de Donald.) Tu comprends ?

– Ouais.

– Oui ?

Elle augmenta la pression.

– Oui.

– Bien.

Quand Della se recula, Donald avait les larmes aux yeux, et l'entrecuisse douloureux.

– Tu sors de taule, dit-elle. (Ce n'était pas une question.) Tu as fait de la prison. Pendant long-temps, peut-être.

– Ouais, je...

Della fit un geste pour couper court à ses explications.

– Non ! C'est juste pour te faire comprendre que je le sais. Le reste, ça te regarde, maintenant. (Elle s'approcha de nouveau, et Donald sentit son souffle chaud sur son propre visage.) Angel, tu vas être gentil avec elle. Sinon, t'auras affaire à moi.

Cette nuit-là, Angel vint le rejoindre dans le camion tandis qu'il dormait.

Au début, il crut que la pression exercée sur son corps faisait partie de son rêve. Puis il y eut le bruit de la fermeture à glissière qu'elle faisait coulisser vers le bas. Quand elle se glissa dans l'ouverture du sac de couchage, il sentit les jambes d'Angel, froides, contre les siennes, ses pieds glacés sur les siens, ses genoux pointus. Elle portait un T-shirt blanc et une minuscule culotte en coton. Quand il essaya de parler, elle couvrit de baisers ses joues, ses paupières, les coins de sa bouche. Il sentit sa verge durcir contre le corps d'Angel, et quand elle la sentit aussi, elle aspira une brève bouffée d'air sous l'effet de la surprise.

– Du calme, dit-elle alors que, brusquement, il lui fourrait sa main entre les cuisses. Non. Arrête. Stop ! Stop !

– Je croyais...

– Attends. (Les doigts frêles d'Angel encer-
clèrent le poignet de Donald et puis, quand il fut
immobile, elle guida la main du garçon entre ses
cuisses, écartant le rebord du tissu humide.

– Là. Maintenant, doucement... doucement...
doucement !

Changeant légèrement de position, elle se cala
contre lui et Donald la sentit s'ouvrir, chaude et
moite, sous ses doigts.

– Doucement, Shane. Doucement, merde ! S'il te
plaît, s'il te plaît, s'il te plaît.

Quand elle jouit, elle planta les dents dans le bras
de Donald, perçant la peau.

– Nom de Dieu !

– Quoi ?

– Ça fait mal.

– Excuse-moi.

Sur la demi-lune laissée par ses dents sur le bras
de Shane, elle posa un baiser léger. Leurs jambes, à
l'intérieur du sac de couchage, étaient collées les
unes aux autres par la sueur. Angel se dégagea puis,
tirant son T-shirt par-dessus sa tête, roula sur elle-
même pour se retrouver allongée sur le dos, nue, à
même le plancher du camion.

– Tu es belle..., fit Donald, sachant qu'il devait
dire quelque chose.

Ses petits seins, quand elle était étendue comme
ça, disparaissaient presque. Il fut surpris par l'épaisseur de la toison qui poussait entre ses jambes.

– T'as rien, hein ?

– Quoi ? Qu'est-ce que tu veux dire ?

– T'as pas de capotes, de quoi tu veux que je
parle ?

Donald secoua la tête. Il avait cru qu'elle parlait
du sida ou d'une maladie quelconque.

– Bon, alors...

Se tournant vers lui en souplesse, elle prit sa
verge dans sa bouche.

– T'es pas obligée de...

Mais quelques instants plus tard, il avait joui, et elle avait avalé son sperme, en grande partie, et elle s'appuya alors contre lui, son visage contre le torse de Donald. Sans la bousculer, il se tourna un peu sur le flanc et ferma les yeux, sentant battre contre lui le cœur d'Angel.

Il se réveilla, sans se rendre compte qu'il s'était endormi, un bras engourdi d'être resté coincé sous lui contre le rebord du plancher. Se tournant lentement, il frissonna et remonta à tâtons la fermeture à glissière du sac de couchage. Une lumière brillait dans l'une des caravanes, et déjà la lisière du ciel commençait à s'éclaircir vers l'est. Il se demanda combien de temps Angel était restée avec lui avant de repartir. Il tentait de se remémorer, moment par moment, ce qui s'était passé, quand il se rendormit sans en avoir eu l'intention.

Quand il la revit, deux heures plus tard, elle traversait le champ de foire entre la caravane de Della et son stand. Elle leva la main dans sa direction et lui sourit brièvement sans ralentir l'allure.

## 25

Comme Shane Donald n'avait pas refait surface dans les quarante-huit heures, la queue basse et menottes aux poignets, comme il n'avait pas commis d'autre crime abject, l'intérêt du public s'émoussa au niveau national. Les confidences de son beau-frère, même épicées par l'imagination d'un rédacteur adjoint par ailleurs désabusé, furent gardées en réserve. Pam Wilson s'aperçut qu'elle pouvait passer la tête au-dessus du parapet sans craindre que des appareils photo soient braqués dans sa direction. Un quotidien national, qu'on aurait pu croire plus avisé, publia un dossier complet sur les crimes sexuels commis par des prédateurs opérant en tandem, et sur leurs jeunes victimes.

Elder appela à plusieurs reprises le numéro que Siobhan lui avait communiqué pour joindre Rob Shriver. À chaque fois, on l'informa poliment que ni Rob ni Linda ne pouvaient répondre actuellement, mais qu'on l'invitait, s'il le désirait, à laisser un message pour l'un ou l'autre ou même pour Matthew, Dominic ou Eliza. Les deux premières fois, Elder rechigna à le faire, et, finalement, se décida à laisser le numéro de Willie Bell.

Quand il tenta de joindre sa fille sur son portable, dans l'espoir de l'inviter à déjeuner, à boire un café ou peut-être même à faire un tour au cinéma, il fut automatiquement redirigé sur son téléphone fixe; avant qu'il pense à raccrocher, il avait Joanne au bout du fil. Il y eut un silence pénible, suivi de l'une de ces conversations embarrassées où chacun pose à l'autre des questions dont la réponse lui importe peu. Ils poursuivirent de cette façon pendant plusieurs minutes, jusqu'à ce qu'Elder croie entendre une porte s'ouvrir, puis une voix d'homme. Après quoi Joanne conclut : « Je ne manquerai pas de dire à Katherine que tu as appelé. » Et ce fut tout.

Elder se souvenait du temps où Joanne et lui – Joanne, surtout, mais il ne rechignait pas à tenir son rôle – parlaient de tout et de rien pendant des heures. De la politique, de la mode, de films, de livres, de leurs amis. Et de leurs projets ! Pour réaliser ne serait-ce que la moitié des projets que Joanne imaginait en douze mois, il aurait fallu douze ans. Certains d'entre eux, ainsi qu'Elder ne se privait pas de le lui faire remarquer, étaient irréalistes, des plans sur la comète (ouvrons un magasin, une boutique, un salon de beauté bien à nous, un petit hôtel; allons vivre en Amérique, à Lisbonne, aux Baléares, n'importe où mais ailleurs qu'ici), et pour la plupart nécessitaient qu'Elder quitte la police et devienne autre chose que ce qu'il était : le simple flic qu'elle avait rencontré dans le Lincolnshire quand elle avait tout juste dix-neuf ans, avec lequel elle s'était mariée au bout de six ans, et qu'elle avait finalement persuadé sept ans plus tard de choisir Londres et ses splendeurs.

Tu n'as pas épousé l'homme qu'il te fallait, lui disait-il sur le ton de la plaisanterie, mais ils avaient tous les deux fini par croire que c'était vrai. Si elle avait rencontré Martyn Miles quelques années plus tôt, peut-être cela ne serait-il pas arrivé. Sinon que Martyn Miles n'avait sans doute aucune envie de mettre les pieds dans le Lincolnshire. Et que, si Elder et Joanne ne s'étaient pas mariés, Katherine n'aurait jamais existé.

Une idée qu'Elder refusait d'envisager.

Enlevez le reste, enlevez tout, et Katherine à elle seule donnait un sens à sa vie.

Affamé, il ouvrit une grosse boîte de haricots blancs à la sauce tomate, y ajouta une giclée de sauce au soja, et les mangea à la cuillère directement dans la casserole. Il rinçait celle-ci sous le robinet quand le téléphone sonna. Il décrocha le combiné.

– Allô, ici Linda Shriver. Vous nous avez laissé un message demandant à l'un de nous deux de vous rappeler.

Elder la remercia d'avoir pris la peine de le faire et lui expliqua ce qu'il voulait.

– Et ceci est en rapport avec Susan Blacklock et les raisons de sa disparition ?

– Oui.

– Je vois.

Il y eut un silence au bout du fil.

– Vous la connaissiez, bien sûr, dit Elder.

– Oui. Oui. Pas aussi bien que Rob et les autres, mais oui.

– Et vous ne l'aimiez pas.

– Pourquoi dites-vous ça ?

– Je ne sais pas. Simple intuition.

Elle eut un petit rire, aigu, qui sonnait faux.

– Vous devriez être inspecteur de police, monsieur Elder.

– Merci, fit-il. (Puis :) Pourriez-vous me dire pourquoi vous aviez ces préventions contre elle ?

Elle réfléchit avant de répondre.

– Je ne l'ai jamais... C'est difficile à dire, parce que je n'ai jamais vraiment appartenu à ce petit groupe, je ne les connaissais que par Rob, et bien

216

sûr, ça n'a jamais été la même chose. Mais je crois que je ne l'ai jamais... j'ai envie de dire, je n'ai jamais vraiment cru en elle, mais ce n'est pas tout à fait ce que j'ai en tête.

– Vous ne lui avez jamais fait confiance ? suggéra Elder.

– Je ne sais pas si j'irais jusque-là, encore que cela pourrait être vrai en partie. Non, en fait, je n'ai jamais vraiment cru à son personnage, comme si ce n'était qu'une façade. Tous ces discours sur le théâtre, cet art merveilleux... J'avais le sentiment qu'elle ne faisait tout ça que pour se rendre intéressante.

Elder repensa aux photos que lui avait montrées Siobhan.

– Ce n'était pas le cas de tous les membres du groupe, en un sens ?

– Oui. Je vois ce que vous voulez dire. (Elle rit, de façon plus chaleureuse cette fois.) Je crains de ne pas m'être bien expliquée. Je ne fais que m'emberlificoter davantage.

– Ne vous excusez pas.

– Je ne ferais guère d'étincelles, n'est-ce pas, dans un interrogatoire ? Quelqu'un comme vous me laisserait déblatérer, allant même jusqu'à m'encourager, et puis, quand je ne saurais plus du tout où j'en suis, n'aurait plus qu'à sortir la vérité du chapeau.

– C'est-à-dire ?

Linda s'esclaffa, plus bruyamment, avec davantage de nervosité cette fois.

– J'étais jalouse d'elle, bien sûr.

– Parce qu'elle s'intéressait à Rob ?

– Mon Dieu, non ! La moitié des élèves, les filles en tout cas, étaient à ses pieds, mais la plupart du temps je crois que Susan ne remarquait même pas qu'il était là. C'était Rob qui avait le béguin pour elle. Parfois, je surprenais les regards qu'il posait sur elle, ceux du pauvre chien qui ne peut pas avoir son os. Ou plus encore. Je l'ai même dit à Susan, une fois. C'était dans une soirée quelconque, je crois que j'avais bu un verre ou deux, pour me donner du courage sans doute. Quoi qu'il en soit, je lui ai dit que si jamais... enfin, si jamais il y avait quoi que ce soit entre Rob et elle, je lui arracherais les yeux. Je suis désolée, c'est vraiment horrible, n'est-ce pas ? Après... vous savez... après ce qui lui est peut-être arrivé.

Elder ne réagit pas.

– En tout cas, poursuivit Linda, Susan s'est contentée de me regarder comme si j'étais une petite crotte, et puis elle est partie.

– Et vous avez attendu que le béguin de Rob pour elle passe de lui-même ?

– Quelque chose comme ça.

Elder entendit tinter un goulot contre le bord d'un verre. Encore de l'alcool pour y puiser du courage, pensa-t-il.

– Savez-vous si Susan sortait avec un garçon ? demanda-t-il. Un camarade du lycée ?

– Je ne pense pas. Susan et Stephen, Stephen Bryan, ils passaient pas mal de temps ensemble, mais je ne crois pas qu'il y ait jamais rien eu de sérieux entre eux.

– Vous en êtes sûre ?

– Non. Mais je pense que Stephen ne s'intéressait pas aux filles. Il ne s'y intéresse toujours pas, pour autant que je sache.

– Vous voulez dire qu'il est gay ?

– Je crois que ce n'est pas si simple. Rob le voit encore de temps en temps, et Stephen ne lui a jamais rien confié sur ses préférences en la matière. (Linda marqua une pause.) Bien sûr, s'il y avait eu quelque chose entre Stephen et Susan, cela aurait expliqué pourquoi elle ne s'intéressait pas à Rob.

– Oui, fit Elder. Bien sûr.

– Écoutez, il faudrait que je m'occupe de préparer le dîner de Rob. Et les garçons vont rentrer de chez les scouts. Je demanderai à Rob de vous appeler après le dîner, si vous voulez.

– Si ça ne vous dérange pas.

– Et puis, monsieur Elder, toutes ces histoires entre Rob et Susan, ce n'est pas nécessaire, n'est-ce pas, de...

– Absolument pas.

– Merci. Merci beaucoup.

À peine Elder avait-il reposé le téléphone que celui-ci sonna de nouveau.

– Allô, papa ?

– Oui.

– Maman m'a dit que tu avais appelé.

– Oui. Je pensais qu'on pourrait aller quelque part.

– Ce soir ?

– Oui.

– D'accord, je veux bien. Super.

– Le seul problème, c'est que...

– Maintenant, tu ne peux plus.

– J'attends que quelqu'un me rappelle. Je...

– Pourquoi tu ne prends pas un portable, papa ? Il serait temps que tu vives au vingt et unième siècle, comme tout le monde.

– Kate...

Mais elle avait raccroché. Elder pensa à la bouteille d'Aberlour au premier, dans sa chambre ; puis il songea à Linda Shriver, qui sirotait du vin blanc en attendant que son mari et ses fils rentrent à la maison. Il valait mieux mettre de l'eau à chauffer, faire du thé, ouvrir un livre enrichissant. Il venait de finir *Kes* et pensait essayer de lire un peu de Dickens. Il avait trouvé un exemplaire de *David Cop-*

*perfield*, qui semblait intéressant. Volumineux, cependant, pas facile à transporter. Mais quand il fut installé dans le fauteuil décidément confortable de Willie Bell, le roman l'occupa, plus ou moins, jusqu'au moment où Rob Shriver le rappela, presque une heure plus tard.

– Allô, c'est Rob.

Il semblait fatigué, se dit Elder, à la façon dont il avait prononcé ces quatre syllabes; fourbu, désabusé, plus vieux qu'il n'aurait dû l'être, plus vieux que son âge. Peut-être avait-il trop de responsabilités, un métier stressant, ou bien les allers et retours entre son domicile et Manchester ou une autre ville lui pesaient de plus en plus. À moins qu'il ait simplement passé une mauvaise journée.

Elder se demanda s'il n'allait pas la lui rendre plus pénible encore.

– C'est au sujet de Susan Blacklock, annonça-t-il.

– Oui, Linda me l'a dit.

Je l'aurais parié, pensa Elder.

– Vous n'avez pas de nouvelles? demanda Rob Shriver.

– Non, je le crains. J'aimerais bien en avoir.

– Oui, fit Shriver avec un soupir. (Puis, se reprenant :) Il y a quelque chose de particulier que vous souhaitiez savoir? Je ne sais pas si je pourrai vous aider, c'était il y a longtemps, mais, bien sûr, je vais essayer.

– Quand j'ai parlé à Siobhan...

– Siobhan Banham?

– Oui. Elle m'a parlé d'une soirée où vous êtes tous allés à Newcastle pour voir la troupe du Théâtre national...

– Non.

– Pardon?

– Elle se trompe. Si c'était à Newcastle, ça ne pouvait pas être le National, ce devait être la Royal Shakespeare Company.

– Vous êtes sûr ?

– Absolument.

– Mais il aurait pu s'agir du *Roi Lear* ?

– Oh, vous voulez parler de la représentation qui n'a jamais eu lieu. Le rideau de fer est descendu et n'a jamais voulu remonter. On a acheté de la pizza et on l'a mangée dans le minibus sur le chemin du retour.

– Vous avez dû rentrer de bonne heure, alors ?

– Neuf heures et demie. Dix heures. Dix heures et demie au plus tard.

– Et on vous a ramenés où ? On vous a tous déposés devant le lycée ?

– D'habitude, c'est ce qui se passait, oui. Mais personne ne nous attendait de si bonne heure. Certains d'entre nous ont appelé leurs parents, je m'en souviens, pour qu'on vienne les chercher. C'est ce qui s'est passé dans mon cas, certainement.

– Et les autres ?

– Je n'en suis pas sûr. Latham les a ramenés chez eux, je suppose.

– Je vois. Eh bien, merci pour ces renseignements.

– C'est tout ?

– Je pense que oui. Pour le moment.

– Je vois.

– Vous n'auriez pas un numéro où je pourrais joindre Stephen Bryan, par hasard ? demanda Elder. Ou une adresse ? Siobhan pensait que vous les connaîtriez peut-être.

– Oui, j'ai l'un et l'autre quelque part. Si vous voulez bien patienter...

Le combiné transmit un léger choc quand Rob le posa. En fond sonore, Elder entendit des voix, les échos d'une conversation lointaine, des potins qu'on échange en famille.

– Voilà, fit Rob Shriver. (L'adresse était à Leicester, à moins de trois quarts d'heure en voiture.)

Écoutez, reprit Shriver d'une voix soudain beaucoup plus discrète, si jamais vous découvrez vraiment quelque chose au sujet de Susan... Je comprends bien que c'est improbable après tout ce temps, mais... Est-ce que je peux vous demander de me le faire savoir ?

– Si je peux.

– Et, Linda, ça ne peut que la contrarier, peut-être que si je vous donnais mon numéro de portable...

– Je vous écoute.

Elder nota le numéro, remercia Shriver de nouveau et raccrocha. Comment pouvait-on perpétuer un coup de cœur pour quelqu'un, une passion même, pendant treize ans ? Quelqu'un que l'on n'avait pas revu depuis tout ce temps ? Aussi facilement, sans doute, que l'on pouvait nourrir une jalousie, l'entretenir de temps à autre, la regarder grandir.

Elder songeait-il à Rob et Linda Shriver, ou à Joanne et lui-même ?

Il ne pensait pas consacrer davantage de temps ce soir à *David Copperfield* ; il en avait lu assez pour comprendre que les choses iraient de mal en pis avant qu'on puisse espérer qu'elles s'arrangent un jour. Une demi-heure plus tard il était au lit et, bizarrement, il dormait, pour n'être réveillé qu'au petit matin par le retour tardif d'un Willie Bell bien éméché qui claquait les portes et gratifiait les voisins d'une version gutturale de *Dancing Queen*, transformée pour l'occasion en ritournelle écossaise.

## 26

La nuit, il restait éveillé en attendant qu'elle le rejoigne. Le froid était plus vif, à présent, et il avait deux couvertures dépliées par-dessus son sac de couchage. Sans cesse, il y avait du mouvement, ici : même aux confins de la ville, le calme n'était jamais total. Et puis il y avait des bruits. Et des odeurs. Celles du pop-corn et des hot-dogs qui stagnaient, des émanations de moteurs diesel et ce qui ressemblait à du caoutchouc brûlé, du caoutchouc qui se consumait lentement quelque part au loin.

Tendant l'oreille, il guettait son arrivée, et parfois il lui semblait entendre cliqueter le pêne de la serrure quand elle refermait la porte de la caravane ; parfois, il entendait ses pas quand elle s'approchait, ou bien, comme cette nuit, c'était pareil à la première fois où elle l'avait surpris, sinon qu'il dormait, alors, et que maintenant il l'attendait.

Depuis combien de temps cela durait-il ? Une semaine ? Moins que ça.

Angel souleva la lisière des deux couvertures et descendit suffisamment la fermeture à glissière du sac de couchage pour pouvoir s'y glisser.

– Attention, prévint-elle. Je suis gelée.

– C'est pas grave.

– Il fait froid, dehors.

– Il ne fait pas froid ici.

– Méfie-toi, mes pieds sont des vrais glaçons.

– C'est rien.

– Non, je te jure, c'est des morceaux de glace.

– Je vais bientôt les réchauffer.

– N'y touche pas. Les laisse pas te toucher.

– Sois pas bête. Mets-les contre moi.

– T'es sûr ?

– Je te l'ai proposé, non ?

– D'accord. Seulement, tu diras pas que je t'ai pas prévenu.

– Aïe ! Nom de Dieu, ils sont complètement gelés !

– Je te l'avais dit.

Elle rit.

– Retire-les de là, bordel !

– D'accord, d'accord, d'accord.

À présent, Angel riait tellement qu'elle roulait un peu sur elle-même, de droite à gauche, dans la mesure où le sac de couchage le permettait, et son rire fut bientôt proche des larmes, puis le rire et les larmes mêlés se transformèrent en un accès de toux et il la serra dans ses bras tandis qu'elle basculait d'avant en arrière contre lui, un aboiement rauque sortant de sa bouche, et sous ses doigts, Shane sentait les petits nœuds durs de ses vertèbres.

Ce n'était pas la première fois, et cela l'effrayait.

– Ça va ?

– Oui... oui...

Elle faisait tout son possible pour retrouver son souffle et enrayer cette toux persistante qui lui déchirait la poitrine.

– Tu devrais aller voir le docteur, tu le sais, ça ?

– C'est rien. (Puis, à voix basse :) Ça va aller. Donne-moi juste une minute. Juste...

Elle se détourna, autant qu'elle put, et il suivit son visage avec le sien, souhaitant de toutes ses forces que cette toux s'arrête.

– Angel, ça va ? T'es sûre ?

– Oui. Ça va.

Il l'embrassa et la caressa. Elle portait un sweat-shirt par-dessus son T-shirt, et il passa la main sous les deux vêtements jusqu'à ce qu'elle atteigne son sein. L'espace d'un instant, alors qu'il la touchait, elle se cambra puis, se détendant, elle enroula ses jambes autour de celles de Shane et dit :

– Ils sont comment, mes pieds, maintenant ?

– Chauds.

– Vraiment ?

– Assez chauds pour moi.

La veille, elle avait traversé le champ de foire en courant pour le rejoindre, en courant comme une gamine, en agitant les bras en l'air. Tellement excitée qu'au début elle parvenait à peine à parler.

La fête foraine levait le camp, et Shane pouvait venir avec eux. Elle avait demandé à Otto, et il était d'accord. Le Croate partait pour l'Écosse avec sa copine, qui était l'une des nièces d'Otto, et Shane pouvait travailler seul au toboggan. Non seulement ça, Otto était d'accord pour leur louer la caravane qu'avaient occupée sa nièce et le Croate, ce n'était pas cher, pas trop cher, elle était sûre qu'ils pourraient se le permettre avec ce qu'ils gagnaient tous les deux, et s'ils étaient un peu justes, Della avait dit qu'elle les aiderait.

– Alors ? avait dit Angel. C'est génial, non ?

– Peut-être.

– Comment ça, peut-être ?

– Ouais, je suppose... Je sais pas.

– Mais qu'est-ce qu'il y a ? Qu'est-ce qui te plaît pas ? Je pensais que tu aller sauter sur l'occasion. Que tu voudrais pas rater ça.

Shane ne voulait pas la regarder en face.

– T'avais juste envie de me sauter quatre nuits de suite, et puis c'est tout. C'est ça, que t'es en train de me dire ?

– Non.

– Alors, qu'est-ce qu'il y a ?

– Je sais pas.

– Qu'est-ce que tu veux, Shane ? Dis-le-moi. On s'en va après-demain, et toi, tu vas faire quoi ? Dire au revoir et merci beaucoup ? Me faire monter dans le camion pour me peloter une dernière fois, me baiser une dernière fois ?

– Arrête.

– C'est ce que je suis pour toi, Shane, rien qu'une petite pétasse, une salope, une morue, une chatte dans laquelle tu balances la purée, une pute, une radasse ?

– Arrête.

– C'est tout ce que je suis, pour toi, une vraie conne, une sale petite pouffiasse ?

– Non.

– Non, Shane ?

– Non, je te le jure.

– Alors, prouve-le.

Ils allèrent trouver Otto ensemble, Shane redoutant qu'il se mette à lui poser d'autres questions, à présent, comme s'il se prenait pour le père d'Angel, même s'il savait qu'Angel n'avait pas de père, pas vraiment, et qu'Otto le savait aussi. Otto allait vouloir des renseignements sur sa famille, sur les endroits où il avait travaillé, où il avait été, pourquoi il était allé en prison. Si Della savait qu'il avait passé du temps en taule, Otto devait le savoir aussi. Mais au lieu de tout ça, Otto raconta des histoires et plaisanta et les taquina, essayant de les mettre mal à l'aise comme si c'étaient des mômes. Et puis il remplit des verres pour tout le monde et il eut une conversation avec Shane, d'homme à homme, à propos du loyer et de la responsabilité du toboggan, et Angel ne les quittait pas des yeux, le sourire aux lèvres.

– Où est-ce qu'on va ? demanda Shane.

– Angel te l'a pas dit ?

– Non.

– J'en savais rien, fit Angel.

– Newark.

Shane n'arrivait pas à le croire.

– Vous me faites marcher.

– Newark-on-Trent. Pendant cinq jours. C'est un bon endroit pour nous, tu verras. Mais tu connais, peut-être ?

Il connaissait bien, pas d'erreur possible.

C'était là qu'il avait rencontré Alan McKeirnan, sous une pluie battante, qui traversait presque à l'horizontale le terrain vague où la fête foraine s'installait. « Tu vas rester planté là comme une statue à la con », avait crié McKeirnan, « ou tu vas te décider à me filer un coup de main ? »

Il ne pouvait pas retourner là-bas, bien sûr. Ce serait de la folie, de la bêtise pure. Là où tout avait commencé, où les gens guettaient le moment où il réapparaîtrait, où il était connu. Pile sous les fenêtres de ce salopard qui voulait sa peau, qui voulait lui faire payer ce qui était arrivé à sa fille, qui jurait de la venger, qui était prêt à tout pour ça.

– Qu'est-ce qu'il y a, Shane ? avait demandé Angel quand ils furent ressortis de la caravane d'Otto.

– Rien. Y a rien du tout, pourquoi ?

– T'as plus dit un mot, d'un seul coup.

– Je réfléchissais.

– À quoi ?

– Mais merde, à la fin, Angel ! avait-il explosé, se retournant contre elle. Tu peux pas me lâcher cinq minutes, bordel ?

Jusqu'au soir, elle n'avait pas fait autre chose. Angel avait gardé ses distances, et quand il l'avait vue rire avec les autres gars, les forains mais aussi ceux qui simplement traînaient là pour passer le temps, c'est un spectacle qui l'avait rongé, comme un rat lui grignotant les tripes. Mais Newark, Mansfield, Worksop, le Nottinghamshire, comment pouvait-il retourner là-bas? Et après ça, ils iraient où? Gainsborough. Lincoln. Louth. Puis Mablethorpe, Ingoldmells, Skegness, Sutton-on-Sea : la côte de la mer du Nord de bas en haut et de haut en bas, les semi-remorques et les caravanes se faufilant sur les routes sinueuses qui longent la côte, dans le brouillard qui vient de la mer. Il repensa à McKeirnan repérant Lucy Padmore sur le front de mer à Mablethorpe, ses cheveux blonds auréolés de lumière par le soleil lorsque, sans le savoir, elle se tourna vers eux. « Regarde ! », avait dit McKeirnan en le poussant du coude. « C'est celle-là qu'il me faut. »

Il était allongé sur le dos, à présent, la tête et les épaules sortis du sac de couchage, et fumait une cigarette. Angel était pelotonnée contre lui, les bras et les jambes sur lui, la tête posée sur la poitrine de Shane. Il entendait sa respiration, un peu rauque, un peu sifflante, il sentait bouger sa cage thoracique contre son flanc. Il ne faisait jamais nuit noire, ici, pensait Shane, il restait toujours une lueur terne et jaunâtre dans le ciel, une ou deux étoiles seulement transperçaient la voûte. McKeirnan avait essayé de lui dire quelque chose au sujet des étoiles, mais à peine avait-il fini, lui désignant des formes qu'il était difficile de distinguer, que Shane avait oublié leurs noms, et McKeirnan, furieux, l'avait injurié, lui répétant une fois de plus qu'il était vraiment trop nul. Nul. Peut-être, pensa Shane, qu'Angel connaît quelque chose aux étoiles.

Elle remua contre lui, sa respiration changea, et Shane comprit qu'elle était réveillée.

– Shane, finit-elle par dire. Tu viens avec nous, hein ? Tu viens ?

Shane ne répondit pas. Il ferma les yeux.

## 27

Inexplicablement, Willie Bell s'était levé avant lui. Avec déjà plusieurs tranches de toast à son actif, après avoir pesté contre les commentateurs de l'émission *Aujourd'hui* à la radio, il avait changé de station, et à présent il harmonisait avec Neil Diamond tout en versant de l'eau dans la théière.

– Le thé est là. Pour le reste, tu prends ce que tu veux.

Elder remplit sa tasse et s'assit au bout de la table de la cuisine pour feuilleter le *Post* de la veille au soir.

– Tu as bien dormi ? demanda Bell.

– Pas trop mal.

– Tu t'es débarrassé de tes rêves, alors ?

Elder écarta son journal.

– Quels rêves ?

– Les deux premières nuits, tu poussais des hurlements terribles. Bien sûr, tu aurais pu faire entrer une femme en douce, vieille crapule, auquel cas j'aurais préféré ne pas savoir ce que vous bricoliez tous les deux. Mais sinon, pour moi, c'était un rêve, pas de doute. Et pas très agréable, en plus. C'est un miracle qu'il ne t'ait pas réveillé.

Elder hocha la tête. En quittant la Cornouailles, il pensait laisser le rêve derrière lui.

– Je vais en ville, dit Willie Bell. Si tu veux que je t'emmène...

– Ça m'arrangerait. Ma fille prétend que je devrais me payer un téléphone portable.

Bell s'esclaffa.

– La prochaine fois, elle voudra que tu changes ta coupe de cheveux. Et que tu t'achètes des vêtements un peu plus à la mode.

Vingt minutes plus tard, ils traversaient le centre-ville en direction du sud, à faible allure en raison du flot de la circulation matinale.

– Et ta petite enquête, demanda Bell, ça avance ?

– Pour être franc, répondit Elder, je n'en suis pas sûr. Une poignée de faits, de demi-vérités, de soup-çons – des choses qui n'étaient pas apparues la pre-mière fois. Quant à savoir si ça me mènera quelque part...

– À t'entendre, tout ça ressemble à un vrai travail de flic.

– Je suppose.

– Ça te manque ?

– Parfois.

– Tu ne crois pas que c'est pour ça que tu t'es lancé dans cette histoire ? Parce que tu n'arrives pas à lâcher ?

– À lâcher l'affaire ou à lâcher le métier ?

– C'est toi qui peux le dire.

Elder n'en savait rien.

– Tu peux me déposer, dit-il, n'importe où du côté de Trinity Square. Du moment que ça ne t'oblige pas à faire un détour.

Il n'avait pas prévu que l'aspect le plus pénible d'un achat de portable, c'était de rester planté au milieu du magasin pendant qu'un jeune homme en costume bon marché débitait son boniment. Il lui suffisait de signer au bas du contrat, et il pouvait repartir avec le dernier cri de la technique, un appa-

231

reil qui lui permettrait non seulement d'envoyer et de recevoir des appels et des textos, mais aussi d'accéder à Internet, d'envoyer des e-mails et des fax, de transmettre des images et de transférer des données sur son ordinateur personnel. Et sans cesser, comme aurait dit Jimmy Durante, de casser des noix avec le pied gauche. Imiter Jimmy Durante, c'était le petit talent de société de son père ; il s'asseyait au piano, un gobelet en carton sous son nez, et il chantait comme lui *I'm the Guy Who Found the Lost Chord*[1]. Jimmy Durante, un comique à la voix rauque, avec un gros nez, qui pensait encore à lui aujourd'hui ? Et depuis combien de temps n'avait-il pas pensé à son père ?

Elder interrompit le vendeur en plein récital pour lui dire qu'il voulait l'appareil le plus simple possible, sans gadgets, sans suppléments, sans abonnement. Chargé et prêt à l'emploi.

– On ne fait pas ça, je le crains, dit le vendeur.

– Vous ne faites pas quoi ?

– Vendre des téléphones déjà chargés.

– Eh bien, faites-le maintenant, dit Elder.

En sortant de la boutique, il essaya son appareil en appelant le numéro de Stephen Bryan à Leicester, mais ne parvint qu'à se connecter à son répondeur. Laissez un message ou essayez de me joindre sur mon portable. Elder composa le numéro du portable. Après une pause un peu longue, il fut informé que l'appareil était éteint, mais que s'il le désirait, il pouvait laisser un message. Il laissa un message. Elder n'avait aucun moyen de savoir quand ni même si Bryan le rappellerait, et il n'avait pas envie de gâcher une journée de plus.

1. « Je suis le type qui a retrouvé l'accord perdu » : monologue du pianiste et chanteur Jimmy Durante (1893-1980), parodie du cantique *The Lost Chord* écrit par Arthur Sullivan en 1876 sur un texte d'Adelaide Procter.

En descendant d'un pas vif Clumber Street et Bridlesmith Gate, il se retrouva bientôt au centre commercial de Broad Marsh puis à la gare. S'il changeait de train à Grantham, il pouvait aller à Newcastle en beaucoup moins de trois heures. Dans le hall, il commanda un café et un petit pain au comptoir de la cafétéria. *David Copperfield* gonflait la poche de sa veste. En payant son petit pain, il pensa à Katherine. Peut-être l'appellerait-il depuis le quai, en espérant son approbation. Et il y avait une poignée d'autres personnes à qui il devrait laisser son numéro de portable, sinon ce n'était pas la peine d'en avoir un. Maureen, évidemment. Willie Bell. Et Helen Blacklock ? Il hésitait. D'après les écrans placés en hauteur au-dessus de l'entrée, son train devait arriver dans sept minutes ; aucun retard n'était annoncé.

Quand Elder arriva à Newcastle, le temps, qui avait changé plusieurs fois au cours du voyage, s'était figé en un bleu uni omniprésent. Se renseignant auprès du marchand de journaux de la gare, il eut la confirmation que le trajet à pied jusqu'au théâtre ne lui prendrait que dix minutes. Passant devant le nouveau centre commercial, il découvrit Grey's Monument, une sorte de modèle réduit de la colonne Nelson de Londres. S'agissait-il du Grey dont on avait donné le nom à une variété de thé, se demanda Elder, ou de quelqu'un de sa famille ?

Le Théâtre royal se trouvait presque au bout de la rue, du côté droit, un bâtiment majestueux dont les colonnes cannelées semblaient avoir plutôt bien résisté aux pigeons et aux incursions des graffiteurs nocturnes. Trouvant porte close, Elder partit à la recherche de l'entrée des artistes. Quelques mots d'explication, un ou deux apartés sur le ton de la plaisanterie, et la directrice adjointe fut appelée et arriva bientôt – une brune à l'air affairé qui se présenta sous le nom de Rebecca.

Sans tourner autour du pot, Elder lui expliqua ce qu'il voulait.

– Il y a treize ans, dites-vous ?

– Treize ou quatorze.

– Et pourquoi voulez-vous savoir ça ?

– Une simple vérification. C'est tout. (Elder vit qu'elle hésitait.) Mais c'est important. Sinon je n'abuserais pas de votre temps.

Elle soupira puis écarta de ses yeux une mèche vagabonde.

– Suivez-moi.

Le bureau se trouvait au bout d'un couloir étroit et haut de plafond, où stagnait une odeur provenant des murs repeints depuis peu.

– Tous les rapports rédigés par la direction sont informatisés, à présent, expliqua Rebecca. Et cela depuis cinq ou six ans. Auparavant, tout était consigné à la main dans l'un de ces registres.

Ouvrant le tiroir central d'un classeur vert bouteille, elle révéla un fatras de cahiers à spirales.

– Servez-vous. Le renseignement que vous cherchez, soit il est ici, soit il est nulle part. (Sortant l'un des cahiers, elle traça un trait sur la couverture en passant l'index à travers la couche de poussière.) Il y a longtemps qu'on aurait dû tout balancer.

Elder était content que cela n'ait pas été fait.

– Je peux vous apporter quelque chose ? Du café ? Un verre d'eau ?

– Non, je vous remercie. Je n'ai besoin de rien.

Il ne lui fallut pas longtemps pour découvrir ce qu'il cherchait. Novembre 1987. Un mardi. La Royal Shakespeare Company. *Le Roi Lear*. Pendant la manipulation réglementaire du rideau de fer, le mécanisme s'était coincé et on n'avait pas pu réparer la panne, ce qui avait entraîné l'annulation de la représentation. On proposa aux spectateurs de leur rembourser ou de leur échanger leurs billets.

Quand Rebecca passa voir comment il s'en sortait, Elder feuilletait le registre au hasard.

– Un couple s'est déshabillé au milieu de l'acte deux et a jeté ses vêtements du deuxième balcon ?

– On a vu pire. Comment se sont déroulées vos recherches ?

– Du mieux possible. Me serait-il possible d'avoir une photocopie de cette page ?

– Mais certainement.

Cinq minutes plus tard, il ressortait du théâtre, la photocopie soigneusement rangée par Rebecca dans une enveloppe en papier kraft, avec le programme de la saison en cours. « Il était quatre heures du matin, ou presque, quand ils sont rentrés », avait dit Helen Blacklock. « Trevor était à deux doigts d'appeler la police, tellement il était inquiet. » D'après Rob Shriver, ils étaient de retour à Chesterfield vers dix heures du soir. Ce qui laissait six heures que rien ne justifiait. Et c'était Paul Latham qui avait raccompagné Susan Blacklock chez elle.

Latham se trouvait dans la salle de réunion du collège, où il supervisait après les heures de cours un groupe de théâtre pour des élèves de douze ou treize ans. Pour l'instant, ils travaillaient par deux, élaborant une improvisation sur le thème de la personne que l'on prend pour quelqu'un d'autre. Certains travaillaient avec application, en tête à tête, d'autres tiraient profit de l'occasion pour brailler et gesticuler. Elder était sûr que l'enseignant l'avait vu, planté au fond de la salle près de la porte, mais il n'en laissa rien paraître. À la fin de l'exercice, il les fit tous asseoir en cercle, et demanda à certaines équipes de faire partager aux autres ce qu'ils avaient inventé. Applaudissements, rires, protestations, quelques paroles d'adieu de la part de Latham, et ils reprirent leurs manteaux, remirent leurs chaussures de ville à la place des chaussons à semelle souple, s'éloignant bruyamment en groupes de deux et trois.

– Je ne m'attendais pas à vous revoir de sitôt, fit Latham en haussant le ton.

– Je pensais que nous devions parler, dit Elder.

– Je vous écoute.

– Ici ?

– Pourquoi pas ? Quoi que vous ayez à me dire, je n'imagine pas que cela puisse être d'ordre strictement privé. Et de toute façon, il n'y a que les femmes de ménage pour nous entendre.

Elder fit deux pas en avant.

– C'est au sujet de Susan.

– Évidemment.

– De Susan et de vous.

– Écoutez, dit Latham, je vous ai déjà aidé une première fois et je l'ai fait sans rechigner.

– Ce fameux soir où vous êtes rentrés de bonne heure en minibus de Newcastle, lorsque la pièce a été annulée, c'est à ce moment-là que cela a commencé ?

Elder crut voir un tic crisper légèrement la joue de Latham, mais il n'en aurait pas juré.

– Je ne sais quelle élucubration étrange vous avez échafaudée...

– Ou bien était-ce quelque chose qui durait déjà depuis un certain temps ? Je parie que vous n'arriviez pas à le croire, qu'une chance pareille vous tombe du ciel, une telle occasion de passer tout ce temps avec elle.

– Vous savez, je suis surpris que vous ayez pu entrer si facilement, dit Latham. Ils sont tellement plus stricts, de nos jours, pour ce genre de chose. La présence de personnes étrangères à l'établissement.

À moins que vous ayez brandi sous le nez du gardien une ancienne ... comment appelle-t-on ça ? Une plaque de police ? C'est comme ça que vous êtes entré ?

– Six heures, reprit Elder. Six heures, et le minibus rien que pour vous deux. À moins que vous ne l'ayez emmenée chez vous ? Vous aviez largement le temps, je suppose.

– Je crois..., dit Latham en se dirigeant vers la porte, que je vais voir si je trouve le gardien. Il voudra peut-être même appeler la police.

– Attendez ! fit Elder.

Latham ralentit l'allure, mais ne s'arrêta pas.

– Ce n'est pas un jeu, vous savez, dit Elder. Une improvisation.

– Vraiment ? C'est dommage.


Quand Latham entra dans le parking du collège quarante-cinq minutes plus tard, Elder l'attendait, appuyé contre sa Ford vieillissante. Latham hésita, puis changea de direction et vint vers lui. Quand il s'arrêta, à quelques mètres d'Elder, ses bras étaient croisés sur sa poitrine.

– Je ne plaisantais pas. Je vous soupçonne d'avoir pensé le contraire, mais si vous continuez à me harceler, je vous assure que j'appelle la police.

– Ça m'étonnerait, dit Elder.

– Eh bien, vous vous trompez.

– Monsieur Latham, je sais que le soir où la pièce a été annulée, vous et votre groupe étiez de retour à Chesterfield entre neuf heures et demie et dix heures et demie au plus tard. J'ai des témoignages en ce sens. Je sais aussi que, selon la mère de Susan Blacklock, vous ne l'avez pas ramenée chez elle avant quatre heures du matin.

– C'est ce qu'elle dit ?

– Exactement.

– Alors, elle se trompe.

– Je ne le pense pas.

– Elle est bouleversée, obsédée par la disparition de sa fille. Dans son état, elle dirait n'importe quoi.

– Pourquoi ne pas dire la vérité ? Après tout ce temps, quel mal cela peut-il faire ?

– Quel mal ? (Latham sourit.) Vous devez me croire vraiment idiot.

– Malavisé, je dirais plutôt.

Latham laissa tomber ses bras le long de son corps, les mains serrées pour former des poings.

– Ce que vous sous-entendez, que j'ai eu une relation répréhensible avec une des élèves confiées à ma responsabilité, c'est faux. C'est une conduite que je n'envisagerais pas une seconde, et qu'en vérité je condamnerais. (Il s'éloigna d'un pas.) Si jamais vous deviez avoir des éléments pour étayer une telle allégation, je suis prêt à les réfuter en présence de mon avocat. En attendant, je vous saurais gré de me laisser tranquille.

Plongeant la main par la fenêtre ouverte de sa voiture, Elder prit l'appareil Polaroïd qu'il avait emprunté à Maureen un peu plus tôt. Le flash partit sous le nez de Latham, qui ne fut pas assez rapide pour masquer son visage avec son bras.

– Merci, dit Elder.

Montant dans sa voiture, il mit le contact, passa la première et démarra, l'image de Paul Latham s'amenuisant dans son rétroviseur.

## 28

Shane avait vendu les cartes de crédit de Pam Wilson, et toutes celles de Gerald Kersley sauf une. Il avait planqué l'argent dans une chaussette, au fond de son sac de sport. Même Angel ne savait pas où il se trouvait. De l'argent pour se tirer. De l'argent pour les coups durs. McKeïrnan lui avait appris ça. Même si tes fonds sont en baisse, garde toujours un petit quelque chose en réserve. Alors, si tu te retrouves vraiment au bout du rouleau et qu'il faut...

Il y avait d'autres choses, aussi, que McKeirnan lui avait apprises, des choses qui lui étaient restées dans la mémoire. Pas comme les noms des constellations, les noms des étoiles.

Toujours garder l'avantage, ne jamais rien révéler.

Toujours avoir quelque chose qui te donne une supériorité. Comme une lame, un couteau. Et si tu dois t'en servir, sois le premier à le faire. Prends le dessus. Garde ton calme, garde ta rage pour les situations où elle te sera utile. Ne la gaspille pas pour celles où elle ne fera que t'attirer des ennuis. Les ennuis, c'est pas ça qui te manquera, tu verras.

Et puis il y avait eu les conseils de McKeirnan sur les femmes, sur les filles : elles peuvent dire ce qu'elles veulent, les écoute pas ; elles aiment toutes qu'on les bouscule, qu'on les malmène, elles adorent ça. Qu'on soit brutal. Et puis ça... et ça...

Avec Angel, dans le sac de couchage, ça n'avait pas été pareil. Il y avait tellement peu de place pour bouger, qu'est-ce qu'on pouvait faire ? Mais maintenant ils avaient la caravane : de l'espace, de l'intimité. Ils étaient arrivés sur le champ de foire en fin de soirée, sans avoir envie de rien d'autre que de descendre deux ou trois bières, fumer deux ou trois joints, faire circuler des trucs sympas – des amphètes, quelques ecstas. Shane, qui commençait à planer, regardait Angel avec des arrière-pensées, et même si elle avait refusé pour sa part de prendre plus d'un ou deux joints, il se dit que ça n'avait pas d'importance. Une fois qu'ils seraient rentrés à la caravane, tout irait bien.

Dès qu'ils franchirent la porte, il l'agrippa par-derrière et la jeta à terre, tirant sa jupe par-dessus ses fesses et lui fourrant sa main entre les jambes. Comme elle hurlait, il lui plaqua une main sur la bouche, et quand elle lui mordit un doigt, il la gifla. Il l'empoigna de nouveau et elle lui fit lâcher prise, et il la frappa d'un coup de poing pour lui montrer qui était le patron. Puis, la plaquant de nouveau au sol, il lui écrasa un sein, se laissa tomber sur elle et introduisit en force ses doigts en elle, alors qu'elle était sèche et contractée.

– Shane ! Shane ! Shane ! Tu me fais mal ! Tu me fais mal ! Mais qu'est-ce qui te prend, merde !

Content de lui, il poussa plus fort encore, et Angel lui saisit le poignet et le bloqua de toutes ses forces.

– Shane, arrête ! Arrête ! Arrête ! Nom de Dieu, arrête !

Les larmes coulaient sur le visage d'Angel, des larmes mêlées de morve. Avec précaution, elle ramena ses jambes l'une contre l'autre et rabaissa sa jupe.

– Excuse-moi, dit Shane un moment plus tard. Excuse-moi, je croyais...

– Tu croyais quoi ?

Shane détourna la tête.

– Tu croyais que ça me plairait ? Tu croyais que c'était ça, que je voulais ?

– Oui.

Sa voix était à peine audible.

– Oh, Shane.

Lentement, Angel se pencha vers lui, posant son visage contre la poitrine de Shane, tout en haut, le haut de sa tête contre le menton du garçon, qui sentit sur son cou ses dernières larmes encore chaudes. Puis elle s'écarta de lui à nouveau, et le gifla, de sa main largement ouverte sur un côté de son visage, le frappant aussi fort qu'elle en fut capable. Pas une fois, mais deux.

– Ne recommence jamais ça avec moi. Jamais. Compris ?

Son visage lui cuisait, les larmes lui montaient aux yeux, Angel avait laissé une marque au-dessus de sa pommette avec l'ongle de son index, et pourtant, Shane ne fit rien. Il ne dit rien. Il resta à sa place. Même quand Angel sortit et referma la porte derrière elle.

Les règles de McKeirnan. Mais McKeirnan était en taule, avec encore, sans doute, dix ou douze ans à tirer avant de seulement envisager une demande de libération conditionnelle. Et lui, Shane, il était là, pour ainsi dire libre, dehors, au moins. Le remue-ménage qu'il y avait eu à sa sortie, ça s'était bien tassé, à présent. Quant à la police qui serait sur ses traces... Les flics avaient autre chose à faire, non ? Bien sûr, en revenant par ici il prenait un risque, mais s'il restait dans son coin, s'il évitait les embrouilles, il passerait peut-être au travers. Pourquoi pas ? Après toutes les vacheries qui lui étaient tombées dessus depuis toujours, est-ce qu'il n'avait pas le droit d'avoir un peu de chance ? Et puis, il avait Angel, non ? Du moins, c'est ce qu'il pensait. Et ça, c'était pas une preuve ?

Il crut qu'elle ne reviendrait pas, cette nuit-là. Il songea à aller la chercher, à lui parler pour se faire pardonner, mais non, elle se trouvait sûrement dans la caravane de Della, et la dernière chose qu'il souhaitait en ce moment, c'était de se mettre Della à dos. Alors, il resta là, sur les nerfs, la tête encore bourdonnante. Malgré la façon dont Angel avait réagi, il repensait à cet instant où il l'avait empoignée, jetée à terre, et quand il avait fait cela, il avait revécu les moments passés avec McKeirnan, avec McKeirnan et la fille. Lucy. Et toutes les choses qu'ils avaient faites. Les images s'estompaient, mais restaient quand même très claires dans sa mémoire. Il sentit sa verge durcir, et il pensait devoir se soulager tout seul quand la porte de la caravane s'ouvrit et Angel entra.

Dans l'obscurité, il tourna le dos à la silhouette de la jeune fille. Il l'entendit ôter ses vêtements, et il crut qu'elle allait dormir dans le fauteuil, ou même par terre dans le vieux sac de couchage, mais elle se glissa dans le lit derrière Shane et il retint son souffle lorsqu'elle se cala derrière lui, le dos tourné vers lui, leurs colonnes vertébrales se touchant à peine.

– Angel, dit-il dans un souffle au bout de quelques minutes.

Mais elle ne répondit pas, et un peu plus tard il se dit qu'elle devait dormir, et ce fut à ce moment-là qu'elle commença à parler, à lui raconter d'une petite voix claire ce qui lui était arrivé quand elle avait sept ans la première fois et puis encore quand elle en avait presque onze, et puis treize, et Shane sentit la colère monter en lui jusqu'à déborder et il resta figé, tendu, les poings crispés, ne souhaitant rien d'autre que d'aller à la recherche de ces salopards et de leur couper la bite et de les laisser se vider de leur sang et les suspendre la tête en bas en leur plantant des crochets de boucher à l'endroit où ils avaient une queue avant qu'il s'occupe d'eux. Et au matin, tandis qu'Angel dormait encore, il sortit son couteau et l'emporta jusqu'à l'évier et il le planta profondément dans la chair de sa main gauche et le laissa dans la plaie, regardant le sang qui s'en échappait.

– Qu'est-ce qui t'est arrivé ? demanda Angel quand elle fut levée, remarquant le pansement sur sa paume.

– Rien. Un accident.

– Tu veux une tasse de thé ? proposa Angel en passant près de lui.

– Ouais, pourquoi pas ?

Il y avait encore un peu de sang dans l'évier, quelques éclaboussures, et elle les nettoya en attendant que l'eau se mette à bouillir.

Tout se passa bien jusque vers la fin de l'après-midi. Ni Shane ni Angel ne reparlèrent de ce qui s'était passé entre eux la nuit précédente. Angel alla préparer son stand de jeu de fléchettes et Shane commença à nettoyer le toboggan. On entendait de la musique en provenance des autos tamponneuses, bien qu'il n'y ait pas encore de visiteurs sur le foirail et que les autos ne fonctionnent pas encore. La musique lui donnait la pêche, il connaissait certains des morceaux pour les avoir entendus en taule, des chansons qui étaient peut-être de Queen ou d'Abba, et puis il y eut Elvis – *All Shook Up*, *Teddy Bear* et *Loving You*, que Shane chanta en même temps que le disque tout en travaillant, se rappelant ce que McKeirnan avait dit d'Elvis Presley, qu'il aurait dû mourir quand il était jeune et mince, pas vieux et obèse, et Shane ne savait toujours pas si McKeirnan avait raison ou pas.

À présent, les premiers clients de la journée commençaient à arriver au compte-gouttes, des gamins surtout, par petits groupes, des mômes de dix et onze ans, et puis des plus jeunes avec leur mère et plus rarement avec leur père. Shane n'avait pas une seconde à lui, car il devait encaisser l'argent, rendre la monnaie, s'assurer que tous les gamins ôtaient leurs chaussures avant de grimper à l'échelle de corde pour la première fois, garder en tête combien de tours chacun avait faits et les obliger à redescendre s'ils essayaient de resquiller, ou soutirer à leurs parents l'argent du tour supplémentaire, ce qui était encore mieux.

Le temps passa vite, de cette façon, et cela lui permit de ne plus penser à ce qui venait de se passer ou à ce qui risquait d'aller mal à l'avenir.

Au début de la soirée, il vit qu'Angel prenait une pause, assise avec quatre ou cinq gars, des forains, presque tous, et puis un type qu'il ne reconnut pas. Cela lui prit un peu de temps, mais il finit par trouver quelqu'un pour le remplacer un moment, et il partit rejoindre le groupe. Craig, des autos tamponneuses, se chargea des présentations. « Ça, c'est Brock », dit-il, et Brock, vu de plus près, se révéla être un de ces rockers barbus avec un gros bide qui aimaient se donner le titre de Hell's Angel. Shane en avait rencontré quelques-uns en taule, et un paquet d'autres quand il était avec McKeirnan. Celui-là, il avait des tatouages tout le long des bras et autour du cou, et puis un serpent et une tête de mort côte à côte sur son bide gras et blanchâtre qui débordait par-dessus sa ceinture. Son T-shirt se souleva quand il se pencha en arrière, s'esclaffa, rota, et rit de nouveau.

– Tiens ! fit-il en lançant à Shane une Heineken sortie du pack posé à ses pieds.

Shane l'attrapa, souleva l'opercule, et un jet de bière sous pression l'éclaboussa, ce qui fit rire Brock de plus belle.

– Putain, le gâchis ! fit-il. (Puis, lançant vers Angel un regard salace :) Ce qu'on aurait dû faire, c'est arroser la petite, là, ça nous aurait fait du spectacle.

– Pas la peine d'y penser, dit Angel.

Shane serra les dents.

Après une autre bière ou deux, Brock et Craig se lassant de comparer les mérites respectifs des Norton et des Kawasaki, la discussion revint on ne sait comment sur Angel, qui ne saurait jamais vraiment ce que c'était de se faire sauter tant qu'elle n'aurait pas essayé sur la selle d'une Harley.

– Tu peux toujours rêver, fit Angel.

Aussitôt, elle se leva pour partir.

C'est à cet instant précis que Brock tenta maladroitement de l'attraper au passage. Pour l'éviter, elle faillit trébucher. Shane, bondissant sur ses pieds, conseilla au motard de la laisser tranquille et de ne pas poser ses grosses pattes sur elle.

– Si je me marrais pas autant, dit Brock, je t'arracherais la tête, merdeux, et je te l'enfoncerais dans le cul.

Ce qui fit hurler de rire Craig et les autres, Brock encore plus que tout le monde, surtout quand Shane tourna les talons pour s'éloigner, suivi par les huées des railleurs.

Angel, ne sachant pas ce qu'il avait en tête, tenta sans trop y croire de l'intercepter, mais Shane l'écarta et alla tout droit à la caravane. Il en ressortit presque aussitôt et revint très vite vers le groupe qu'il venait de quitter. Pressant le pas sur les dix derniers mètres, il planta son couteau dans le ventre de Brock, et remonta la lame en entaillant la chair pâle et flasque.

Brock le fixa, les yeux grands ouverts, bouche bée, trop stupéfait d'abord pour hurler ou appeler à l'aide, les deux mains plaquées sur son abdomen comme pour l'empêcher de se vider. Shane lui cracha au visage et repartit, un bras passé autour des épaules d'Angel, la ramenant à la caravane. Et personne ne les suivit. Personne, sur le moment, n'osa le faire.

Quand la porte fut refermée, Shane laissa tomber le couteau sur le plancher, entre eux deux.

– T'étais pas obligé de faire ça, dit Angel.

– Si, répondit Shane. Il fallait que je le fasse, bordel !

Prenant ses affaires sur l'étagère étroite, il les fourra dans son sac. Un T-shirt, un pull mince, des sous-vêtements.

– Qu'est-ce que tu fais ?

– À ton avis ?

Angel se détourna, les yeux fermés.

Alors que Shane allait vers la porte, son bras frôla celui d'Angel.

– Tu reviendras ? demanda-t-elle.

– Peut-être, ouais. (Se baissant, il ramassa le couteau et le glissa dans son sac.) Dis à Otto que je serai là dans deux ou trois jours, d'accord ?

Plutôt que de le regarder partir, Angel se hâta de refermer la porte de la caravane.

## 29

Elder reçut son tout premier texto le samedi matin. Envoyé par Katherine. Quand il y eut ajouté les voyelles et les consonnes nécessaires et une dose de bon sens, il comprit que sa fille participait à une réunion d'athlétisme interclubs l'après-midi même à Loughborough. Pourquoi ne viendrait-il pas?

Katherine participait au deux cents mètres et au relais quatre fois cent, qui n'étaient sans doute ni l'un ni l'autre sa meilleure distance, mais lui permettaient de travailler sa pointe de vitesse. Et puis, Katherine n'était pas la seule de son club à participer au concours. Il n'y avait pas beaucoup de spectateurs, mais la piste était bonne, et le temps presque parfait : une chaleur très supportable, et le genre de vent que l'on pouvait qualifier de brise légère. Katherine s'était vu attribuer le couloir extérieur dans le deux cents mètres, ce qui est très bien si vous aimez entrer en tête dans le virage, en ayant l'impression d'être seul sur la piste, et beaucoup moins bien en ce sens que, à moins de tourner la tête, vous n'avez aucune idée, pendant longtemps, de l'endroit où se trouvent les autres concurrents, et tourner la tête n'est pas du tout une chose à faire.

Après la mi-course, alors que le décalage du départ commençait à s'effacer, Katherine semblait solidement installée en tête ; au milieu de la ligne droite, en vue de l'arrivée, trois autres concurrentes surgirent soudain, revenant sur elle. Dans les derniers mètres, Katherine les vit du coin de l'œil et puisa dans ses réserves, pour un dernier sursaut qui ne se matérialisa pas tout à fait. Ex æquo pour la troisième place, pensa Elder, impossible de la départager de la fille des Loughborough Harriers. Mais quand les résultats furent proclamés, Katherine se retrouva classée quatrième, battue de cinq centièmes de seconde.

Il se tenait près d'elle à l'annonce des résultats. Se rappelant ce qui s'était passé au stade de Harvey Hadden, il redoutait de la voir céder à la déprime, ou pire encore, mais non, elle prit la chose avec philosophie.

– Voilà ce que je dois travailler, ma vitesse dans le dernier tiers.

Dans le quatre fois cent, elle courait le troisième relais. Quand elle prit le témoin, son équipe avait une légère avance que Katherine augmenta sensiblement, et la dernière relayeuse n'eut plus qu'à assurer la victoire, franchissant la ligne les bras levés, avec plusieurs mètres d'avance.

Après la réunion, Elder s'acheta une cannette de Coca et s'assit avec son livre, s'efforçant d'empêcher son esprit de vagabonder vers d'autres sujets : Helen Blacklock, là-haut, à Whitby, qui espérait avoir des nouvelles, l'estomac noué à chaque fois que le hasard faisait sonner le téléphone ; Shane Donald toujours en liberté, quelque part dans la nature.

– Papa... ? (Katherine venait vers lui, accompagnée de deux autres filles, dont, lui sembla-t-il, une des relayeuses.) Ce serait possible qu'on ramène Alison et Justine ?

– Ça ne pose aucun problème.

Elder se leva de son siège, Katherine fit les présentations de manière un peu plus formelle, et ils se serrèrent tous la main. Après quelques bouchons provoqués par le sens unique, ils rejoignirent l'A60 qui les emmènerait à Nottingham en passant par Bunny et Ruddington.

– Qu'est-ce que tu fais, ce soir ? demanda Elder en inclinant la tête vers Katherine, assise près de lui.

Comme elle ne répondait pas tout de suite, l'une des filles assises à l'arrière prit la parole à sa place.

– Elle a un rendez-vous galant, monsieur Elder.

Les deux filles gloussèrent.

– C'est vrai, Kate ? demanda Elder.

– Bien sûr que non, répliqua Katherine. Elles disent des bêtises.

Mais elle rougissait malgré elle. Sa fille, qu'il croyait mûre, redevenait soudain une gamine de douze ou treize ans.

– Et toi, papa ? demanda-t-elle un peu plus tard. Qu'est-ce que tu mijotes ?

– Oh, rien de spécial.

– Tu n'as pas de bandits à attraper ?

– Il y a un certain temps que je ne fais plus ça, Kate, tu as oublié ?

– Ah, bon ?

Elder ne fit pas de commentaire.

– Maman est à la maison, tu sais, dit Katherine. Et je te parie ce que tu veux qu'elle est toute seule ce soir. Pourquoi tu ne lui passerais pas un coup de téléphone ?

– Je vais y réfléchir.

Ils savaient l'un comme l'autre qu'il ne ferait rien de plus.


Maureen lui avait dit qu'elle le retrouverait au Chand, un restaurant indien près du pied de la côte de Mansfield Road, entre dix heures moins le quart et dix heures et quart.

– Je regrette de ne pas être plus précise, Frank. Il y a quelqu'un que je dois voir.

Un indic, supposa Elder. Pour Maureen, c'étaient des heures supplémentaires non payées.

– Ne t'inquiète pas, dit-il, j'apporterai un bouquin.

– D'accord. Et puis, Frank...

– Oui ?

– On ne parle que de boulot, compris ?

– Compris.

Il se rendit compte qu'il aurait dû garder pour lui les pensées que lui inspirait Maddy Birch.

En arrivant au restaurant, vers dix heures, Elder commanda des popadoms avec du chutney et une bouteille de Kingfisher, puis il ouvrit son bouquin. David Copperfield, pas très perspicace quand il s'agissait de juger les gens, s'était fourré dans un vrai pétrin à cause de son meilleur ami, qui venait de s'enfuir avec la nièce, jeune et sans défense, d'un pêcheur de Yarmouth. Yarmouth... En pensée, Elder suivit la côte de la mer du Nord : Great Yarmouth, Cromer, Skegness, Mablethorpe, Cleethorpes, Bridlington, Scarborough, Whitby.

– Tu fais un peu pitié, tu sais, Frank, assis tout seul comme ça, dit Maureen. Avec ton livre pour toute compagnie.

– J'ai connu pire, répliqua Elder en glissant dans le volume l'enveloppe qui lui servait de marque-page.

Maureen s'installa. Quand le serveur apparut, elle commanda une pinte de bière.

– La même chose ? demanda-t-elle, désignant le verre d'Elder à présent presque vide.

– Je vais le faire durer, répondit Elder en secouant la tête.

Maureen sourit.

– Toujours aussi prudent.

– Tu me connais.

Du sac en plastique accroché au dossier de sa chaise, il sortit le Polaroïd de Maureen et le posa sur la table.

– Merci de m'avoir prêté ça.

– Tu t'en es servi?

Rouvrant son livre, il sortit de l'enveloppe une photo qu'il fit glisser vers Maureen.

– Hmm, fit-elle. Plutôt beau mec dans le genre artiste.

– Apparemment.

– Raconte-moi.

Ce qu'il fit, n'interrompant son compte rendu que le temps de passer leur commande.

– Maintenant, donc, dit Maureen quand il eut terminé, tu as une raison de ne pas l'aimer, mais aucune preuve.

Hochant la tête, Elder reprit la photo de Paul Latham alors que les plats arrivaient. Un poulet *rogan josh*, un agneau *pasanda*, un riz pilaf, des pommes de terre aux épinards, d'autres *popadoms* et un *nan peshwari*.

– Les collègues qui ont enquêté sur la disparition de Susan Blacklock, à l'époque, ils n'ont pas interrogé Paul Latham?

Sans cesser de mâcher, Elder secoua la tête.

– Donc, s'il couchait avec elle à ce moment-là, il n'a aucune raison de l'avouer aujourd'hui, de compromettre sa carrière.

– Sans doute pas.

– Il ne bouge pas, il espère que ça va se tasser sans qu'il soit impliqué. Il devait se dire qu'il avait bien joué le coup, avant que tu viennes fourrer ton nez dans cette vieille histoire. Et même maintenant, tu n'es sûr de rien. Je veux dire, suppose qu'il ait vraiment ramené Susan chez lui. Cinq ou six heures avec une fille ravissante. Pour ce que tu en sais, ils ont pu les passer à lire cette satanée pièce qu'ils n'avaient pas pu voir. En buvant du thé.

– C'est possible, reconnut Elder.

– Tout est possible, Frank. S'il y a bien une chose qu'on apprend dans ce métier, c'est ça : tout est possible.

L'agneau était tendre, pas trop épicé, le *rogan josh* riche et onctueux grâce à la tomate.

– Même s'il la sautait, fit Maureen, ça ne veut pas dire qu'il ait été impliqué dans sa disparition.

– Je le sais bien.

– Mais tu as comme une intuition.

– Quelque chose comme ça.

Maureen sourit.

– Ce ne serait pas la première fois que tu te trompes.

– Merci bien.

– Sérieusement, dit-elle, qu'est-ce que tu vas faire, maintenant ?

Elder haussa les épaules.

– Aller dans le Yorkshire avec cette photo, la montrer à des gens. Pour voir si ça leur rappelle quelqu'un.

Maureen posa sa fourchette.

– C'est peut-être ce que tu aurais dû faire avant de le prendre à partie.

– Tu dois avoir raison.

Ils gardèrent le silence un moment, se concentrant sur le contenu de leur assiette. Le restaurant se remplissait, à présent, à l'approche de l'heure de la fermeture. Elder posa à Maureen des questions sur son travail. Un père de famille qui avait tué sa femme et ses trois enfants, puis tenté sans succès de se suicider. Une mort suspecte à la suite de laquelle le corps avait été exhumé. Une fusillade, probablement liée à une affaire de drogue, dans le quartier de St Ann. L'enlèvement d'un gamin de cinq ans au nord du comté, une demande de rançon à laquelle les parents avaient cédé avant d'appeler la police, les ravisseurs prenant leur argent sans leur rendre l'enfant. Il était clair, à la façon dont Maureen racontait l'histoire, qu'elle soupçonnait l'un des parents d'être complice.

– Tu es donc très occupée, conclut Elder.

– Pas surmenée, mais presque, dit Maureen.

Elder se recula contre son dossier lorsque le serveur se pencha pour débarrasser la table.

– Café ?

– Allons-y pour un café.

Les deux tasses venaient d'arriver, accompagnées de plusieurs chocolats fourrés à la menthe et de l'addition, quand un téléphone se mit à sonner.

– Le tien ou le mien ? demanda Maureen avec un sourire en plongeant la main dans son sac.

Sans trop savoir pourquoi, l'idée qu'Elder puisse avoir son propre portable l'amusait.

Elle écouta quelques instants, le visage de plus en plus grave.

– D'accord, fit-elle au téléphone. J'arrive. (Puis, s'adressant à Elder alors que, se levant, elle cherchait son portefeuille pour régler l'addition :) On signale une disparition. Une fille de seize ans à peine. La dernière fois qu'on l'a vue, c'était au parc de Rufford, cet après-midi, juste avant quatre heures.

## 30

En cette matinée de début juin, Emma Harrison avait quitté la maison familiale à Beeston, près de Nottingham, un peu après neuf heures et quart. Sa mère avait emmené en voiture Emma et sa petite sœur Paula au centre-ville, le but de l'expédition étant expressément d'acheter une paire de chaussures à Paula. Quant à Emma, elle la déposerait près du rond-point de Friar Lane, à deux pas de la place de l'ancien marché où elle avait rendez-vous avec ses amies Alison et Ashley. Emma, qui n'était pas toujours des plus avenantes le samedi avant midi, s'était montrée ce matin, pensait sa mère, particulièrement de bonne humeur, polie et enjouée. À un certain moment, au cours de leur trajet plutôt bref, alors qu'elles suivaient le boulevard de l'université, Mme Harrison avait demandé à Paula de bien vouloir arrêter de donner des coups de pied dans le dossier de son siège, à quoi Paula répondit qu'elle n'avait rien fait, s'empressant de recommencer. C'était Emma qui avait arrangé les choses, faisant naître un sourire sur les lèvres de sa mère tout en empêchant sa petite sœur de se réfugier dans l'une de ces bouderies propres aux enfants de dix ans qui aurait pu gâcher toute la sortie. Elle grandit, se dit Mme Harrison, elle mûrit, elle accepte les responsabilités.

– Tu ne rentreras pas tard ? demanda Mme Harrison, se penchant vers la fenêtre ouverte de la portière qu'Emma venait de refermer derrière elle.

Mme Harrison s'était garée le long du trottoir dans une zone de stationnement interdit, bloquant en partie la file de gauche.

Emma passa la tête dans l'habitacle.

– Maman, on a déjà parlé de tout ça. Le père d'Alison vient nous prendre, et ensuite il me ramène à la maison, d'accord ?

– Très bien. Mais n'oublie pas que ton père et moi allons au théâtre. Tu dois garder ta sœur.

Depuis le siège arrière, Paula émit un gémissement de douleur feinte.

– D'accord, maman. Ne t'inquiète pas.

– Alors, à tout à l'heure. Amuse-toi bien.

Pendant un moment, alors qu'elle se glissait de nouveau dans le flot des voitures, Mme Harrison jeta quelques regards à l'image de sa fille dans le rétroviseur. Puis elle la perdit de vue, concentrée sur le changement de file qui allait lui permettre d'entrer dans le parking adjacent à Derby Road.

Emma revint sur ses pas pour emprunter le passage souterrain, regardant son reflet dans une vitrine sur sa droite. Jupe en jean, dos nu à fleurs, cheveux noués haut derrière la tête, sandales roses, un petit sac de chez Accessorize, garni de perles, pendu à l'épaule.

Alison et Ashley l'attendaient déjà, assises près de la fontaine, les jambes pendant dans le vide. Ashley trimbalait un sac à dos plein à craquer ; sa mère avait insisté pour qu'elle emporte des provisions, des sandwiches et des chips, de l'eau minérale en bouteille, de la crème solaire, un pull de rechange et un imperméable en plastique qui se rangeait plié dans une pochette de la taille d'un livre.

– Bon sang, maman, s'était plainte Ashley, on prend le bus, on traverse pas l'Atlantique. Et puis, il y a une excellente cafétéria, là-bas.

– Ne gaspille pas ton argent de poche, avait répliqué sa mère en la poussant vers la sortie. Garde-le pour acheter autre chose de plus intéressant.

Pendant l'été, pour le week-end et les jours de congé, des bus spéciaux desservaient le parc de Rufford, puis celui de Clumber et l'abbaye de Newstead. À Rufford, ce jour-là, près d'une exposition de sculptures qui s'étendait jusqu'au lac à travers les jardins, il y avait quatre orchestres locaux qui jouaient pour les visiteurs. Alison avait juré à ses copines que le chanteur de l'un d'eux était le portrait craché de Robbie Williams – Robbie Williams avant qu'il devienne trop vieux. Cette journée en plein air promettait d'être géniale.

Les trois filles passèrent la première demi-heure à traîner dans la boutique installée dans les anciennes écuries, tout près d'acheter, sans jamais se décider, des bagues, des bracelets, des cartes peintes à la main et autres objets de style artisanal. Puis Alison voulut aller à la cafétéria parce qu'elle avait vu des garçons partir dans cette direction ; mais quand elles y arrivèrent, elle décréta qu'ils ne lui plaisaient pas du tout, finalement – du Alison tout craché, ça. Alors, elles se perchèrent sur des tabourets près du mur du fond pour rire ensemble, et plaisanter, Emma et Ashley taquinant Alison à un tel point que celle-ci finit par partir comme une furie, rouge de colère, vers les toilettes.

Une fois Alison calmée et les trois copines rabibochées, Emma suggéra qu'elles suivent l'alignement de sculptures jusqu'au fond du parc, mais les deux autres votèrent contre son idée et elles allèrent plutôt du côté du lac, pour s'asseoir sur un banc et manger les sandwiches d'Ashley, jetant les miettes à une flopée sans cesse grandissante d'oies et de canards piailleurs.

– Allez, venez ! fit Alison en bondissant sur ses pieds. La musique commence.

Le groupe était nul, pensa Emma, des purs folkeux, qui jouaient le genre de trucs que ses parents écoutaient quand ils invitaient des amis à dîner et qu'ils s'installaient ensuite au salon en faisant semblant de ne pas fumer du shit. Ensuite, il y eut un vrai boys' band, genre Boyzone, mais avec de l'acné, et tous les mômes de huit, neuf ans et leurs grands-mères adorèrent aussitôt, et Ashley proposa à ses copines de retourner à la cafète, mais Alison avait accaparé une bonne place, et elle ne voulait pas la perdre. C'est pourquoi les filles se séparèrent un moment, Emma empruntant le pull de rechange d'Ashley parce que le ciel se couvrait et qu'elle commençait à avoir la chair de poule avec seulement son dos nu.

La file d'attente pour se faire servir un café prit une éternité, et celle des toilettes aussi, et quand les deux amies eurent finalement fendu la foule pour rejoindre Alison, le troisième groupe jouait déjà son deuxième morceau. « Vous voyez ce que je veux dire ? » hurla Alison pour se faire entendre malgré la sono. Le chanteur, pensa Emma, ressemblait plus à Gareth Gates qu'à Robbie Williams jeune, mais celui qu'elle trouvait sexy, vraiment sexy, c'était le bassiste aux cheveux peroxydés, avec son jean moulant en peau de serpent. Elle poussa ses copines du coude et elles s'esclaffèrent toutes les trois, comprenant ce qu'Emma voulait dire, et bien vite elles se mirent à sauter et à danser sur place, et c'était aussi génial qu'elles l'avaient espéré. Absolument génial.

Quand le groupe termina son dernier morceau, le batteur jetant ses baguettes aux spectateurs pendant que le chanteur leur soutirait quelques derniers applaudissements et que le bassiste se tenait à l'écart, beau comme un dieu, incroyablement cool, Emma annonça qu'elle devait retourner aux toilettes, et Ashley, regardant sa montre, dit qu'il fallait se grouiller parce que le bus partait dans vingt minutes, et elles décidèrent de se retrouver à l'arrêt du bus, de l'autre côté du parc, pour prendre celui de quatre heures. À la montre d'Ashley, il était trois heures quarante et une.

Ni Alison ni Ashley ne revirent jamais Emma.

À moins dix, comme elle n'était toujours pas là, les deux filles foncèrent à la cafétéria, la cherchant dans la salle, aux toilettes, dans la boutique, mais elle n'était nulle part. De retour au bus, elles supplièrent le chauffeur d'attendre un peu, ce qu'il fit pendant deux ou trois minutes, Alison et Ashley espérant malgré tout qu'Emma surgirait au dernier moment.

Le chauffeur annonça qu'il devait partir.

– Qu'est-ce qu'on va faire ? demanda Ashley.

– Il faut qu'on monte dans ce bus, répondit Alison. C'est le dernier de la journée.

Dès que le bus arriva à la gare routière de Victoria, elles racontèrent au père d'Alison ce qui s'était passé. Les lèvres pincées, il les emmena en voiture chez les parents d'Emma, qui confièrent aussitôt Paula, la petite sœur d'Emma, à une voisine, et se rendirent eux-mêmes au parc de Rufford à la recherche de leur fille.

Peu après neuf heures, ce soir-là, ils entraient au commissariat central de Nottingham pour signaler sa disparition.

Cette nuit-là, le rêve d'Elder revint de plus belle. Une chair molle qui se pressait, visqueuse, contre la sienne, quelque chose de vivant qui se tortillait sous ses pieds et qui céda lorsqu'il monta l'escalier. La couverture, élimée, jetée sur le lit, sa main qui en agrippe le bord graisseux tandis qu'il détourne les yeux, retenant sa respiration à cause de la puanteur ; au moment où il allait l'arracher pour révéler ce qu'elle cachait, Dieu merci, il se réveilla.

Le cri qui se dissipa dans l'atmosphère n'était autre que le sien.

Le T-shirt dans lequel il dormait était trempé de sueur ; sa peau était brûlante et glacée.

Dans la salle de bains, il se dénuda, se frotta avec une serviette, s'aspergea le visage d'eau froide. Le visage qu'il découvrit dans le miroir était plus âgé que celui qu'il avait l'habitude de voir. C'était le visage d'un homme qui en avait trop vu.

Au rez-de-chaussée, Willie Bell était assis à la table de la cuisine, devant une bouteille de whisky entamée, et le verre d'Elder était déjà rempli.

– C'est à cause de la gamine du parc de Rufford ? demanda Willie.

– Je crois bien.

– Peut-être qu'elle rentrera chez elle demain matin, la tête basse, dit Willie.

– Peut-être.

Ni l'un ni l'autre n'y croyaient.

## 31

Au moment précis où Elder franchissait le sommet de la côte, le soleil perça les nuages, éclairant le ruban de bitume qui plongeait en une courbe serrée puis grimpait de nouveau, en ligne droite, entre la bruyère et les ajoncs. Avant de quitter Nottingham, il avait appelé Helen Blacklock, s'empressant de lui dire qu'il n'avait rien découvert de nouveau, rien de primordial, mais qu'il aimerait tout de même lui parler ; si elle était libre ce soir, il pourrait peut-être l'inviter à dîner.

– Pourquoi ne pas venir chez moi ? dit-elle. Si vous ne craignez pas de goûter à ma cuisine. Je quitte mon travail à six heures, laissez-moi le temps d'acheter quelques bricoles sur le chemin du retour. Disons... huit heures ?

– D'accord.

– Ce n'est pas trop tard pour vous ?

– Non, ça me convient très bien.

Il aurait donc la majeure partie de l'après-midi pour voir quels souvenirs, à supposer qu'il y en ait, sa photo de Paul Latham ferait peut-être ressurgir. De toutes les pistes douteuses, il s'en rendait bien compte, celle-ci était la plus improbable.

– Écoutez, dit Kelly Todd, et si vous me laissiez vous faire les ongles ? On pourra parler pendant ce temps-là.

Elder n'était pas enthousiasmé par sa proposition, elle le voyait bien.

– Ça n'a rien d'efféminé, vous savez. Il y a toutes sortes d'hommes, aujourd'hui, qui viennent chez la manucure. Vraiment tous les genres, vous seriez surpris. Ils viennent au salon chercher leur femme, et pendant qu'ils attendent, je les installe dans le fauteuil. En plus, j'ai deux clientes qui se sont décommandées cet après-midi, et je m'ennuie à mourir. Venez, débarrassez-vous seulement de cette veste. C'est ça.

Elder s'assit, déboutonna ses poignets de chemise, et commença à remonter ses manches.

Vêtue de rose, aujourd'hui, les lèvres rutilantes grâce à un fard assorti, les cheveux relevés très haut sur la tête et maintenus par des épingles, Kelly approcha le chariot chargé de son petit matériel et se plaça en face de lui.

– Regardez-moi ça, dit-elle en prenant l'une des mains d'Elder, vous avez vu dans quel état ils sont, vos ongles ? Vous les rongez, hein ? Certains d'entre eux. Enfin, la plupart des hommes font ça. (Quand elle souriait, elle paraissait plus jeune de plusieurs années, presque insouciante.) Aucune loi ne vous interdit d'utiliser une lime à ongles, vous savez. Dans l'intimité de votre salle de bains, bien sûr.

Elle s'esclaffa, et son rire était étonnamment léger. Elder capta dans son haleine un mélange de tabac et de pastille de menthe.

– Redonnez-moi donc cette main. Voilà. (Elle la plongea dans un bol d'eau tiède et savonneuse.) Alors, vous n'avez rien trouvé ? Pour Susan ?

– Rien de concluant, non.

– Évidemment. Sinon, vous ne seriez pas revenu, je m'en doute bien. Et puis, il y aurait eu quelque chose dans le journal. Si on avait découvert un corps, je veux dire.

Elder hocha la tête.

– Pour être franche, après tout ce temps, ça m'étonne que vous cherchiez encore. (Sortant la main d'Elder du bol, elle commença à la tapoter avec une serviette pour la sécher.) Cette gamine qui vient de disparaître, du côté de Nottingham, c'était aux informations ce matin, ce n'est pas vous qui vous en occupez, par hasard ?

– Non, pas vraiment.

– Pauvre môme. Seize ans, c'est ça ? (Kelly secoua la tête.) Quelle tristesse.

– Elle pourrait encore réapparaître, c'est tout récent.

Elle s'arrêta de travailler pour regarder Elder.

– Vous êtes obligé d'y croire, non ? Au début, du moins. Un peu comme les parents, je suppose.

– Des jeunes qui disparaissent, des gamins, cela arrive tout le temps. D'accord, ils peuvent très bien avoir fait une fugue, dormir à la belle étoile. Mais dans la plupart des cas... Il ne leur arrive rien, ils sont bien vivants.

Il connaissait les chiffres. Il savait que, statistiquement, même si les médias se repaissaient d'affaires scabreuses, le nombre des crimes commis contre les enfants et les adolescents était en diminution. Entre 1988 et 1999, en Angleterre et au Pays de Galles, le nombre d'enfants de cinq à seize ans victimes d'assassinat est descendu de quatre à trois pour un million. Pour les moins de cinq ans, le chiffre est tombé de douze à neuf pour un million. Au cours de la même période, les outrages à la pudeur commis sur des enfants ont chuté de plus de vingt pour cent. Et la plupart des décès d'enfants, il le savait, survenaient dans le cadre du foyer, et non à l'extérieur. Rarement au bord d'une falaise ou dans les buissons d'un parc. Les adultes qui maltraitaient ou agressaient un enfant étaient surtout des membres de sa propre famille – une vérité bien trop dérangeante pour beaucoup d'esprits qui refusaient d'y croire ou de la comprendre.

– Vous pensez toujours que Susan est peut-être vivante quelque part, alors ? dit Kelly. Qu'elle mène une tout autre existence ?

Elder soupira.

– Je n'en sais rien.

– Ne bougez pas. Laissez-moi seulement m'occuper de ces cuticules.

Une jeune femme passa la tête depuis la partie coiffure du salon et demanda à Kelly si elle désirait une tasse de thé.

– Oui, je veux bien.

– Un thé ? proposa la coiffeuse à Elder.

– Non, merci.

Le moment était venu pour Elder de faire tremper son autre main.

– La première fois que nous avons parlé, dit-il, vous avez fait allusion à un garçon du groupe de théâtre qui aurait eu le béguin pour Susan.

– Oui, c'est exact.

– Est-ce que le nom de Rob vous rappelle quelque chose ? Rob Shriver ?

Tout en lui séchant la main droite, Kelly réfléchit à la question.

– Non. Non, je regrette. Vous n'avez pas fait tout ce chemin pour me demander ça ?

– Non. (Pivotant sur son fauteuil, il plongea la main dans la poche intérieure de sa veste et en sortit une enveloppe.) Regardez là-dedans.

Avec précaution, Kelly en sortit la photo.

– Il m'a l'air un peu surpris, non ?

– Vous le reconnaissez ?

Kelly secoua la tête.

– Je ne pense pas. Désolée.

La coiffeuse apporta une tasse de thé, la posa sur le bord du chariot, et repartit sans dire un mot.

– Qui est ce type ?

– Il dirigeait le groupe de théâtre auquel appartenait Susan.

– Un prof ?

– Oui.

– Et vous pensez qu'ils auraient pu...

Son expression termina sa phrase à sa place.

– C'est possible.

Kelly prit le polaroïd de nouveau et l'examina attentivement.

– Oui, je suppose.

– Qu'est-ce que vous voulez dire ?

– Quand je regarde cette photo... Enfin, je ne sais pas quel genre d'homme il était vraiment, bien sûr, il s'est peut-être conduit comme le dernier des salauds, mais... Non, il a l'air, ma foi, sympathique, en quelque sorte. C'est facile à imaginer, que Susan puisse s'enticher d'un homme comme lui. Ça se voit à ses yeux, vous voyez ? Là. Regardez. Les yeux.

Elder regarda. La sympathie, ce n'était pas nécessairement ce qu'il voyait dans les yeux de Paul Latham.

– Elle n'a jamais mentionné son nom, Latham, quand elle parlait de l'école ou de quoi que ce soit ?

– Jamais. Pour autant que je m'en souvienne.

– Et vous ne l'avez jamais vu auparavant ?

– Je regrette.

– Bon. Tant pis.

– Attendez, dit Kelly, laissez-moi remettre cette photo dans l'enveloppe avant qu'il lui arrive des malheurs avec du vernis ou autre chose. Et après, je vais m'occuper de ces ongles, qui sont un peu trop carrés, je trouve. Je vais les polir et ils seront superbes. Vous vous sentirez mieux, aussi, vous verrez.

Christine Harker était à son travail, chez le marchand de fruits et légumes du port, près du pont basculant. De part et d'autre, sa blouse verte était noircie par le frottement constant de ses mains. Quand Elder entra, elle le reconnut tout de suite, le saluant d'une brève inclination de la tête avant de continuer à servir une cliente d'âge mûr – une femme qui semblait avoir sensiblement le même âge qu'elle-même et qui désirait des oignons, des courgettes et du chou.

– Comment ça va ? s'enquit Elder quand elle eut rendu la monnaie à sa cliente.

– On peut pas se plaindre.

– Je me demandais si je pouvais vous montrer une photo ?

Christine Harker plissa les paupières.

– Bien sûr.

Elle prit le polaroïd entre le pouce et le majeur. Elder s'attendait à ce qu'elle le lui rende aussitôt, mais cela ne se produisit pas. Plus elle examinait le cliché, plus Elder sentait ses tripes commencer à se contracter, se nouer.

Puis, finalement :

– Non, dit-elle. Je ne crois pas que ce soit lui.

– Vous ne croyez pas que ce soit qui ?

– L'homme que j'ai vu en train de lui parler.

– Continuez.

Les tripes d'Elder se nouèrent sérieusement.

– Ça m'est revenu après votre visite, il y a une semaine environ, quand vous êtes venu me voir au parc de loisirs. Le fait de vous avoir parlé, ça a dû remuer des souvenirs, je pense. J'aurais dû vous appeler aussitôt, sans doute. Au cas où ce serait important, vous savez.

Une nouvelle cliente entra dans le magasin, et une vendeuse vêtue d'une blouse semblable à celle de Christine sortit de l'arrière-boutique pour la servir.

– Vous avez vu Susan parler à un homme, insista Elder.

– Oui. Ce devait être la veille du jour où elle a disparu.

– Le lendemain de celui où vous avez entendu Susan et son père, Trevor, se disputer ?

– Oui. J'ai d'abord cru que c'était lui, son père. Mais non. Quelqu'un de plus âgé qu'elle, une quarantaine d'années, peut-être. L'âge de Trevor, à peu près, mais c'était pas lui.

– Cela se passait où ?

– Juste à côté de l'entrée principale du parc. Susan était là, elle lui parlait. Moi, j'étais assez loin, je sortais de l'accueil.

– Et avez-vous... Ce ne sera peut-être pas facile de répondre à ça... Avez-vous eu l'impression qu'ils se connaissaient ?

– Oh, je pense pas que je pourrais affirmer une chose pareille.

– Ils se tenaient tout près l'un de l'autre, ou pas ?

– À une distance normale, vous voyez. Comme vous et moi. J'ai cru qu'il lui demandait son chemin, ou des renseignements sur le parc.

– Mais vous n'avez pas vu cet homme entrer dans le parc, malgré tout ?

– Non. Non. Il a fait demi-tour et il est parti.

– Il a pris le sentier de la côte ? Il a rejoint sa voiture ?

– J'ai pas vu de voiture. Cela dit, il ressemblait pas à un randonneur non plus, pas de sac à dos, rien de ce genre. Bien sûr, s'il était venu en voiture, il aurait pu la garer plus bas, là où je n'aurais pas pu la voir.

Elder hocha la tête.

– Vous dites qu'il ne ressemblait pas à un marcheur. Quel genre de vêtements portait-il ?

– Rien d'extravagant, si je me souviens bien. Un genre de pantalon beige, en toile. Une chemise. Comme je vous le disais, rien d'extravagant.

266

– Et quand il est parti, qu'a fait Susan ?

– Je ne sais pas. Je veux dire, je les ai vus quelques instants seulement. S'il y avait pas eu cette scène avec son père la veille, je crois pas que j'y aurais prêté autant d'attention.

– Elle aurait pu le suivre, quand il est reparti ?

– Non, je crois pas. Du moins, je l'ai pas vue. Elle était toujours plantée au même endroit quand je suis retournée à la boutique. (Christine Harker adressa à Elder un sourire contrit.) C'est tout ce que je peux vous dire, j'en ai peur.

– Ne vous excusez pas, vous vous en sortez très bien. Surtout après tout ce temps.

Elle sourit.

– On devient tous comme ça, non ? En vieillissant, je veux dire. Demandez-moi ce que j'ai fait avant-hier, et je resterais muette.

Elder lui rendit son sourire.

– Je me demande, est-ce que vous avez signalé ce détail à la police quand on vous a interrogée ?

– Franchement, j'en suis pas sûre. Enfin, c'est possible. Sur le moment, tout ça s'est un peu embrouillé dans ma tête. J'en sais vraiment rien.

Il n'en était fait aucune mention, pensait Elder, dans le dossier qu'il avait lu.

– Est-ce que je peux vous demander, dit-il, de regarder cette photo une nouvelle fois ?

Ce qu'elle fit, sans se presser, en prenant son temps, mais comme la première fois, elle secoua la tête.

– Non, c'est pas lui. Cet homme, pour commencer, il est peut-être pas plus jeune, mais c'est l'impression qu'il donne. Je sais pas si ce que je dis est logique ou pas. C'est pas ce qu'il porte, non plus, pas à ce qu'on en voit. Ses cheveux, peut-être. (Elle secoua la tête.) Je peux pas m'expliquer mieux que ça. Je suis désolée.

– Vous n'avez aucune raison de l'être. Comme je vous le disais, vous vous en êtes sortie brillamment. Si davantage de témoins avaient votre mémoire, le métier serait plus facile.

Un métier qu'en fait je n'exerce plus, pensa Elder tandis que Christine Harker l'accompagnait jusqu'à la porte.

– J'ai l'impression que je vous ai pas beaucoup aidé, dit-elle.

– Au contraire.

– Dites-moi une chose..., fit-elle, l'air grave. Si je m'étais rappelé tout ça, à l'époque, si j'y avais accordé plus d'importance, disons, est-ce que ça aurait changé quelque chose ? Est-ce que ça aurait permis de retrouver Susan ?

– C'est difficile à dire. Mais, tout bien pesé, je dirais sans doute que non. (L'espace d'un instant, il posa la main sur son épaule.) Vous n'avez rien à vous reprocher, ne vous inquiétez pas pour ça.

Le pont basculant allait être levé pour laisser entrer un grand voilier dans l'arrière-port, et Elder allait devoir attendre avant de pouvoir passer. Traversant la rue pavée pour revenir vers l'ancien bâtiment des douanes, il chercha dans son calepin le numéro des Guiseley et l'entra dans le répertoire de son portable, qui se révélait utile, finalement.

Esme répondit à la quatrième sonnerie, et elle surprit Elder en reconnaissant tout de suite sa voix.

– Je ne pense pas que Don soit dans les parages ? dit Elder. J'espérais tomber sur lui.

– Si vous êtes à Whitby, répondit Esme, vous aurez peut-être de la chance. Je lui ai demandé de rapporter quelques bricoles du supermarché, et quand il y va, il s'arrête souvent pour boire une pinte ou deux au Board Inn. Cela se trouve près du pied de l'escalier. (Un sourire perça dans sa voix.) Soit il est là-bas, soit il s'en approche.

– D'accord, Esme. Merci.

Si Don Guiseley fut surpris de le voir, il n'en laissa rien paraître.

– Tu peux me faire le plein, si tu veux.

Elder hocha la tête et alla au bar où il commanda une pinte pour lui-même et une demi-pinte qu'il vida dans le verre de Guiseley.

– Alors, tu es tombé amoureux de notre région ? dit Guiseley.

– Pas exactement.

Guiseley bourra sa pipe avec le pouce.

– Tu cours toujours après les ombres ?

– C'est ce que je fais, tu crois ?

– À toi de me le dire.

Succinctement, Elder lui confia ses soupçons sur les relations entre Paul Latham et Susan Blacklock, et lui parla de la rencontre entre Susan et un homme encore non identifié la veille du jour où la jeune fille avait disparu.

Guiseley approcha une allumette de sa pipe, plaqua la boîte sur le fourneau et aspira énergiquement ; mécontent, il gratta une deuxième allumette et tenta l'opération à nouveau. Fumer la pipe, pensa Elder, c'est un peu comme la pêche à la ligne : le plus amusant, c'est le préambule, pas la chose en soi.

– Cette histoire avec le prof, finit par dire Guiseley, je veux bien y croire. C'est assez banal, sans doute. C'était même à la mode, dans l'autre sens, il y a quelques années, tu te souviens ? Des profs femmes d'une trentaine d'années, mariées pour la plupart, qui débauchaient des gamins de quinze ou seize ans. Les journaux en étaient remplis. Remarque, c'est facile à comprendre. On fait l'amour cinq ou six fois par nuit, à cet âge-là ; ces satanées bonnes femmes, elles devaient croire qu'elles étaient mortes et qu'elles se trouvaient au paradis, certaines d'entre elles.

269

Il rit doucement et avala une gorgée de bière.

– Cela dit, tu aurais un sacré boulot pour prouver quoi que ce soit au bout de tout ce temps. À moins que tu puisses déterrer quelques vieux témoins, bien sûr, que tu dégotes deux ou trois photos un peu glauques. Et même si tu y arrivais, pourtant, ça voudrait dire quoi ? Qu'ils se sont envoyés en l'air ? Pour la môme, un petit chagrin d'amour, peut-être. Des larmes avant de s'endormir. Ça m'étonnerait qu'on parle d'une grande passion, ici. D'un amour à la vie à la mort. Ou bien est-ce plutôt de ce côté-là que tu pencherais ?

– Je n'en sais rien.

Pendant un moment, Guiseley regarda par-dessus son épaule, attiré par une altercation sur la plage. Deux petits chiens se battaient pour un ballon, leurs maîtres tentant de les séparer. Menaces, injures. Le ballon, pendant ce temps, oublié, emporté par une vague.

– Elle devait être amoureuse de lui, bien sûr. Ou elle croyait l'être. Mais la réciproque ? Peu probable, en tout cas.

– Mais pas impossible, dit Elder.

– D'accord, admettons. Il l'aime, elle a bouleversé sa vie ; il est mordu, et pour elle, ce n'est qu'une tocade. Il prend leur aventure très au sérieux, et elle ne veut rien savoir. Ça lui fait peur, elle est dépassée par les événements. Elle lui apprend qu'elle ne veut plus le revoir.

– Et ensuite ? demanda Elder.

– À ton avis ?

Elder soutint son regard.

– Tu penses qu'il l'a tuée, ajouta Guiseley.

– Je crois que c'est possible.

– Comment ? Pourquoi ?

– À cause de ce que tu as dit. Elle lui répète encore et encore que tout est fini, et il ne veut rien

270

entendre. Elle lui a écrit une lettre, par exemple, pendant qu'elle est en vacances avec ses parents. Il la rejoint, pour tenter de lui faire changer d'avis. Ils se disputent, il devient violent, ce qui se passe est peut-être un accident, le résultat d'un accès de colère, je n'en sais rien.

Guiseley s'était remis à tripoter sa pipe.

– Tu avais besoin de revoir cette femme, n'est-ce pas ? Harker, c'est bien le nom que tu m'as dit ? Tu avais besoin qu'elle identifie ton bonhomme, et elle ne l'a pas reconnu.

– Elle se trouvait bien à soixante-dix mètres de lui, peut-être plus.

– C'est un bon témoin, tu l'as dit toi-même.

– Ça ne signifie pas qu'il n'a pas revu Susan une autre fois.

– Et ça ne signifie pas qu'il l'a revue.

– Je sais, dit Elder. Pas la peine de me mettre les points sur les « i ».

– Ne bouge pas, fit Guiseley en se levant lentement. C'est ma tournée.

Le pub était encore assez calme en ce début de soirée. Il n'y avait qu'une poignée de clients, des habitués, rassemblés autour du bar, et quelques touristes dispersés dans la salle. Une musique sans intérêt, diffusée à faible volume, masquait les fissures dans les conversations.

– Il y a une question, dit Guiseley en se rasseyant, une question que tu devrais te poser : si, le jour où tu as fait sa connaissance, ce Latham s'était révélé être un type formidable, la crème des hommes, passionné, chaleureux, le genre de type avec qui tu te verrais bien passer un bon moment, boire quelques verres un soir comme nous le faisons en ce moment, est-ce que tu t'acharnerais quand même contre lui de cette façon ?

Elder prit une petite gorgée de bière, puis une plus longue.

– Je crois, oui. Si j'avais le sentiment qu'il avait pu lui faire du mal. Oui.

Guiseley laissa échapper un soupir.

– Ma foi, tu sais comment tu raisonnes, bien sûr. Mais laisse-moi te dire une chose. Si j'étais ton supérieur hiérarchique, un inspecteur principal, et toi un jeune inspecteur adjoint, je te dirais, sur quoi tu te bases, petit, à part ton imagination ? Je penserais que tu es complètement déconnecté, la tête dans les nuages, au lieu de garder les pieds sur terre. (Il rit.) Et toi, tu me traiterais de vieux crétin, derrière mon dos, tout au moins.

– Non, fit Elder. Non, Don, tu n'en es pas un. Pas un crétin, du moins.

N'ayant pas d'autre sujet de conversation sous la main, les deux hommes continuèrent de boire en silence.

## 32

Quand Elder arriva chez elle, peu après huit heures, Helen Blacklock était assise sur le pas de sa porte, fumant une cigarette, un verre de vin à moitié vide posé près d'elle.

– Excusez mon retard.

– Ce n'est rien.

Dans ses yeux se lisait une sorte de sourire circonspect.

– J'ai rencontré quelqu'un, on a commencé à bavarder...

– Ne vous en faites pas.

Son visage était légèrement empourpré. Son premier verre ? se demanda Elder. Sans doute pas.

– J'aime bien m'asseoir devant chez moi le soir. (Elle rit.) Cela donne aux voisins un sujet de réflexion.

Elle tira sur sa cigarette et l'écrasa contre la marche.

– Belle soirée, fit Elder.

Des martinets descendaient en piqué vers la maison, la frôlant avant de remonter en flèche pour décrire un cercle dans le ciel et recommencer ; des hirondelles de fenêtre ou des martinets noirs, il n'était jamais sûr. Les hirondelles, il savait les reconnaître.

– Je crois que nous devrions rentrer, dit Helen.

Elder lui tendit la main, mais elle l'ignora et se releva avec pour seule aide l'appui du mur adjacent.

– Je ne suis pas ivre, vous savez.

– Je sais.

– Ni rouillée par l'âge.

Il la suivit à l'intérieur.

L'odeur de tabac qu'il avait remarquée la première fois était presque entièrement masquée par celle de l'encaustique. Helen avait passé le chiffon à poussière sur tous les meubles, fait un peu de rangement. Le canapé, elle l'avait rapproché du mur latéral pour ajouter une rallonge à la table sur laquelle étaient disposés deux couverts, séparés par un petit vase de fleurs.

– Donnez-moi votre veste.

– Merci.

Elle disparut avec son vêtement et revint avec une bouteille déjà débouchée.

– Vous allez vous joindre à moi, j'espère ?

– Pourquoi pas ?

Elle versa du vin dans le verre d'Elder et remplit le sien.

– J'espère qu'il vous plaira.

– Je suis sûr qu'il est très bien.

– À votre santé, alors.

– À la vôtre.

Elle portait une robe bleue, bleue et blanche, à manches courtes, légèrement évasée, avec une encolure plutôt carrée ; des chaussures blanches à talon plat. Sa robe la serrait à la taille, et Elder se dit qu'il y avait sans doute un certain temps qu'elle ne l'avait pas mise.

– Vous voulez que nous parlions maintenant, ou plus tard ? demanda Helen.

– Le silence ne me paraît pas une si bonne idée.

– Ce n'est pas ce que je veux dire.

– Je sais.

– Alors, vous préférez quoi ?

– Plus tard. Plus tard, je pense.

– D'accord. Asseyez-vous. Le dîner sera bientôt prêt.

Elder s'installa à un bout du canapé. Le vin était un rouge raisonnablement bouqueté ; il n'avait aucune idée de son origine, mais à son goût il était plus que convenable. Sur la cheminée, la photo encadrée de Susan était toujours à la même place ; mais l'autre, celle qui la montrait en compagnie de ses parents, paraissant un peu mal à l'aise entre eux deux, avait pensé Elder, ne se trouvait plus sur le téléviseur. Peut-être Helen l'avait-elle déplacée en faisant la poussière, et elle n'avait pas eu le temps de la remettre à sa place. Je crois que votre fille de seize ans couchait sans doute avec son prof... Comment glisser habilement ce genre de détail dans la conversation ? Après le plat principal ? Au dessert ?

– Je vous remplis votre verre ? demanda Helen, dont la tête surgit dans l'encadrement de la porte.

– Pas tout de suite.

– On passe à table dans deux minutes.

– Très bien.

Helen servit des pâtes : des *penne* avec une sauce bolognaise, des brocolis et une salade verte. Du parmesan râpé dans un petit pot. Du pain à l'ail. Au milieu du repas, Helen interrompit la conversation qui portait sur les vacances en poussant un petit cri :

– Le melon ! J'ai oublié le melon. Je l'ai acheté pour qu'on le prenne en entrée, et il est encore au fond du sac.

– Ce n'est pas grave.

– C'est du gâchis.

– On pourrait le manger au dessert.

– J'ai prévu autre chose pour le dessert.

Elder eut un sourire bienveillant, finit son vin, puis hocha la tête quand Helen lui proposa de remplir son verre. Une dernière goutte pour elle-même et la bouteille fut vide.

– J'aurais dû apporter une bouteille, dit Elder. Je n'y ai pas pensé, excusez-moi.

– Non, vous êtes mon invité.

– Malgré tout, n'est-ce pas ce qu'on est censé faire ? Apporter du vin, des fleurs, quelque chose ?

– Je ne sais pas..., dit Helen, s'esclaffant. J'ai oublié.

– Oui.

– Vous aussi ?

– Quand Joanne et moi étions ensemble, nous sortions assez souvent. Si nous arrivions à trouver une baby-sitter. Pour aller chez des amis à elle, surtout. Elle préférait ne pas passer trop de temps en compagnie d'officiers de police.

– Vous mis à part, dit Helen.

Elder ne répondit pas.

– Vous êtes allé voir Trevor, n'est-ce pas ? demanda-t-elle.

– Il vous l'a dit.

Helen secoua la tête.

– Non, c'est elle.

– Sa femme ?

– La fouine. C'est toujours comme ça que je l'appelle. Dans ma tête, du moins. Quoi qu'il en soit, elle m'a fait la leçon au téléphone. De quel droit est-ce que j'envoyais des gens importuner son Trevor, le harceler, le mettre dans tous ses états ? Il a dû prendre un jour de repos, apparemment, après vous avoir parlé.

– Le problème, justement, c'est qu'il ne m'a pas parlé. Il n'a pas voulu, il a refusé tout net.

– Il fait semblant de croire qu'il ne s'est jamais rien passé, dit Helen.

– Comme si Susan n'avait pas disparu ?

– Comme si elle n'avait jamais existé.

Ils finirent le plat sans dire grand-chose, après quoi Helen ramassa les assiettes et les emporta dans la cuisine, revenant avec des framboises et de la glace à la vanille dans deux bols différents, et deux morceaux de fromage, du Swaledale et du Lancashire, sur une assiette avec des crackers et du céleri.

Elder se dit qu'elle aurait pu profiter de l'occasion pour verser quelques larmes.

– C'est une fille, que vous avez eue, non ? Je me souviens que vous m'en avez parlé, une fois, vous savez, quand... Elle devait avoir quoi ? Dix-huit mois quand Susan a disparu ?

– Deux ans. Environ deux ans.

– Elle est grande, aujourd'hui, donc.

Elder hocha la tête.

– Seize ans.

– Le même âge que...

– Oui.

– Tout à l'heure, quand vous me parliez, vous avez dit quelque chose... à propos de vous et de votre femme, vous n'êtes plus ensemble ?

– Depuis un certain temps déjà.

– Et votre fille...

– Katherine.

– Vous la voyez toujours ?

– Pas autant que je le souhaiterais. Bien que ce soit ma faute, il me semble, en grande partie.

– Mais vous la voyez quand même ?

– Oui.

Elder finit ses fruits rouges et sa glace, coupa un morceau de fromage et le mangea avec un cracker. Helen poussait ses framboises d'un bord à l'autre de son assiette, tripotait le bout de ses cheveux.

– Ce n'était pas très bon, hein ?

– Quoi ?

– Le dîner.

– C'était parfait. (Les pâtes, par endroits, étaient collées ensemble, les brocolis trop cuits.) Vraiment, j'ai adoré.

Helen ne semblait pas convaincue.

– Je vais débarrasser tout ça, dit-elle quelques minutes plus tard. Je peux faire du café, si ça vous tente.

– Merci, oui, c'est une bonne idée. Mais laissez-moi vous donner un coup de main.

– Pas la peine. Restez là.

– Non, je peux le faire.

Helen glissa les assiettes dans l'évier, et elle se retournait au moment précis où Elder avança vers elle, les verres vides à la main.

– Je vous ai dit de ne pas vous déranger.

– Ça ne me dérange pas.

Passant devant elle, il se pencha pour poser les verres, et quand il se redressa, son visage tout près de celui d'Helen, suffisamment près du moins, elle l'embrassa, ou Elder l'embrassa, peu importe en fait, ils s'embrassèrent. Elder ferma les yeux très fort quand leurs bouches se trouvèrent, leurs langues se touchèrent, la respiration d'Helen soudain sifflante et oppressée, et quand il posa la main sur sa hanche, il trouva par hasard un endroit où la couture de sa robe avait cédé, et le bout de ses doigts entra en contact avec sa peau nue.

– Frank.

Elle prononça son prénom, dont il ignorait qu'elle le sût, et en guise de réponse, il couvrit de baisers sa tempe puis son cou et elle répéta son nom, plus fort cette fois, et glissant sa main dans l'ouverture de sa robe il sentit céder d'autres points de couture et à présent il la tenait contre lui, caressant la chair souple de son dos, et elle embrassait le

278

coin de sa bouche, l'arête de son nez, ses paupières, et quand il se plaqua contre Helen elle recula maladroitement, trébuchant à demi, tomba à genoux et il la suivit dans sa chute, sans lâcher prise, et elle tira sur le col de chemise d'Elder et quand le bouton refusa de céder elle lui mordit la lèvre inférieure, pas très fort, mais assez tout de même, et il ôta la main de sa robe et lui toucha le sein et se reculant brusquement elle se cogna la tête contre le bord en bois de l'évier et lui dit :

– Frank, je suis trop vieille pour faire ça sur le carrelage de la cuisine.

Elder se leva, soudain gêné, mais elle lui prit la main et l'emmena vers l'escalier et il y eut un moment où, comme le dit la comptine, ils n'étaient ni en haut ni en bas et où il aurait pu lâcher la main d'Helen, s'écarter d'elle, reprendre ses esprits, changer d'avis ; mais à mi-étage, elle se retourna, se pencha vers lui et l'embrassa à pleine bouche, longuement, et après cela il n'y eut plus de questions ni de doutes ni d'hésitations.

– Ne ferme pas la porte, Frank, dit-elle quand ils furent dans la chambre. Sinon, il fera trop chaud.

D'une ruade, elle se débarrassa de ses chaussures, puis, contournant le pied du lit – un lit double couvert d'une couette à motifs verts et blancs, des oreillers blancs calés contre une tête de lit en bois brut – elle tira les rideaux.

Elder se pencha pour ôter ses chaussures.

– Frank, aide-moi.

Elle lui tourna le dos, et il s'escrima sur trois boutons de nacre et ôta une boucle de fil d'un petit crochet en haut de sa robe. Puis, laissant tomber sa robe, Helen lui fit face, en culotte et soutien-gorge couleur pêche. Elle avait des cuisses robustes, son ventre rebondi pendait un peu, et elle avait des seins larges et épanouis.

279

– Ne me fixe pas comme ça, Frank, c'est impoli.

Il sourit, se mit à déboutonner sa chemise, et quand elle lui demanda s'il avait besoin d'aide pour le reste, il répondit non.

– Attends, dit-elle quand il se retrouva en caleçon. Laisse-moi faire.

Assise sur le bord du lit, elle baissa le sous-vêtement d'Elder jusqu'à ce que l'élastique se retrouve juste au-dessous de ses testicules et lui empoigna aussitôt la verge pour la prendre dans sa bouche, léchant les premières gouttes de sperme avant de gober le gland tout entier, autour duquel elle passa sa langue si lentement qu'Elder craignit d'en terminer sans plus attendre. Le libérant avec un sourire, elle le lécha vivement de l'extrémité jusqu'à la base puis s'étendit sur le lit, les jambes écartées, les genoux légèrement pliés.

Avec sa langue, Elder creusa un chenal dans le coton humide de sa culotte, puis, écartant le tissu alors qu'elle se soulevait au-dessus du matelas, fit courir sa langue le long du sillon rose et salé entouré de boucles noires, se grisant du goût de ce sexe qui s'ouvrait pour lui, de son goût enivrant et salé et de son parfum musqué.

Quand elle crut qu'il allait s'arrêter, elle lui posa une main sur la nuque pour le retenir, se balançant d'avant en arrière contre le visage d'Elder jusqu'au moment où, avec un cri à peine étouffé, elle finit par jouir. Et trembla de la tête aux pieds. Et jouit de nouveau.

La transpiration qui ruisselait du front d'Elder lui piquait les yeux.

Le libérant, Helen pivota sur le matelas pour se retrouver, Elder manœuvrant de son côté, couchée sur le flanc face à lui en travers du lit.

– Bon sang, Frank... (Ses lèvres chassèrent la sueur qui perlait des sourcils d'Elder, puis elle goûta à la saveur de son propre sexe en embrassant sa bouche et son menton.) Bon sang, c'était... (S'esclaffant, elle lui empoigna la verge à pleine main.) J'avais oublié comment c'était.

Helen sourit et rit de plus belle quand Elder lui passa un bras derrière le dos pour dégrafer son sou-tien-gorge et lui embrasser les seins qui étaient charnus et moelleux, avec des aréoles larges et brunes qu'il couvrit de baisers et qu'il titilla entre ses dents. Et quand il glissa une jambe entre les siennes, elle dit :

– Attends ! Attends une seconde. (Quand Elder déçu, s'écarta d'elle, elle ajouta :) Je suppose que tu n'as pas de capote ?

Il secoua la tête et, descendant du lit, elle se diri-gea, en sautillant autant qu'en marchant, vers ce qu'il supposa être la salle de bains, revenant un ins-tant plus tard avec un emballage rectangulaire en papier alu.

– Je n'ose même pas vérifier la date de validité de ce machin.


Pas beaucoup plus tard, ils étaient assis dans le lit, calés contre les oreillers. Helen fumait une ciga-rette.

– Alors, dit-elle, la terre a tremblé pour toi ?

– Quoi ?

– Ce n'est pas ce qu'on dit ? Si c'est vraiment bien. La terre tremble.

– Je n'en sais rien.

Elle sourit.

– J'ai dû lire ça dans un magazine. Cent façons de décrire votre orgasme.

Se tournant vers elle à demi, Elder posa une main sur son bras.

– Et le tien, tu le décrirais comment ?

Helen rit.

– Je crois que la moitié de la rue a subi un affaissement de terrain, voilà ce que je pense.

Elder rit avec elle et l'embrassa et ils chahutèrent un moment, mais ils n'avaient plus tellement le cœur à ça ; ce qu'ils avaient vraiment envie de faire, l'un comme l'autre, c'était un câlin, et ils ne s'en privèrent pas.

Elder ne savait pas lequel des deux s'endormit le premier, mais quand il se réveilla il faisait nuit noire dehors, et Helen était allongée sur lui en biais, et un petit filet de bave coulait du coin de sa bouche sur sa propre poitrine. Sans la réveiller, il tira les couvertures autour d'elle, embrassa le dessus de sa tête, et déjà il réfléchissait à ce qui s'était passé et au problème, à supposer qu'il y en eût un, dans lequel il s'était fourré. Helen s'ébroua contre lui et changea de position. Fermant les yeux, Elder imagina, au loin, le flux et le reflux de la mer, et il essaya de ne penser à rien.

Il avait dû se rendormir car, quand il ouvrit les yeux, Helen rentrait dans la chambre, vêtue d'un peignoir en tissu éponge et tenant un plateau. Elle était descendue à la cuisine pour préparer du thé et du pain grillé, et elle rapportait le tout, la théière, les tasses, les petites assiettes, du lait, du sucre, le grand jeu. Dans une poche de son peignoir, elle avait mis deux petites cuillères et un couteau ; dans l'autre, un petit pot de confiture de cerises noires.

– J'adore ça, pas toi ? Des tartines de confiture et du thé au lit. En hiver, quand il fait vraiment froid, je m'arme de courage, je descends en courant à la cuisine, je prépare tout, et je remonte avec mon plateau.

– Ce n'est pas seulement après avoir fait l'amour, alors ?

– Heureusement, sinon je serais morte de faim depuis longtemps.

Le plateau était posé entre eux sur le lit, et Helen se penchait à présent pour verser le thé.

– C'était formidable, tu sais, dit Elder en se penchant pour lui embrasser l'épaule. Merci.

Helen le regarda.

– Pas de manifestation de reconnaissance, Frank.

– Excuse-moi. Je n'avais pas l'intention...

– Je ne veux pas qu'on me considère comme un service social, c'est tout. Maintenant, bois ton thé avant qu'il soit froid. Et tâche de ne pas faire de miettes dans le lit.

Quand elle eut fini de leur verser une deuxième tasse, elle lui demanda, un sourire dans les yeux :

– Alors, tu étais venu pour me dire quelque chose, ou simplement dans l'espoir de te retrouver dans mon lit ?

– Non, j'avais bien quelque chose à te dire. Enfin, rien de sûr, au sens où je n'ai aucune preuve formelle, mais il m'a semblé que tu devrais le savoir malgré tout.

– Bon sang, que je devrais savoir quoi ?

Elder lui confia ses soupçons concernant sa fille et Paul Latham, lui rapporta les faits troublants et les dénégations de Latham. Pendant un moment, Helen garda le silence, et quand elle se décida à parler, ce fut pour dire :

– J'espère qu'il a été gentil avec elle, c'est tout.

– C'est tout ?

– C'était il y a presque quinze ans, Frank. À quoi bon se mettre en colère maintenant ?

– J'aurais pensé que si Latham abusait d'elle...

– Si.

– Qu'est-ce que tu veux dire ?

– Je veux dire qu'à mon avis ce n'est jamais aussi simple que ça, non ? Et puis, regarde-nous. Nous ne sommes pas exactement en droit de juger.

– Nous n'avons pas d'attaches ni de responsabilités, et puis nous sommes assez vieux pour savoir ce que nous faisons.

– Et tu penses que ce n'était pas le cas, pour Susan ? Qu'elle n'était pas assez vieille pour savoir ce qu'elle faisait ?

– Non.

– Rappelle-moi, Frank, quel âge a ta fille ?

– Ça n'a rien à voir.

– Quel âge ?

– Seize ans.

– Et ça n'a rien à voir ?

– Non.

– Oh, Frank. (Elle s'appuya contre le bras d'Elder.) Quel âge penses-tu que j'avais quand Susan est née ?

– Je ne sais pas.

– J'ai quarante-sept ans, Frank. Fais le calcul.

– C'est différent.

– Pourquoi ?

– Trevor n'avait pas le double de ton âge.

– Non, c'est vrai.

– Eh bien, alors...

– Frank.

Roulant sur elle-même, Helen se mit à plat ventre, une jambe par-dessus celle d'Elder, secouant au passage le plateau et son contenu.

– Oui ?

– Je n'ai pas envie de parler de ça maintenant.

– D'accord.

Il resta un moment sans bouger, tenant Helen dans ses bras, et sentit ses paupières se fermer.

– Si je dois regagner ma chambre d'hôte...

– Tu ne le feras pas.

– Elle est pourtant impeccable. Quel gâchis.

– Tais-toi.

En se rendant à la salle de bains, Elder prit le plateau sur le lit et le posa par terre.

– Tu peux te servir de ma brosse à dents, lança-t-elle derrière son dos.

Quand il revint dans la chambre cinq minutes plus tard, Helen dormait.

Avec précaution, Elder se glissa près d'elle dans le lit et resta immobile un moment, attentif à tous les bruits étranges que fait une maison inconnue, jusqu'au moment où il n'entendit plus rien du tout.

## 33

Quand il se réveilla, Elder ne savait plus où il était. Helen, déjà habillée, se trouvait dans la cuisine, où elle préparait le petit déjeuner. Le melon de la veille, elle l'avait découpé et disposé sur des assiettes. La bouilloire était éteinte depuis peu, et Helen avait coupé du pain pour le faire griller. Encore des tartines.

– Tu parles dans ton sommeil, fit-elle. Tu le sais ?

– J'ai dit quelque chose de compromettant ?

– Pas encore.

Le regard qu'il lança à Helen lui glaça le sang, même s'il la fit rire.

– Bon sang, Frank, détends-toi. Je n'attends rien de toi, tu sais.

– Excuse-moi, je ne voulais pas...

– Deux adultes, tu te souviens ? Qui ont partagé un rare moment de plaisir. Rare pour moi, en tout cas. Je ne vais pas te faire une scène, rassure-toi. Bon, il y a du café, si tu veux. Instantané. Ou du thé.

– Du thé.

– Très bien, installe-toi à côté, je t'apporte ça.

Il n'était pas encore huit heures, les premiers rayons du soleil inondaient le salon. Au-dessus de leurs têtes, les mouettes criaillaient et piaillaient. Des passants parlaient dans la rue. Sur la cheminée, la photo de Susan Blacklock fixait Elder sans le juger. La journée promettait d'être chaude.

– Tu repars ce matin.

– Oui.

– Tu repars où ?

– À Nottingham, je suppose. Pour l'instant, du moins.

– Et ensuite ?

– Je ne sais pas.

Helen posa sur la table des assiettes et des tasses, puis tira une chaise pour s'y asseoir. Elle avait noué ses cheveux derrière la tête, et paraissait plus âgée que la veille.

– À cause de ta fille ?

– En partie.

Le melon était sucré, et il en sentit le jus couler sur son menton.

– Qu'est-ce qu'il y a ? dit Helen.

– Hein ?

– Tu avais un sourire salace, à l'instant.

– Oh, juste un souvenir qui me revenait à la mémoire.

Pour accompagner le pain grillé, il y avait de la marmelade en plus de la confiture, une marque de supermarché.

– Ce Latham, le prof, tu crois que cela aurait pu être plus sérieux, entre Susan et lui, que le simple fait qu'ils couchaient ensemble ?

Elder acquiesça.

– Je pensais que c'était une possibilité, oui.

– Et maintenant ?

Il secoua la tête.

– Je vais communiquer ce que je sais à la police, au commissariat local. L'affaire n'est toujours pas classée, après tout. Quant à savoir s'ils reprendront l'enquête ou pas, c'est à eux d'en décider.

– Et il n'y a rien d'autre ? Rien d'autre que tu aies découvert ?

– Pas vraiment, non.

– Ce Donald, reprit Helen, Shane – Shane Donald – celui qui vient de s'évanouir dans la nature. Récemment.

– Que veux-tu que je t'en dise ?

– Quand Susan... Tu sais... Tu l'aurais bien vu dans la peau du coupable, non ? Tu pensais que Donald et cet autre type...

– McKeirnan.

– C'est ça, McKeirnan. Tu pensais qu'ils pouvaient être dans le coup.

– J'ai cru que c'était une hypothèse valable, oui.

– Et aujourd'hui ?

Elder secoua la tête.

– Je n'en sais rien. (Il regarda Helen droit dans les yeux, puis détourna la tête.) Excuse-moi.

– De quoi ?

– De t'avoir déçue.

– Ne sois pas idiot. Tu as essayé. Tu as fait de ton mieux. Tu avais toujours à cœur de la retrouver.

– Je t'avais fait une promesse.

Un sourire narquois passa sur les lèvres d'Helen.

– Les hommes font des promesses. Tout le temps. Et puis ils passent le reste de leur vie à les regretter.

Quand le petit déjeuner fut terminé, ils comprirent tous les deux qu'Elder avait hâte de partir. Sur le pas de la porte, Helen passa ses bras autour de lui.

– Hier soir, c'était formidable, tu avais raison.

– Pas de manifestation de reconnaissance, dit-il.

Helen sourit et lui adressa une grimace.

– À bientôt, dit-il.

– Vraiment ?

Cette fois, elle ne resta pas pour le regarder partir.


Rob Loake le fit attendre, et pas qu'un peu. Il faisait chaud, en ce mois de juin ensoleillé, et l'intérieur du bureau de Loake était plus chaud encore. Il devait y avoir, concernant la ventilation, des règles précises qui échappaient à Elder. La chemise de Loake était marquée par des auréoles sombres sous les aisselles, sa cravate pendait à mi-hauteur, et les deux boutons du haut étaient défaits.

– Sacrée chaleur, hein ?

Elder haussa les épaules sans prendre parti.

– C'est parfait pour ces bon Dieu de Portugais, mais nous, on est dans ce putain de Yorkshire, merde !

Il paraissait vraiment furieux.

– Je ne vais pas abuser de ton temps, annonça Elder.

– J'espère bien.

Elder lui parla de Susan et de Latham, lui dit ce qu'il savait, ce qu'il supposait. Aussi bref qu'ait été son compte rendu, Loake trouva le moyen de consulter sa montre non pas une fois, mais deux.

– Et de tout ça, rien n'a transpiré au moment des faits ? demanda Loake quand il eut fini.

– Pour autant que je sache, Latham n'a jamais été interrogé.

Loake se pencha vers Elder.

– Peut-être qu'on l'aurait fait si tu n'avais pas été aussi pressé de nous refourguer ton Shane Donald de mes deux.

Son visage exprimait un sentiment assez proche de la satisfaction.

Elder laissa courir.

– Qu'est-ce que tu t'attends à ce que je fasse maintenant ? demanda Loake.

– Je ne m'attends pas nécessairement à ce que tu fasses quelque chose. Encore qu'à mon avis, il y ait une question qui mérite d'être posée.

– Pourquoi Latham ne s'est-il pas manifesté à l'époque ?

– Oui.

Loake émit un son à mi-chemin entre un grogne-ment et un soupir.

– Il me semble que c'est assez évident. Il n'avait aucune envie de se faire couper les couilles par le rectorat pour avoir sauté une mineure.

– Oui, c'est une bonne raison.

– Très bien, Sherlock. Il y en a une autre ?

– Demande-le-lui.

– Tu m'emmerdes, Elder ! (Loake bondit sur ses pieds.) À venir ici pour me dire comment je dois faire mon putain de boulot.

Elder sortit une enveloppe de sa poche et la posa sur le bureau. Sur les tempes de Loake, les veines saillaient, évoquant une carte en relief.

– J'ai tout noté là-dessus, les dates et les détails. Si tu décides de dire deux mots à Latham, cela pourra t'être utile.

– Elder...

– Si je vois Don, je lui dirai que tu m'as demandé de ses nouvelles. Et ne te donne pas la peine de me raccompagner, je trouverai le chemin tout seul.

Comment se faisait-il, se demanda Elder, que plus les années passaient, plus il avait du mal à réfréner son envie de frapper ? Heureusement, il avait pris sa retraite au bon moment. Il avait presque rejoint sa voiture quand son portable sonna. C'était Maureen Prior. Quelqu'un correspondant au signalement de Shane Donald avait tenté d'utiliser une carte de cré-dit volée dans le centre-ville de Nottingham.

## 34

Ils se retrouvèrent dans un petit café près de Bridlesmith Gate, l'un des rares qui n'avaient pas été asphyxiés par Starbucks et Caffe Nero. Maureen, qui s'était rendue au tribunal ce matin-là, portait un tailleur gris sobre et élégant dont la jupe couvrait efficacement ses genoux. Elder, vêtu d'un pantalon informe et d'une chemise bleue délavée, se sentait négligé, mal fagoté, en comparaison, et mal à l'aise à cause de la chaleur. Ils n'étaient pas assis depuis longtemps lorsque Maureen ôta la veste de son tailleur et la plia soigneusement sur le dossier de la chaise voisine.

– C'était chez Dixon, au centre commercial Victoria, expliqua Maureen. Samedi. Il essayait d'acheter un lecteur de CD portable. Plutôt cher.

– Est-ce qu'on est sûr que c'était Donald ? demanda Elder.

– Pratiquement. On a obtenu un bon signalement de la part du jeune vendeur pakistanais qui l'a servi. Une vingtaine d'années, cheveux coupés très court, des baskets, un jean. Maigre comme un clou.

À moins qu'il ait beaucoup changé en prison, pensa Elder, Donald pouvait sans problème passer pour un garçon d'une vingtaine d'années.

– Apparemment, le vendeur le surveillait depuis un petit moment. Il le trouvait louche, presque nerveux. Il était déjà venu dans le magasin, semble-t-il, pour jeter un coup d'œil. Le vendeur s'est dit qu'il cherchait à piquer quelque chose à la première occasion. Il lui a demandé s'il avait besoin d'un renseignement, s'est entendu répondre que non. Une demi-heure plus tard, il revenait, demandant à écouter le baladeur. Il a dit que l'appareil lui convenait. Tout s'est bien passé jusqu'au moment où la machine a refusé sa carte. Le vendeur lui a proposé de payer par un autre moyen, mais le type se dirigeait déjà vers la sortie. C'est alors qu'il a comparé le numéro de la carte à ceux de la liste de cartes volées qu'ils gardent près de la caisse. Bingo !

– Gerald Kersley.

– Exactement. Kersley s'est fait dépouiller dans des toilettes publiques de la banlieue de Manchester deux jours après la fuite de Shane Donald. Clés de voiture. Portefeuille.

– Pas d'autre élément pour établir un lien entre eux ?

– De manière indirecte seulement. La chronologie colle à la perfection.

Elder prit sa tasse et la porta à sa bouche avant de se rendre compte qu'elle était vide.

– Tu en veux un autre ? demanda Maureen.

– Non, ça ira.

Elder secoua la tête et regarda autour de lui. Il n'y avait pas tellement d'années, il entrait parfois en coup de vent dans cet établissement pour retrouver Joanne pendant sa pause déjeuner, car le salon qu'elle gérait se trouvait à deux pas. Il l'imagina assise en face de lui à la place qu'occupait Maureen à présent, mangeant sa salade du bout des dents tout en bavardant, tandis qu'Elder se régalait d'un sandwich à la sauce brune. Aujourd'hui, il n'y avait plus que de la *focaccia* à ceci et de la *focaccia* à cela.

– Cette carte, dit Elder, elle a pu changer de mains une demi-douzaine de fois entre-temps.

– Je sais.

– Quant au signalement, il pourrait presque s'appliquer à la moitié de la population mâle de dix-huit à trente ans.

– Oui.

– Sans photo récente...

– La PJ de Huddersfield s'en est procuré une quelque part. Les archives de la prison, peut-être. Ou le contrôle judiciaire. Ils voulaient s'en servir pour imprimer des avis de recherche quand il a disparu, tu sais, des prospectus à distribuer, mais je ne sais pourquoi ils ne l'ont pas fait, en fin de compte. En tout cas, ils nous l'envoient par e-mail. Il y a sûrement un collègue assis devant son ordinateur à Mansfield en ce moment même.

– Dans combien de temps peut-on en avoir un tirage ?

– Dès qu'on lève le camp et qu'on retourne au commissariat central. Je vais appeler mon bureau et leur demander de l'imprimer.

Pendant que Maureen utilisait son portable, Elder réfléchit au problème. Si c'était bien Donald, pourquoi avait-il attendu jusqu'à maintenant pour utiliser l'une des cartes volées ? Et pourquoi diable aurait-il choisi de revenir justement dans la région où McKeirnan et lui avaient sévi autrefois ?

– Très bien, dit Maureen qui rangea son téléphone et reprit sa veste. On y va. Si ça t'intéresse, pendant qu'on sera là-bas, on pourra voir où en sont les recherches dans l'affaire de cette gamine qui a disparu.

– Emma Harrison, c'est bien son nom ?

– Oui.

– Toujours pas de trace ?

L'air sombre, Maureen franchit la porte et sortit dans la rue.

– Tu penses que ça pourrait être Shane, hein ?

Elder haussa les épaules.

– Le fait qu'il ressurgisse ici...

– Si c'est bien lui.

– D'accord, si c'est bien lui. Le fait qu'il ressurgisse ici justement le week-end où cette Emma disparaît... Elle a presque le même âge, bon sang. Le même âge que Lucy Padmore, que Susan Blacklock.

– Le même âge, lui rappela Maureen, que la plupart des gamines qui disparaissent.

– Une coïncidence, alors ?

Maureen secoua la tête et s'enfonça dans la rue piétonne qui les mènerait à Trinity Square et au commissariat central, à l'angle de Shakespeare Street et de North Church Street.

À l'entrée, Maureen signa le registre pour autoriser l'accès d'Elder aux locaux, et elle parla sur une ligne intérieure à l'un des chefs de bureau du troisième étage. La base opérationnelle de la Division des crimes majeurs étant répartie sur deux sites, tous deux éloignés du centre-ville, il était parfois nécessaire de quémander auprès du commissariat central l'usage d'un local et de matériel. Après quelques minutes d'attente, Maureen fut informée qu'il y avait au troisième étage un bureau momentanément vide, équipé d'un ordinateur. Il ne lui fallut que très peu de temps pour télécharger la photo.

Elder retint son souffle quand les traits de Shane Donald se matérialisèrent sur l'écran, Shane face à l'objectif, pugnace, vulnérable, un air halluciné au fond du regard – la trace, supposa Elder, de ce qu'il avait vécu en prison, de ce qu'il avait enduré. À ce moment-là de sa vie, et avant aussi. L'agressivité qu'Elder découvrait, cette expression de défi, ça, c'était nouveau. Autrefois, elle existait, bien sûr, dans une certaine mesure, mais cachée, enfouie, attendant d'être libérée par Alan McKeirnan. À présent cette rage, cette aptitude à la violence étaient plus proches de la surface. Explosives.

– Tu le reconnais ? demanda Maureen.

– Oh, oui.

– Il n'a pas changé beaucoup ?

– Si, il a changé.

Maureen déplaça le curseur pour lancer l'imprimante.

Sur le tirage, le portrait perdait un peu de sa définition, un peu de sa texture en passant de la couleur au noir et blanc.

– Je ferai faire un tirage couleur plus tard, dit Maureen.

– Ceci suffira pour l'instant.

– Tu veux la soumettre au vendeur de chez Dixon ?

– Si tu es d'accord.

Maureen éteignit l'imprimante, et manipula la souris pour fermer l'ordinateur.

– En ressortant, passons voir s'il y a du nouveau sur Emma Harrison.

Quatre agents en tenue, deux inspecteurs et trois civils étaient présents dans le bureau des enquêtes. La plupart recherchaient de nouvelles informations, élaboraient une base de données, ou se servaient de HOLMES, le système informatique du ministère de l'Intérieur, pour déterminer quelles pistes les enquêteurs devaient privilégier. Elder comme Maureen savaient que cette tâche était la plus importante de toutes : si l'on se trompait sur l'ordre des priorités, un renseignement vital pouvait se retrouver noyé dans la masse pendant plusieurs jours sans donner lieu à des recherches complémentaires. Des jours qui pouvaient se révéler cruciaux.

Des photos d'Emma Harrison étaient punaisées à l'un des murs, ainsi que des exemplaires de l'affiche reproduite à des milliers d'exemplaires et largement distribuée. Sur le mur adjacent, une carte de la région où Emma avait disparu et une autre, agrandie et plus détaillée, du parc de loisirs de Rufford, certaines zones étant repérées par des couleurs différentes pour matérialiser l'avancée des recherches.

L'hypothèse initiale, c'était qu'Emma, ayant raté le bus, avait tenté de se faire raccompagner en voiture, ou bien qu'elle aurait sympathisé avec une personne rencontrée au concert qui l'aurait hébergée pour la nuit. Dans un cas comme dans l'autre, elle serait réapparue le lendemain matin, un peu déconfite et dépenaillée, mais saine et sauve. Comme cela ne s'était pas produit, la gravité de l'incident fut revue à la hausse, légitimant une véritable enquête sur disparition de personne – une mesure qu'on aurait dû prendre plus tôt, enrageait le père d'Emma. « Elle n'est pas idiote », disait-il. « Si elle avait tout bonnement raté le bus, elle aurait téléphoné. »

Même si Emma s'était vu récemment confisquer son portable, après de nombreuses disputes concernant son usage immodéré et le coût galopant des factures, même si elle n'avait pas encore obtenu en échange un modèle lui permettant de payer ses communications à mesure qu'elle les passait, les téléphones ne manquaient pas dans la zone centrale du parc.

Le plus âgé des enquêteurs, un inspecteur principal à l'air soucieux portant des lunettes sans monture et une chemise aux manches retroussées, se leva quand Maureen entra, Elder sur ses talons.

– Gerry.

– Maureen.

– Gerry, je te présente Frank Elder, il a pris sa retraite il y a deux ans. Frank, Gerry Clarke.

– Frank. J'ai entendu parler de vous.

Elder serra la main que Clarke lui tendait.

– En bien, j'espère.

– Frank a enquêté sur une disparition semblable il y a pas mal d'années, précisa Maureen.

– Alors, vous savez quelle vacherie ça peut être, ce genre d'affaire, dit Clarke. Les parents à la maison, qui sursautent à chaque fois que le téléphone sonne, qui s'arrachent les cheveux, redoutant le pire tout en refusant d'y croire. Et nous, ici, à chaque heure qui passe... Enfin, vous connaissez le problème.

Elder ne le connaissait que trop bien.

– Toujours aucune trace ? demanda Maureen.

– Pas le moindre témoin qui l'aurait seulement vue, aucun qu'on puisse prendre au sérieux du moins, ce qui est déjà bizarre en soi. On pourrait considérer que c'est une chance, en un sens. Sinon, la moitié du personnel serait en train de cavaler d'un bout à l'autre du comté. Et des types nous téléphoneraient rien que pour tromper leur ennui, la plupart du temps, pour voir leur nom dans le journal, leur tête à la télé. Encore qu'on ait déjà eu notre lot d'appels, mais jusqu'à présent, c'est gérable.

– Comment vous voyez ça ? demanda Elder.

Gerry Clarke changea d'appui, passant du pied droit au pied gauche.

– Pas de querelles graves à la maison, pas de pression particulière à l'école, pas de petit copain, le genre de chose qu'on recherche dans ces cas-là, le scénario habituel. À mon avis, soit elle est partie avec quelqu'un qu'elle a rencontré au concert – et nous demandons à toutes les personnes présentes d'entrer en contact avec nous – soit elle est encore là-bas, quelque part.

Clarke les amena devant la carte du parc de Rufford fixée au mur du fond.

– Quelle superficie? demanda Elder.

– Une centaine d'hectares, environ.

Elder émit un sifflement discret.

– Une sacrée surface à couvrir, commenta Maureen.

Clarke hocha la tête.

– Nous avons fait venir des renforts de tous les coins du comté. Et des volontaires, de la région. Au début, on s'est concentrés sur ces endroits précis : les anciennes écuries, et les jardins qui descendent en pente douce derrière cette sorte d'orangerie. Il y a toute une série de murs qui s'entrecroisent, des buissons assez épais, et ce ruisseau qui s'écoule sur le côté. Ensuite, il y a l'ancienne abbaye, un peu à l'écart, dont l'intérieur est pratiquement vide à présent, ce n'est guère plus qu'une carcasse, et pas l'endroit le plus sûr pour crapahuter. Nous avons des hommes qui la passent au peigne fin en ce moment même.

– Et cette zone, demanda Maureen, de ce côté ?

– La Promenade, c'est son nom. C'est une allée qui descend jusqu'au lac le long de ces arbres. Il y a un sentier qui fait tout le tour de la pièce d'eau, comme vous pouvez le voir ici, mais il est étroit, et par endroits presque envahi par la végétation, de ce côté-ci surtout, et ce n'est pas facile à franchir. (Clarke ôta ses lunettes et se massa l'arête du nez.) On pourrait y cacher un corps, et il ne serait pas découvert avant longtemps.

– Et le lac ? demanda Elder.

– On attend des sonars tridimensionnels sur zone dans la journée. S'il y a des objets bizarres ou des poches d'air sous la surface, les instruments les détecteront. Et il y a une équipe de plongeurs prête à intervenir. (Clarke soupira et remit ses lunettes.) On draguera le fond du lac s'il le faut.

Maureen le remercia et lui dit qu'elle aimerait être informée s'il avait du nouveau. Ils savaient tous

298

les trois qu'au bout de quarante-huit heures sans aucun signe de vie, les chances de retrouver Emma Harrison s'amenuisaient. Et si un élément quelconque venait indiquer qu'ils avaient affaire à un enlèvement, la Division des crimes majeurs serait alors officiellement chargée de l'enquête. En ce cas, la prochaine fois que Maureen parlerait à l'inspecteur principal Gerry Clarke, ce ne serait plus pour satisfaire une curiosité purement personnelle.

Salim Ratra était en train de conclure la vente de l'une des nouvelles machines de chez Philips qui ne se contentent pas de lire les DVD, mais les enregistrent aussi, une affaire à un peu moins de cinq cents livres.

– Tu y comprends quelque chose, à tous ces bidules ? demanda Maureen.

Elder s'esclaffa.

– Chez nous, la seule qui savait se servir du magnétoscope, c'était Katherine. Je crois qu'elle a appris à enregistrer son feuilleton préféré quand elle avait quatre ans.

« Chez nous », pensa-t-il, ce n'était pas une expression qu'il utilisait beaucoup, ces derniers temps.

Dès que Salim eut rempli les paperasses concrétisant sa vente, il les rejoignit. Maureen sortit de son sac le tirage d'imprimante reproduisant le portrait de Shane Donald.

– La photo n'est pas très bonne, je le crains.

Elle était d'une qualité suffisante.

– C'est lui..., dit Salim, l'excitation perçant dans sa voix. C'est lui, non ?

– Vous en êtes sûr ? demanda Elder.

Salim sourit. C'était le sourire d'un charmeur, Maureen s'en aperçut aussitôt.

– Ce client qui était là à l'instant, vous voyez, avec sa femme ? Celui qui a acheté le Philips, oui ? Il y a deux semaines, il est venu tout seul, en reconnaissance, il a posé plein de questions, voyez, est-ce qu'il devrait plutôt prendre le Samsung, celui qu'on peut dézoner grâce à une petite manip avec la télécommande, ou alors, mettre un peu plus cher pour s'offrir le Denon ASV-700 avec le son surround ? Il est revenu il y a moins d'une heure, et je l'ai reconnu à la seconde où il a franchi la porte. C'est mon client, c'est ma vente, d'accord ? Les visages, les noms, c'est mon boulot. C'est comme ça que je procède. Et ce gars-là, c'est celui qui est venu vendredi, avec la carte véreuse. Vous pouvez me croire sur parole.

Devant le centre commercial Victoria, Elder et Maureen se tenaient sur le vaste trottoir, au milieu des passants qui se hâtaient dans les deux sens. À l'angle de Milton Street, trois bus attendaient en file indienne que le feu change. La chemise d'Elder lui collait à la peau, et ce n'était pas seulement à cause de la température qui frôlait encore, cependant, les trente degrés. L'air s'alourdissait, chargé de tous les signes avant-coureurs d'un orage.

– Il n'y a pas nécessairement un lien entre les deux, avança prudemment Maureen.

– Je sais.

– Shane Donald se pointe en ville vendredi, et le lendemain une gamine de seize ans disparaît d'un parc de loisirs desservi par une ligne de bus. Coïncidence.

– Emma Harrison, dit Elder. Elle a le même âge que Susan Blacklock au moment de sa disparition, le même âge que Lucy Padmore quand Donald et McKeirnan l'ont assassinée. Et tu as vu les photos : Emma, elle est blonde, elle a des cheveux longs. Comme les autres.

– Frank, beaucoup de mômes de seize ans disparaissent. Statistiquement, je parierais que la moitié

300

d'entre elles sont blondes. Plus, peut-être. Il n'y a rien qui établisse un lien entre Emma Harrison et Shane Donald, rien.

– À part le fait qu'il était là.

– Si c'est bien vrai.

Elder avança d'un pas, pour laisser passer une jeune femme pilotant une poussette double.

– Tu parleras à Gerry Clarke ? demanda-t-il.

– On lui parlera tous les deux, hein ?

Tandis qu'ils traversaient Trinity Square, les premières gouttes de pluie se firent sentir.

## 35

C'est Harold Edge qui trouva le cardigan. Harold, membre fondateur des Randonneurs du troisième âge du Nottinghamshire, soixante-douze ans et toujours droit comme un « i », avec un regard d'aigle. Le mercredi matin, il était parti avec Jessie, sa chienne issue d'un croisement de colley écossais et de labrador. Il avait pris le bus Newark-Lincoln, pour en descendre huit à dix kilomètres après la sortie de la ville et emprunter un itinéraire qui le mènerait, via une série de sentiers et d'anciennes voies non marquées, à travers Norton Disney avant le retour en ville. Une bonne journée de marche.

Son sac à dos contenait une carte de l'institut géographique, une boussole, des jumelles, un rouleau de pastilles de menthe, deux sandwiches fromage-cornichons, une pomme et un pâté en croûte en portion individuelle. Il emportait aussi des crottes en chocolat pour Jessie, une bouteille d'eau pour eux deux, et un exemplaire défraîchi du *Livre des oiseaux de Grande-Bretagne*. Depuis peu, il s'était mis à utiliser le bâton de marche antichocs de conception allemande que l'une de ses nièces lui avait offert trois ans plus tôt.

Harold marchait depuis près d'une heure quand il s'était arrêté au bord d'un pré pour vérifier la direction à prendre. De l'autre côté de ce même pré, il était censé prendre un sentier, mais – bon sang ! – impossible de repérer le moindre trou dans la haie. Enfin, il découvrit le chemin, passablement envahi par les buissons d'aubépine, mais praticable par un seul homme de front. Il suffisait de grimper un échalier, et une fois de l'autre côté, la voie était libre.

Ce fut Jessie, en vérité, qui trouva le fameux cardigan. Fourrant son museau dans les fougères qui poussaient au pied de la haie, elle secoua la tête et aboya si fort que Harold pensa qu'elle avait découvert le terrier d'un lapin, ou peut-être même d'un blaireau, mais c'était une tache de couleur, quelque chose de violet. « J'arrive, Jessie, j'arrive. Brave bête. »

Avec précaution, Harold se servit de la férule de son bâton pour libérer le lainage de la branche épineuse dans laquelle il s'était pris et le soulever afin de mieux le voir. Un cardigan pour jeune fille, pensa-t-il, et plutôt en bon état. Un peu trop fantaisie pour appartenir à une vraie randonneuse, c'était évident. Il aurait pu l'étendre sur la haie, le laisser là au cas où sa propriétaire reviendrait le chercher, mais sans qu'il sût pourquoi cela lui parut peu probable. Soigneusement, il le plia et le mit dans son sac à dos. En ville, l'une ou l'autre des boutiques qui vendaient des vêtements d'occasion au profit des œuvres de bienfaisance serait contente de le récupérer, il n'en doutait pas.

Ce ne fut qu'une fois rentré chez lui, en regardant les infos du soir pendant qu'il se faisait couler un bon bain, que Harold fit le rapprochement entre sa trouvaille et Emma Harrison. La dernière fois qu'on l'avait vue, annonça le présentateur, Emma portait un dos nu à motif floral, une jupe bleue en jean, des sandales roses, et un cardigan violet.

Harold ferma les robinets de la baignoire, replia le cardigan dans une double page de papier journal, mit son paquet dans un cabas en plastique, et l'apporta sans attendre au commissariat le plus proche.

La région qu'avait traversée Harold au cours de sa promenade était constituée, en majeure partie, de terres cultivées légèrement vallonnées. Au nord du village de Norton Disney et au-dessus de la petite route, à peine plus large qu'une voie secondaire, qui se dirige vers l'est à partir de l'A46, se trouvait un bois et, passant tout près du village lui-même, la rivière Witham, qui décrivait une longue courbe pour rejoindre The Wash. Il y avait une petite carrière à l'est, et pour le reste, des champs, parsemés çà et là de bâtiments agricoles et parfois de pavillons. Au cours des quatre derniers jours, à part une averse assez violente, le temps avait été sec et chaud ; le cardigan était sec au toucher quand Harold l'avait remis à la police, avec un reste d'humidité à l'endroit où l'une des manches s'était retournée. Sur le côté gauche, une maille était tirée – ce n'était pas vraiment un accroc – la laine s'étant prise dans la haie.

Ashley Foulkes reconnut immédiatement le cardigan qu'elle avait prêté à Emma, et elle éclata en sanglots ; ses parents confirmèrent que c'était bien le sien. L'agent Eileen Joy, qui assurait la liaison avec la famille Harrison, l'informa aussitôt.

Les forces de police, délaissant le parc de Rufford, concentrèrent leur attention sur le village de Norton Disney. Les policiers du Nottinghamshire furent aidés par des collègues du Lincolnshire, le personnel de la Royal Air Force, et un nombre important de volontaires civils. Dans la zone concernée, on allait fouiller un champ après l'autre, les recherches progressant graduellement du centre vers l'extérieur : chaque bâtiment, chaque haie, chaque ruisseau, chaque grange. Les sonars prêts à sonder le lac de Rufford furent redéployés le long de la rivière Witham.

Si Emma Harrison avait suivi le sentier emprunté par Harold Edge, si elle avait franchi la haie grâce à l'échalier, où diable voulait-elle aller, et pourquoi ? Et si, ce qui paraissait plus probable, elle était avec quelqu'un d'autre, suivait-elle cette personne de son plein gré, ou y était-elle forcée ? En fait, l'avait-on portée ? Et en ce cas, sur quelle distance ? L'endroit où Harold avait découvert le cardigan était très éloigné du point le plus proche accessible en voiture, c'est-à-dire de la route. Seul un homme d'une force considérable aurait pu la porter aussi longtemps, voire plus longtemps encore si nécessaire.

Les enquêteurs procédaient à une fouille minutieuse près du lieu de la découverte du vêtement, examinant le sol à la recherche de traces de pas, prenant des photos, cherchant des indices matériels autour de l'endroit où la haie recouvrait l'échalier.

Il s'était maintenant écoulé quatre jours, à peu de chose près, depuis le moment où Emma Harrison avait été vue pour la dernière fois.

Quand Elder et Joanne avaient quitté Londres en 1997 pour revenir s'installer à Nottingham – Katherine avait onze ans et s'apprêtait à entrer au collège – Bernard Young était inspecteur en chef à la Division des crimes majeurs. Il était célèbre pour sa collection de poissons tropicaux, une tendance certaine à ne pas mâcher ses mots, son penchant pour la littérature de haut vol et les costumes trois-pièces en laine d'Écosse plus ou moins velue. Si vous vous trouviez près de lui, dans le sens du vent, par une chaude journée d'été, vous pouviez vous imaginer dans les Highlands, à vous remplir les poumons des puissants remugles d'une cabane de berger.

À présent, il était le commissaire Young, l'officier supérieur à la tête de la division, avec un traitement nettement revu à la hausse et un bureau donnant sur le parking, les toits des maisons adjacentes, et un bout de ciel. Contre un mur latéral de la pièce – dont les étagères abritaient des éditions complètes de Shakespeare, Fielding et Smollett – de l'eau fraîche circulait en glougloutant dans un aquarium d'un mètre sur deux, posé sur un meuble bas, à l'intérieur duquel évoluait le surplus de sa collection de poissons. À travers la vitre, on percevait les mouvements vifs de diverses taches orangées et dorées.

Dans la pièce, cet après-midi, à part Bernard Young lui-même, se trouvaient deux inspecteurs principaux, Maureen Prior et Gerry Clarke, et, à l'initiative du commissaire, Frank Elder.

La veste du costume de Bernard Young pendait à une patère derrière la porte du bureau, et les boutons de son gilet, à l'exception d'un seul, étaient défaits.

– J'aimerais croire, dit Young, que la jeune Emma se promenait dans la campagne de son propre chef quand elle a traversé ce pré, gambadant parmi les boutons d'or et les bouses de vache en toute insouciance. J'aimerais croire qu'une fée lui a frotté les paupières, en ce samedi après-midi, avec de la poudre de perlimpinpin, et qu'elle erre au hasard depuis lors, en transe, en pleine béatitude. Sauf que nous ne sommes pas en plein milieu du *Songe d'une nuit d'été*, bon sang ! Et que tôt ou tard nous allons découvrir son cadavre, à cette pauvre gamine. (Son regard passa de l'un à l'autre de ses collègues.) À moins que vous ne soyez d'un avis différent ? (Personne ne broncha.)

» Bon. Donc, elle se trouve là-bas parce que quelqu'un l'y a emmenée, voilà notre hypothèse. Quelqu'un qu'elle a rencontré à Rufford ou ailleurs.

Initialement, elle a pu le suivre de son plein gré – c'est même probable – ou bien elle a pu le faire sous la contrainte dès le départ. Elle connaissait peut-être cet homme, ou peut-être pas. Pour l'instant, il y a trop de points d'interrogation, trop de choses que nous ignorons.

Maureen commença à dire quelque chose, mais se ravisa.

– Gerry, reprit Young, il serait difficile d'améliorer le dispositif que vous avez mis en place... (Clarke se passa une main devant le visage pour masquer une rougeur subite.) Donc, toutes les recherches continueront à être menées sous votre direction. Maureen, votre priorité, ce sera de retrouver la trace des criminels connus et de les interroger. Commencez par la liste des délinquants sexuels : tout homme condamné pour délit ou violence sexuels et récemment libéré dans la région.

Maureen acquiesça. Avant qu'on ne fasse le tri, la catégorie concernée pouvait représenter huit cents noms, peut-être davantage. Et combien d'enquêteurs aurait-elle à sa disposition ? Si elle avait de la chance, beaucoup de chance, et si les forces de police des villes voisines leur prêtaient la main, ils seraient peut-être trente ou quarante. Heures supplémentaires assurées pendant la première semaine, mais après cela... ?

– Cela devrait aller de soi, ajouta Young, mais je me permets quand même d'insister. Entre vous deux, la coopération est essentielle ; vous ne gardez rien pour vous, vous restez joignable à tout moment. Dès qu'il y a du nouveau, un élément important, je veux le savoir presque en même temps que vous. Et toute déclaration à la presse, aux médias, doit recevoir mon aval. On ne cherche pas à épater la galerie, compris ?

– Compris, patron, répondit Maureen.

– D'accord, patron, fit Clarke.

– Et tout ceci nous amène à parler de Frank ici présent. Vous le connaissez tous les deux. Vous, Maureen, aussi bien que moi, sinon mieux. Vous avez travaillé avec lui, et avec succès, il n'y a pas si longtemps. C'est en grande partie grâce à Frank qu'on a pu envoyer McKeirnan et Donald en prison. Et aujourd'hui, comme nous le savons tous, Donald est en cavale. Qui plus est, il se trouvait dans la région la veille même de la disparition d'Emma Harrison. Bien sûr, il pourrait ne s'agir que d'une coïncidence, et si j'étais homme à prendre des paris, je dirais sans doute que c'en est une. Mais quand je regarde cette photo de la jeune Emma, elle me rappelle le visage de la petite que ces deux salauds ont tuée. Des sœurs jumelles, peut-être pas, mais deux perles de la même eau.

Young fit une pause pour reprendre son souffle, boire une gorgée du verre d'eau posé sur son bureau.

– Tout à l'heure, j'ai parlé de tout ça au directeur adjoint de la police, et je propose que pour cette enquête nous embauchions Frank au titre de consultant civil. Il connaît Donald probablement mieux que personne, et il a déjà travaillé sur ce genre d'affaire. De plus, la division est surchargée de travail, et nous avons besoin de toute l'aide que nous pouvons obtenir. Frank sait ce qu'il fait, il connaît notre façon de travailler, cela m'étonnerait qu'il se fourre dans nos pattes.

Elder savait pertinemment que Maureen avait parlé à Young avant que ce dernier ne s'entretienne avec le directeur adjoint.

– Des commentaires ? Des remarques ?

– Je crois que c'est une bonne idée, dit Maureen sans hésiter.

– Gerry ?

– Je n'y vois aucun inconvénient, fit Clarke. Si j'en crois vos explications, il travaillera surtout avec Maureen, de toute façon.

– Très bien, conclut le commissaire principal en reboutonnant machinalement son gilet. Frank, si vous voulez vous joindre à nous, vous êtes le bienvenu.

– Je ferai ce que je pourrai, dit Elder.

Paul Latham l'attendait près du guichet de l'accueil, l'air égaré, mal à l'aise. Il portait toujours son costume fétiche en velours pâle, mais ses épaules s'étaient affaissées, et son regard avait perdu de son éclat.

– Ce n'est pas facile de retrouver votre trace, annonça Latham.

– Qu'est-ce que vous voulez ?

– À part vous donner la satisfaction d'apprendre que j'ai été viré, je ne sais pas trop.

– Très bien, fit Elder. Si vous voulez parler, allons ailleurs.

Ils trouvèrent un pub sans caractère, avec des cendriers en métal et des dessous-de-verre publicitaires pour une marque de bière qui n'existait plus. *Écran géant pour retransmissions sportives*, proclamait un écriteau, mais Elder n'imaginait pas l'établissement noir de monde pour ce genre d'événement. Il commanda une demi-pinte de bière pour lui-même et le regretta bientôt ; Latham demanda un grand gin-tonic, et fut le mieux servi des deux, sur ce plan-là du moins.

– Alors, qu'est-ce qui vous tracasse ? demanda Elder.

– En plus de mes problèmes pour trouver un nouvel emploi, vous voulez dire ? Ailleurs que dans l'enseignement, bien sûr. Ce qui n'a rien de facile quand on a mon âge et qu'on n'a jamais travaillé ailleurs que dans des établissements scolaires.

309

– Je suis désolé..., fit Elder sans être certain, même à ce moment-là, d'être sincère.

– Vraiment ?

Elder prit une nouvelle gorgée de bière et fit la grimace.

– Que s'est-il passé ?

– J'ai eu la visite de cette espèce de brute que vous m'avez envoyée, voilà ce qui s'est passé.

– Je n'ai envoyé personne.

– Ce représentant de la force publique, ce digne défenseur de la loi.

– Loake.

– Lui-même. L'inspecteur principal Loake. Qui a déboulé en plein milieu d'un de mes cours et m'a plus ou moins accusé de pédophilie devant une trentaine de gamins de douze ans. Oh, j'ai écrit à son supérieur hiérarchique, à mon député, et au service du dépôt des plaintes contre la police, encore que ça ne servira strictement à rien. En tout état de cause, j'ai été viré, mon contrat résilié. Je me suis trouvé presque complètement rejeté par des collègues avec qui je travaillais, pour certains d'entre eux, depuis plus de dix ans. J'ai connu l'humiliation d'être escorté jusqu'à la porte de l'établissement et de me voir ordonner de ne plus y remettre les pieds sans permission écrite. Une permission, bien sûr, que je n'obtiendrai pas. Mon délégué syndical m'a assuré que j'avais le droit de faire appel, en même temps qu'il regardait ostensiblement sa montre. Ma carrière dans cette noble profession est, semble-t-il, terminée.

– Noble ?

– C'est ce que j'ai dit.

– Qu'y a-t-il de noble à séduire des gamines de quinze ans ?

– Séduire ? C'est ce que j'ai fait ?

– Dites-le-moi.

– Nous sommes devenus très proches, Susan et moi. Nous étions amis.

– Bien sûr, railla Elder.

– Croyez ce que vous voulez.

– Elle était sous votre responsabilité, dit Elder.

– Et après ? Je l'ai fait souffrir ? Je l'ai maltraitée ?

– Probablement.

– Je ne pense pas.

– Vous avez trahi la confiance dont vous étiez investi.

– La seule confiance qui importait, c'était celle qui existait entre Susan et moi, et celle-là, je ne l'ai jamais trahie. Je ne lui ai jamais menti, je n'ai jamais exagéré mes sentiments, je ne lui ai jamais dit quelque chose qui n'était pas vrai.

– Vous avez profité...

– Bon sang ! Vous êtes incroyable, dans le genre coincé et donneur de leçons.

– Si vous ou bien un type comme vous s'approchait de ma fille...

– Vous seriez prêt à faire quoi ? M'enduire de goudron et de plumes avant de m'exhiber dans les rues ? Me couper les bijoux de famille pour les jeter aux chiens ? Me pendre, peut-être ? Mais non, j'ai lu les slogans antipédophiles : la pendaison, c'est une sanction trop douce pour les monstres dans mon genre.

– Vous êtes ridicule, dit Elder.

– Vous trouvez ? Il ne vous est jamais venu à l'esprit que ce qui s'est passé entre Susan et moi était empreint de respect et d'amour, et que peut-être, je dis bien peut-être, c'était exactement ce dont elle avait besoin à cette période-là de sa vie ?

– Non.

– Tout comme il se pourrait, si votre fille avait une relation avec un homme plus âgé, que ce soit ce qui pourrait lui arriver de mieux ?

– Non.

Latham baissa la tête, reprit son verre, et avala une nouvelle gorgée de gin.

– Susan, reprit Elder. Quand l'avez-vous vue pour la dernière fois ?

– Le dernier jour du trimestre. Ils étaient presque tous partis, les camarades de classe de Susan, certains étaient déjà en vacances, ou ils avaient trouvé un petit boulot pour l'été. Susan est venue me dire au revoir. Elle entrait au lycée en septembre, elle commençait une nouvelle vie. Nous n'avions aucune possibilité de continuer à nous voir, nous avions parlé de tout ça. Elle m'a donné une carte, très gentille, une citation de Shakespeare, tirée de l'un de ses sonnets. Je l'ai toujours, vous pourrez la voir si vous le désirez. *Pour Paul, avec amour, et merci pour tout.* Je ne l'ai jamais revue.

– Et vous n'avez aucune idée de ce qui lui est arrivé ?

– Aucune.

Elder ne le quittait pas des yeux.

– Vous pensez que je mens ?

– Non. (Elder repoussa son verre de bière sans le vider.) Il faut que je rentre.

– Je vais rester un moment.

Elder hocha la tête et se leva.

– Ce qui s'est passé avec Susan, dit Latham, je ne le regrette pas. Pas du tout. Quoi qu'il ait pu m'arriver par la suite.

Avec un signe de tête à peine perceptible, Elder le laissa assis sur sa chaise, les yeux fixés au fond d'un verre presque vide.

## 36

Quand son mariage avait sombré, Elder avait mis la plus grande distance possible entre le naufrage et lui. Les premiers mois, Joanne les avait vécus dans une sorte d'état second, voyant Martyn Miles plus ouvertement, passant parfois la nuit chez lui, mais la plupart du temps elle rentrait à la maison pour retrouver son lit défait et le regard lourd de reproches de sa fille Katherine. Une partie d'elle-même, Joanne en prit conscience après coup, attendait qu'Elder se manifeste de nouveau, qu'il discute avec elle, fasse des concessions, trouve un compromis, arrange les choses. Il l'avait déjà fait par le passé.

Quand elle comprit qu'il ne ferait rien de tout cela, Joanne mit la maison en vente. Martyn se sépara de son appartement pour acheter quelque chose de plus spacieux dans le même quartier : une maison conçue par un jeune architecte, et construite parmi des demeures XIX^e siècle qui pour la plupart avaient perdu de leur magnificence. Sur le devant, la façade en béton blanc présentait aux passants un mur anonyme, presque uni ; à l'arrière, une paroi tout en verre séparait cent mètres de jardin aménagé du salon double hauteur avec son escalier en spirale et ses gravures hors de prix.

Quelques minutes après avoir fait sa connaissance, des années plus tôt, dans un salon dont il était propriétaire à Londres, Martyn avait touché le bras de Joanne, et une décharge électrique, visible dans son regard, l'avait parcourue de la tête aux pieds. Et en cet instant précis, elle avait compris qu'à moins de tourner les talons et de partir sans attendre, tôt ou tard elle coucherait avec lui, malgré tous les efforts qu'elle pourrait faire pour se persuader du contraire. Évidemment, elle n'avait pas tourné les talons. Elle était restée. Comme s'il était conscient d'un accord tacite entre eux, Martyn prit ses distances, ne fit rien pour la poursuivre, leur relation restant professionnelle et irréprochable. Elder, pendant ce temps, abattant des journées de travail de plus en plus longues, occupait de moins en moins de place dans la vie de Joanne, en dehors de la routine quotidienne, de l'ordinaire gris et terne, des nuits passées au lit en se tournant le dos. Ce qui finit par arriver entre Joanne et Martyn n'avait rien d'original : une fête un peu trop arrosée, et ce qui commença sur le siège arrière d'une voiture se termina sur un lit rond entouré de miroirs leur renvoyant les ébats de leurs corps couverts de sueur.

Après cela, il y eut tellement de promesses faites et non tenues; des promesses à Frank, des promesses à elle-même. Parfois, Martyn et Joanne restaient des mois sans se retrouver seuls ensemble, sans se toucher; quand il tenta de s'installer aux États-Unis, ils n'eurent plus aucun contact pendant presque un an. Il avait d'autres maîtresses, Joanne le savait, d'autres filles. Quant à elle, toujours mariée, Elder plus ou moins dans son lit, comment aurait-elle pu se plaindre? Avec le temps, le feu qui brûlait entre eux finit par tiédir, comme de bien entendu.

À l'époque où Joanne s'installa à Nottingham, Martyn et elle étaient associés en affaire, et bons amis. Il s'occupait des salons de Londres, et de plus en plus, il lui confiait la gestion de tout le reste. Lorsque, à l'occasion, il se rendait à Nottingham et qu'il y passait un moment, ils dînaient ensemble, et rien de plus. Puis, aussi brusquement que si elle avait basculé un interrupteur, cela changea. Elle eut envie de lui, comme une maladie soudaine. Une fièvre. Et Martyn, excité par le changement, lui donna la réplique. Ils se virent de plus en plus souvent, ils prirent des risques ; une fois, Joanne l'appela en pleine nuit, s'éclipsa de chez elle, et elle fit l'amour avec lui dans une allée derrière la maison du voisin, nue sous un vieil imper de Frank qu'elle avait raflé derrière la porte avant de sortir.

Inévitablement, Elder devait s'en apercevoir. Pendant un bon moment, Joanne eut la certitude qu'il était au courant mais que, pour elle ne savait quelle raison, il refusait d'en parler. Plus elle lui donnait l'occasion de le faire, et plus il se dérobait. Jusqu'au jour où, de but en blanc, elle lui dit tout, elle passa aux aveux. Et ce fut comme si Elder ne s'était jamais douté de rien. Prononçant des paroles dures comme de la pierre, coupantes comme du verre. *Frank, je revois Martyn...*

Il n'était jamais venu chez elle. Il connaissait la maison, bien sûr, il savait où elle se trouvait, il était passé plusieurs fois devant en voiture. Un jour, en feuilletant un magazine de décoration qui traînait dans un café près de la plage, en Cornouailles, il avait trouvé un article qui lui était consacré, avec des photos en couleur, une interview de l'architecte. Sur l'une des photos, prise en intérieur, Martyn posait pieds nus devant l'escalier en spirale, les mains dans les poches de son costume ample de couleur blanche. La suivante montrait Martyn et Joanne assis côte à côte sur un canapé en cuir, se tenant la main.

315

Cet après-midi, on l'avait présenté aux autres membres de l'équipe d'enquêteurs, et il n'avait pas perçu davantage de préventions à son égard que ce à quoi il s'attendait. Il connaissait déjà certains visages, les autres étaient nouveaux pour lui. Il prit connaissance des interrogatoires des spectateurs présents aux concerts le samedi précédent, puis s'enferma avec un écran et la cassette de vidéosurveillance de la boutique qui vendait des objets artisanaux à Rufford Park. Un index permettait de retrouver une séquence montrant Emma, Ashley et Alison, en début d'après-midi, riant toutes les trois en passant d'un rayon à l'autre, prenant tel article, en essayant un autre. Et un autre passage, plus bref, permettait de voir Alison et Ashley, plus tard, courant presque entre les gondoles, cherchant frénétiquement Emma une dernière fois avant le départ du bus.

Ce qu'Elder voulait voir, c'était autre chose.

Shane Donald.

Pendant près de deux heures, ce fut la même séquence qu'il repassa inlassablement : un homme, à la limite du champ de la caméra, et, l'espace de quelques secondes, le temps qu'il se tourne et reprenne sa position première parce qu'on lui avait dit ou crié quelque chose, son bras, un visage flou, son bras de nouveau et son dos – chemise sombre, cheveux courts, rien de plus. À peine une impression, impossible à identifier. Mais là, au milieu de l'écran, il y avait le visage, très expressif, d'une jeune fille mince aux cheveux blonds qui tenait un objet – un bijou, un collier, un bracelet, difficile de se prononcer – comme pour dire, hé, regarde ça. Puis la caméra balaya le magasin, et quand elle eut fini son panoramique, l'homme et la jeune fille avaient tous les deux disparu.

Était-ce Donald ? Elder demanda à l'un des techniciens de transférer l'image sur disque pour qu'on puisse l'agrandir, la rendre plus nette, l'imprimer. Cette question hantait encore une partie de son esprit tandis qu'il attendait, devant la porte, qu'on réagisse à son coup de sonnette.

Le visage de Joanne refléta sa surprise, puis se détendit en un sourire.

– Frank, tu aurais pu téléphoner.

– Et te laisser le temps de t'en aller ?

– Martyn n'est pas là.

– Dommage.

Joanne n'hésita qu'un instant avant de lui laisser le passage.

– Tu ferais mieux d'entrer.

Le hall d'entrée était lambrissé de bois pâle, avec des spots encastrés dans les murs gris, une grande fleur, solitaire, dans un vase effilé.

– Suis-moi.

Sur les talons de Joanne, il pénétra dans le salon qui semblait flotter dans l'espace grâce à son plafond haut et ses murs pâles bleu-gris. Dehors, à intervalles réguliers sur le patio pavé, des lumières brillaient dans des lanternes argentées, bien que la nuit ne fût pas encore tombée.

– Je peux te servir à boire ? Du vin ? Une bière ?

– Une bière, ce serait sympa.

Elder examina attentivement son propre reflet dans la porte vitrée coulissante, comme s'il n'était pas encore sûr de ce qu'il allait faire.

– J'espère qu'elle sera à ton goût. (Joanne lui tendait une bouteille décapsulée, froide au toucher, la condensation se formant déjà sur les flancs.) C'est la préférée de Martyn. Une bière française, je crois.

Elder ne fit pas de commentaire.

Joanne se tenait près de lui, un verre de vin blanc à la main, pas très à l'aise, l'observant.

– Tu ne m'as pas l'air au mieux de ta forme, Frank.

– J'ai connu pire.

Joanne portait une jupe couleur crème, que la plupart des gens auraient qualifiée d'écrue, et un haut violet qui lui collait à la peau peut-être un peu plus qu'il n'aurait fallu, et Elder lui en voulut d'être aussi belle.

– Alors, Frank, qu'est-ce qui nous vaut l'honneur ?

– Nous ?

– Martyn est sorti, une réunion quelconque...

– Tu me l'as dit.

– Katherine n'est pas encore rentrée de l'entraînement. Quand la séance est terminée, elle traîne souvent avec ses amis.

– Il n'y a que toi et moi, alors.

– Comme au bon vieux temps.

– Non.

Joanne soupira, comme déjà lassée par le petit jeu qu'ils jouaient presque.

– Qu'est-ce que tu voulais, Frank ?

– Cette gamine qui a disparu dans la région, il y a quelques jours...

– On ne parle que de ça aux infos. Emma Quelquechose.

– Harrison.

– Eh bien ?

– Je participe à l'enquête. Comme consultant. À partir d'aujourd'hui.

– Pourquoi toi ?

– Une affaire dont je me suis occupé autrefois, il y a peut-être un rapport entre les deux. Rien de très sûr pour l'instant.

– Oh, Frank. (Joanne se tourna à demi.) Je croyais que c'était terminé.

318

– Ça ne l'est sans doute jamais.

Joanne s'assit sur le canapé, tête baissée, son verre de vin tenu à peine serré entre ses mains.

– J'ai pensé que je devais te tenir au courant, reprit Elder. Cela veut dire que je vais rester en ville un moment. Plus longtemps que je ne l'avais prévu.

– Et alors ?

– La ville n'est pas si grande, Jo, tu le sais.

– Je le sais.

– À cause de Katherine, à défaut d'une autre raison, je voulais que tu le saches, c'est tout.

– Tu pourras la voir un peu plus.

– Oui.

– Elle sera contente.

– Je l'espère.

Joanne tenta un sourire qui ne se concrétisa pas tout à fait.

– Tu veux une autre bière ?

– J'ai à peine commencé celle-ci.

– Je crois que j'ai besoin de remplir mon verre.

Ils ne bougèrent ni l'un ni l'autre. Au loin, le bruit d'une voiture négociant la courbe de la rue. Quelque chose – un chat ? – longea l'extrémité du patio, captant l'attention d'Elder. Quand il se retourna vers le centre de la pièce, Joanne était debout, son verre vide à la main. La porte d'entrée s'ouvrit et se referma.

– Frank ! Qu'est-ce que vous foutez là ?

Ayant à peine franchi le seuil, Martyn Miles souriait, tenant par-dessus son épaule la veste de son costume grâce au doigt qu'il avait passé dans la boucle cousue à l'intérieur du col. Il avait les cheveux en bataille, comme s'il avait roulé capote baissée, et les joues empourprées.

– Jo et vous, comme au bon vieux temps.

– Je l'ai déjà dit, commenta Joanne.

Elder ne fit pas de commentaire.

– Je m'excuse de rentrer tôt et de troubler votre petit tête-à-tête. (Martyn posa sa veste sur le dossier d'une chaise en plexiglas, s'installa à un bout du canapé, et se débarrassa de ses mocassins pour étendre ses jambes.) Je ne pense pas, ma chérie, que je puisse espérer une tasse de café ?

Joanne le fixa un instant, à peine hostile, avant de s'éloigner.

– Et deux aspirines, pendant que tu y es.

Elder avala une nouvelle gorgée de bière.

– Bon sang, asseyez-vous donc, fit Martyn. Vous me rendez nerveux. À moins que ce ne soit le but recherché.

Elder fit pivoter une chaise vers le canapé et s'assit.

– Vous êtes venu voir Katherine, sans doute, ajouta Martyn.

– En fait, je suis passé pour dire que j'allais rester en ville un moment.

Martyn l'examina soigneusement.

– C'est parfait. Il faut que vous veniez dîner un soir.

– Probablement pas.

Ils ne dirent rien de plus jusqu'au moment où Joanne revint chargée d'un plateau ; du café, de l'eau et de l'aspirine pour Martyn, du vin pour elle-même.

– Je venais de dire, il faut que Frank vienne dîner un de ces soirs. Bientôt. Ça ne vous ennuie pas que je vous appelle Frank ?

– Sauter ma femme doit vous donner quelques privilèges.

– Sauf que ce n'est plus votre femme, enfin, merde !

– Frank, dit Joanne, je crois que tu devrais partir.

– Je n'aurais pas dû venir.

– Pourquoi tu ne téléphones pas, la prochaine fois ? Ce serait peut-être plus simple.

– Oui, fit Martyn d'une voix un peu traînante. Envoyez-nous un e-mail. Vous savez ce que c'est, au moins ?

Ni l'un ni l'autre ne bougèrent tandis qu'Elder traversait la pièce en direction de la porte.

Au bout de la courte allée, une 2 CV vieillissante était garée derrière l'Audi décapotable de Martyn, et Katherine était appuyée contre la carrosserie, un bras passé autour du cou d'un grand jeune homme en survêtement bleu foncé, qui l'embrassait.

Elder toussa et ralentit l'allure.

– Tu m'espionnes, papa ? demanda Katherine en s'écartant de son soupirant.

– Pas exactement.

– Papa, je te présente Stuart. Stuart, mon père.

Les deux hommes se serrèrent la main.

– Stuart s'entraîne avec moi, parfois.

– C'est ce que je vois.

– Je ferais mieux d'y aller, annonça Stuart.

Il avait un accent de la région, mais pas trop marqué.

Le moteur démarra dans un balbutiement, puis produisit son bruit habituel de machine à coudre quand la voiture se mit à rouler.

– C'est sérieux ? demanda Elder avec un signe de tête en direction de la Citroën qui s'éloignait.

Katherine eut un sourire espiègle.

– Lui, il l'est peut-être.

– Je le plains.

– Pas la peine, dit Katherine avant de demander : Tu es venu voir Maman ?

– Oui.

– Ce n'était pas trop tôt.

– Ce n'est pas mon avis.

– Vous ne vous êtes pas disputés ?

– Pas exactement.

Lentement, Katherine secoua la tête.

– Martyn est là ?

Elder acquiesça.

– Eh bien ça change un peu, pour une fois.

– Qu'est-ce que tu veux dire ?

– Rien.

– Kate...

– Rien. Je ne voulais rien dire du tout.

De l'autre côté de la rue, une voiture passa à une allure de sénateur, roulant pleins phares. L'obscurité commençait à se refermer sur eux, à présent, remplissant l'espace.

– Ce que je suis venu dire à ta mère, c'est que je vais rester ici un moment, pour donner un coup de main dans l'enquête sur la disparition de cette fille.

– Je le sais.

– Comment est-ce possible ?

– On a écouté la radio locale, dans la voiture. Ils l'ont dit aux infos.

– Bon sang !

– Il faut que tu t'y fasses, papa, tu es célèbre. Tristement célèbre, en tout cas. (En souriant, elle se hissa sur la pointe des pieds et l'embrassa sur la joue.) Je t'appelle.

– Je compte sur toi.

Brièvement, il la serra dans ses bras avant de s'éloigner. Ses cheveux sentaient bon après la douche, avec un léger parfum de citron. Il allait rentrer, et si Willie Bell n'était pas chez lui, il lirait quelques pages de *David Copperfield*, et il commencerait sa journée de bonne heure le lendemain.

## 37

Ils étaient assis à la terrasse d'un petit café près de la rivière. C'est en plein centre-ville, avait dit Pam Wilson au téléphone, tournez à droite au feu rouge et c'est là. Il y a un petit parking pas loin, et une librairie juste en face. Vous ne pouvez pas vous tromper.

La circulation n'avait pas été aussi chargée qu'Elder ne l'avait craint ; il était arrivé en avance, mais que ce soit devant le café ou à l'intérieur, il n'avait vu personne qui corresponde à la description de la contrôleuse judiciaire. Il se dit qu'à la librairie, qui proposait surtout des fins de stock, il pourrait trouver quelque chose à lire quand il en aurait enfin terminé avec *David Copperfield*. Cependant, après avoir fouiné pendant un quart d'heure entre des tables surchargées et des étagères remplies, il était ressorti les mains vides. À chaque fois qu'il prenait un bouquin et qu'il le retournait pour lire le résumé au dos, qu'il l'ouvrait pour en goûter les premières phrases, il le remettait en place, ne parvenant pas à se décider.

Se retrouvant sur l'étroit trottoir, il la repéra de l'autre côté de la rue. Une femme plutôt grande, aux cheveux en bataille, vêtue d'un T-shirt ample et délavé, de chaussures de sport et d'un jean. Le voyant traverser la rue dans sa direction, elle se leva et lui tendit la main.

– Pam Wilson.

– Frank Elder.

– Vous avez trouvé facilement, alors ?

– Aucun problème.

Elle le fixait franchement, sans éviter son regard. Sur la table, devant elle, se trouvaient une tasse de café, un croissant fantaisie, un briquet jetable de couleur bleue et un paquet de cigarettes.

– Ils viennent prendre les commandes ? demanda Elder avec un signe de tête vers le café. Ou quoi ?

– Vous commandez à l'intérieur, et on vient vous servir.

Il demanda un café noir sans céder à l'attrait de l'assortiment de petits pains et de pâtisseries.

Quand il ressortit et s'assit, Pam avait une cigarette à la bouche, et elle plissait un peu les paupières à cause de la fumée qui passait devant ses yeux.

– Ça ne vous ennuie pas qu'on reste en terrasse ?

– Non, c'est très bien.

– J'aime profiter du beau temps quand c'est possible. Et assouvir mes vices par la même occasion. L'un d'entre eux, au moins.

– Comment allez-vous ? demanda Elder.

– Moi ? Ça va bien.

– Mais vous êtes encore en congé ?

– Quelques jours de vacances bien mérités. (Elle reposa sa cigarette et rompit un bout de son croissant.) Un congé de maladie, en fait.

– Ce genre d'expérience, ça peut vous secouer, fit Elder.

– À qui le dites-vous.

– Il vous a menacée avec un couteau.

– Il l'a tenu contre ma nuque. (Passant la main derrière sa tête, elle toucha sa peau juste au-dessous de ses cheveux.) Et d'une main pas très ferme, d'ailleurs. Il avait sans doute aussi peur que moi.

– Vous aviez peur à cause de ce que vous le pensiez capable de faire ?

Pam fit pénétrer la fumée de sa cigarette dans ses
poumons.

– Je savais ce qu'il avait déjà fait.

Une serveuse apporta le café d'Elder, le posa sur
la table et repartit. Une jeune mère était assise près
du mur les séparant de la rivière ; son enfant dormait dans sa poussette. La circulation s'écoulait lentement derrière le dos d'Elder.

– Donald, vous croyez qu'il pourrait commettre
de nouveau les mêmes actes ? Ou quelque chose de
semblable ?

Pam Wilson le regarda pendant ce qui lui parut
un long moment.

– Oui, je le pense. En tout cas, c'est certainement
ce que j'ai pensé, ce soir-là, dans la voiture. (Brusquement, elle s'esclaffa.) C'est idiot, non ? Je suis
plus intelligente que lui, plus grande que lui. Plus
lourde, sans aucun doute. En meilleure condition
physique. J'aurais pu lui faire lâcher ce couteau, lui
flanquer une claque et le neutraliser. Au lieu de
quoi je suis restée sans bouger, comme une victime,
attendant qu'il m'agresse.

– Et pourtant, vous avez pris position en faveur
de sa libération, dit Elder.

Pam secoua la tête.

– Je n'ai pas pris la décision toute seule. Et si
j'avais voulu m'y opposer, je n'aurais eu aucun élément concret sur lequel m'appuyer. À chaque fois
que je le voyais, il disait ce qu'il fallait dire, ce que
j'avais envie d'entendre, à quel point il regrettait,
qu'il avait compris la gravité des actes qu'il avait
commis... Enfin, vous connaissez ce genre de discours.

– Et vous n'y croyiez pas ?

– Je n'en savais rien. C'est tout le problème, je ne savais pas. C'était un sentiment profond que j'avais, sans plus.

– Parfois, on n'a pas besoin d'autre chose.

Pam tira une dernière bouffée de sa cigarette avant de l'écraser.

– J'arrête de fumer demain, une fois de plus. À moins que ce soit après-demain.

– Et pourquoi pas aujourd'hui ?

– D'accord. Tenez, prenez-les. (Le paquet était dans la main de Pam, tendue vers Elder.) Allez, prenez.

– Vous pouvez toujours aller chez le buraliste le plus proche et en acheter un autre.

– Alors, quelle est la solution ?

Elder haussa les épaules.

– Gardez celles-ci. Vous saurez qu'elles sont dans votre poche, mais vous n'en allumerez aucune.

Elle sourit. C'était un bon sourire, pensa Elder, ouvert et généreux. Il se demanda comment Shane Donald était parvenu à la faire à ce point sortir de ses gonds.

– J'ai déjà essayé, dit Pam.

– Ça ne marche pas ?

– La plupart du temps. (Elle détacha un autre morceau de son croissant et le mit dans sa bouche. Derrière eux, le bébé s'était réveillé et il commençait à pleurer.) Quand je suis allée le voir au foyer, Donald, j'ai passé un moment avec lui pour lui faire la leçon habituelle, et puis, quand j'ai eu fini, il a souri, et quand il a fait ça... Je ne sais pas, ça m'a flanqué un coup, c'était comme s'il me faisait comprendre que pour lui, tout ça, ce n'était qu'une comédie, qu'il le savait très bien, et qu'au fond rien n'avait changé. Que lui-même n'avait pas changé. Et que si les mêmes circonstances se représentaient, il commettrait de nouveau les mêmes actes. (Elle tendit la main vers sa tasse de café, mais celle-ci était déjà vide.) Juste après cette entrevue, j'ai grillé ma première cigarette depuis des mois.

– Et vous n'avez pas changé d'avis ? demanda Elder. Vous pensez toujours, aujourd'hui, qu'il pourrait maltraiter quelqu'un. Comme autrefois. Par plaisir, pour l'excitation, pour le pied.

– Ça ne m'étonnerait pas.

Elder se recula contre son dossier, et Pam déchiffra bien cette réaction.

– Vous n'êtes pas de mon avis ?

– Je n'ai pas envie de l'être.

– À cause de cette gamine qui a disparu ?

– Peut-être.

Pam sourit.

– Que dit votre sentiment profond ?

Elder secoua la tête.

– Contrairement à vous, il y a longtemps, près de treize ans, que je n'ai pas vu Shane Donald. Mais à l'époque où je l'ai connu, c'était son ami, c'était McKeirnan, j'en suis sûr, qui était le meneur, qui prenait toutes les décisions.

– La prison change les gens, affirma Pam. Pas toujours de la façon que nous souhaiterions. Parfois elle les brise, parfois elle ne sert qu'à les endurcir. Il est possible que derrière les barreaux Donald n'ait rien fait d'autre que grandir. Peut-être n'a-t-il plus besoin de quelqu'un comme McKeirnan.

Le temps qu'Elder rentre en voiture par l'autoroute, la police avait trouvé l'endroit où on avait séquestré Emma Harrison.

C'était un couvreur au chômage qui avait fait la première découverte, une sandale rose avec une lanière en cuir, la semelle et le talon un peu usés. L'objet était niché dans un épais bouquet de chardons, vers la lisière sud d'une prairie qui servait de

327

pâturage, et un rayon de soleil le mit en valeur à l'instant précis où un bénévole participant à la battue traversait lentement le pré de droite à gauche, la tête baissée. Malgré la décharge d'adrénaline provoquée par sa trouvaille, il avait eu assez de présence d'esprit – grâce aux nombreux feuilletons policiers qu'il avait vus à la télé – pour ne pas ramasser la sandale, la manipuler, maculer d'éventuelles empreintes qui pourraient se révéler importantes. Il préféra donc marquer l'endroit en y posant son petit sac à dos et se précipita vers le plus proche des policiers en uniforme, un jeune agent d'Ollerton qui arpentait les lieux en bras de chemise, la nuque et le bout des oreilles virant au rouge brique sous le soleil.

Il ne fallut pas longtemps, aussi pénible que fût cette corvée, pour confirmer que la sandale était bien celle d'Emma. Elle faisait partie d'une paire achetée pour elle au début du printemps.

Une ligne, tracée sur la carte pour relier les deux découvertes, le cardigan et la sandale, suggéra la direction suivie : un sentier qui traversait une prairie de plus, plongeant à l'autre bout vers un ruisseau maigrelet qui coulait le long du pied de la haie. Cinquante mètres plus loin, la haie était brusquement coupée par un bout de barrière, en grande partie effondrée. Un chemin envahi par la végétation menait à ce qui avait été autrefois une ferme, une petite exploitation, sans plus. Le bâtiment principal avait été condamné puis, par la suite, incendié. Les poutres noircies se mêlaient à la brique désagrégée. La seconde des deux granges était robuste, sa porte fermée par un cadenas qu'il fut facile de briser. La puanteur qui s'en échappa suffisait à vous faire venir les larmes aux yeux, remonter les mucosités au fond de la gorge. Du sang, du vomi séché, des excréments humains. À première vue, le policier qui l'aperçut craignit que le ballot au pied du mur du fond fût un cadavre, mais ce n'était que de la paille et de la toile de jute mêlées à de la cendre. Un morceau de chaîne vissé à un montant; une corde qui pendait du toit. Abandonné dans un coin, roulé en boule, taché de sang, se trouvait le dos nu d'Emma Harrison.

Quand Maureen Prior arriva, peu de temps après Gerry Clarke, et avec une courte avance sur les médias, les alentours immédiats avaient déjà été bouclés par la police. Les experts de la police scientifique et l'équipe de l'Identité judiciaire se rassemblaient pour accomplir leur tâche. Des générateurs étaient déjà installés pour procurer la lumière supplémentaire qui allait être nécessaire. On avait apporté des bouteilles d'eau, des thermos de thé.

Ses chaussures couvertes de plastique, Maureen Prior se tenait seule au centre de la grange, examinant la chaîne, la corde, les taches noircissant le sol déjà sombre. Dans ses pensées, une gamine de quinze ans. Elle imaginait.

Plus tard, elle vomit; plus tard, quand elle fut seule, sans témoin.

Sur le moment, elle se retourna et ressortit en plein soleil.

– C'est bon, Gerry, fit-elle. Dis-leur qu'ils peuvent commencer.


– Sait-on combien de temps elle a été séquestrée là-dedans ? demanda Elder.

– Deux jours, sans doute, répondit Maureen. Trois au maximum.

Pendant un long moment, Elder garda les yeux fermés.

– Deux jours et deux nuits, dit-il.

– Oui.

Ils marchaient le long de la rivière, suivant la large courbe de Victoria Embankment qui les fit passer devant les jardins du Mémorial en direction de l'ancien viaduc, la pelouse mitée du parc de loisirs sur leur droite, parmi les gens qui promenaient leur chien et les cris sporadiques de footballeurs d'occasion. Sur la rivière, un bateau effilé fendait l'eau au rythme des avirons.

– Il y a des traces de pneus qui aboutissent à la ferme et en repartent, dit Maureen. Il a fait tellement sec, ces derniers jours, qu'il est difficile de savoir depuis combien de temps elles sont là. Il faudra attendre demain, au plus tôt, pour savoir si elles comportent quoi que ce soit de suffisamment distinct pour être exploitables.

– Ce chemin qui mène à la ferme, dit Elder. Dans l'autre sens, il va où ?

– Si on tourne à gauche, on rejoint l'A46, puis Newark au sud ou Lincoln au nord.

– Et si on tourne à droite ?

– Lincoln de nouveau. Ou bien on contourne la ville et on se faufile vers l'est.

– Jusqu'à la côte.

– Oui.

Elder garda le silence un petit moment.

– Qu'est-ce que tu en penses ? finit par demander Maureen.

Elder secoua la tête comme pour mettre de l'ordre dans ses pensées. Ils marchèrent encore un peu, jusqu'au terrain de boules sur gazon, puis Elder s'arrêta.

– Si l'on suppose que l'inconnu qui a séquestré Emma possède un véhicule, pourquoi a-t-il crapahuté ainsi à travers champs ?

– J'ai réfléchi à ça, aussi. Imaginons que la grange n'ait pas été son premier choix. Il l'emmène ailleurs et puis, pour une raison quelconque, il est obligé de repartir.

– À pied, malgré tout. Pourquoi à pied ?

– Cela paraît logique, non, si, après s'être emparé d'Emma, il a voulu se débarrasser du véhicule dans l'éventualité où celui-ci aurait été repéré ?

– Auquel cas nous aurions retrouvé une voiture abandonnée quelque part. Une voiture ou une camionnette.

– C'est encore dans le domaine des choses possibles.

Ils se remirent en route.

– S'il l'emmène avec lui après avoir quitté la grange, dit Maureen, ça veut dire qu'elle est encore en vie, non ?

– Peut-être.

– Frank, quelle autre raison pourrait-il bien y avoir ?

– Je n'en suis pas sûr.

Quand ils atteignirent le viaduc, ils s'arrêtèrent de nouveau. Tout droit vers le nord, par-dessus le lotissement plus-si-récent-que-ça des Meadows, se dessinait la silhouette du château et le dôme de l'hôtel de ville. Devant eux, quand ils se tournèrent, des projecteurs illuminaient les deux stades de football de Nottingham Forest et de Nottingham County, un de chaque côté de la rivière au-delà du pont.

– Tu persistes à croire que ce pourrait être Shane Donald ? dit Maureen.

– Je me demandais..., fit Elder. Tous ces allers et retours en rase campagne, et puis les vêtements, le cardigan d'abord et la sandale ensuite... Et si le ravisseur, quel qu'il soit, nous laissait une piste parce qu'il veut qu'on la suive ?

– Il cherche à se faire arrêter ?

– Pas nécessairement. Ce n'est pas du tout certain.

À la conférence de presse du soir, Bernard Young s'efforça dans la mesure du possible de s'en tenir

331

aux faits. Oui, nous supposons que le bâtiment en question est le lieu où Emma Harrison a été séquestrée. Non, nous n'avons pas d'idée précise de l'endroit où elle pourrait actuellement se trouver, mais nous allons continuer d'explorer un certain nombre de pistes.

– Que peut-on précisément déduire, demanda le correspondant d'un quotidien national, de la participation à l'enquête de l'ex-inspecteur principal Frank Elder ?

– Rien du tout, répondit le commissaire principal. Sinon qu'il s'agit d'un professionnel chevronné, possédant une expérience certaine de ce genre d'affaire. Et comme vous le savez bien, dans des enquêtes comme celle-ci, il n'est pas rare que nous fassions appel à toutes sortes de compétences extérieures.

– C'est Frank Elder, n'est-ce pas..., intervint le journaliste de la presse locale chargé des affaires criminelles, ... qui avait traqué McKeirnan et Donald ?

– Il faisait partie de l'équipe chargée de l'enquête, oui.

N'appréciant guère la tournure que prenait la conférence, le commissaire principal se leva.

– Et, si je ne m'abuse, Shane Donald, récemment remis en liberté conditionnelle, est toujours en fuite au regard de la loi ? C'est exact ?

– Plus de questions, dit le commissaire principal en s'éloignant délibérément.

– Il y aura une conférence de presse..., annonça le policier chargé des relations avec les médias, ... demain matin à onze heures. Au cas où un événement important viendrait à se produire, vous serez bien évidemment informés.

– Notre fille, demanda Ronald Harrison, est-elle morte ou encore vivante ?

Lentement, l'officier de liaison secoua la tête.

– Nous n'en savons rien, monsieur Harrison. Je crains que nous n'en sachions vraiment rien. Mais nous devons continuer à garder espoir.

## 38

L'espoir a la peau dure, mais parfois il meurt subitement. L'épave calcinée d'une Honda Civic vieille de quatre ans, volée sur le parking de la gare à Retford la veille de la disparition d'Emma Harrison, fut retrouvée dans un ancien camp pour les gens du voyage entre la rivière Trent et l'autoroute A1, au nord de Newark. Dans le coffre, on découvrit les restes carbonisés d'une sandale ressemblant à celle d'Emma. L'autre sandale.

Après un examen minutieux du chemin menant à la grange où Emma avait été séquestrée, les techniciens de scènes de crime identifièrent les traces de pneus partielles de ce qu'ils pensaient être une camionnette de gabarit moyen ayant effectué le trajet dans les deux sens. Ces traces correspondaient, pour autant qu'ils puissent le déterminer, à celles d'une camionnette Ford blanche équipée de pneus neufs à carcasse radiale qui avait été volée devant une maison de Newark, pendant que son propriétaire se trouvait à l'intérieur, occupé à démonter le mécanisme d'un grand canapé convertible avant de le descendre au rez-de-chaussée. La camionnette, jusqu'à présent, n'avait pas été retrouvée.

Peu avant dix heures, le samedi matin, deux garçons âgés de douze et quatorze ans qui passaient le week-end en famille sur un terrain de camping voisin, faisaient du vélo dans les dunes au nord de la petite ville de Mablethorpe, sur la côte du Lincolnshire. Sur le chemin du retour, le plus âgé des deux, pour faire le malin, lança sa bicyclette dans un dérapage spectaculaire. L'arc décrit par sa roue arrière creusa un large sillon dans le sable, découvrant la tombe sommaire dans laquelle on avait enfoui Emma Harrison.

– Mablethorpe, dit Maureen Prior en apprenant la nouvelle. Est-ce que ce n'est pas...

– L'endroit où on a retrouvé le corps de Lucy Padmore, confirma Elder. Il y a quatorze ans.

– Enterrée dans les dunes.

Elder, visage de marbre, acquiesça.

– Dans les dunes.

Les journaux du dimanche s'en donnèrent à cœur joie : des grands formats aux tabloïds, ils remplirent leurs pages de faits ct de suppositions, les reporters fournissant des articles riches en détails plus qu'explicites et en conjectures scabreuses. Il y avait des croquis montrant l'endroit où l'on avait enterré le corps, des interviews des deux gamins qui avaient découvert la tombe, des cartes à main levée retraçant les déplacements supposés d'Emma au cours des six derniers jours. Des photos d'Emma puisées à différentes sources, d'autres montrant ses parents cachant leur visage devant les objectifs alors qu'ils entraient en hâte dans l'hôpital pour identifier leur fille. Des colonnes et des colonnes furent consacrées aux souvenirs que les amis d'Emma gardaient d'elle. Emma qui débordait d'énergie, Emma qui était toujours si pleine de vie ; tout le monde l'adorait, tout le monde. Nous ne l'oublierons pas dans nos prières, répétait à qui voulait bien l'écouter le prêtre du quartier.

« Nous pourrions nous demander, dit l'archevêque, si nous ne sommes pas en quelque sorte en train de récolter les fruits d'une société qui lie toujours plus étroitement le sexe et le commerce, et dans laquelle la sexualisation de nos enfants et de nos jeunes est acceptée de plus en plus facilement, sans que cela ne soulève de questions ni de protestations. »

Sur l'identité du meurtrier, les conjectures allaient bon train. Sans vergogne, on eut recours à la tactique habituelle consistant à désigner et à incriminer les pédophiles. La participation d'Elder à l'enquête exacerbait l'intérêt suscité par cette coïncidence : deux jeunes filles enterrées sur la même partie de la côte. Les détails les plus atroces de la séquestration et de l'assassinat de Lucy Padmore furent exhumés pour rafraîchir la mémoire des lecteurs. Les journaux qui avaient commencé à publier des articles sur Shane Donald lorsqu'il s'était enfui du foyer pour ex-taulards en conditionnelle possédaient une longueur d'avance sur leurs rivaux. *EST-CE LE VISAGE DE L'ASSASSIN D'EMMA ?* s'interrogeait l'un d'eux en caractères de trois centimètres de haut. Le père de Lucy Padmore offrit une récompense pour la capture du meurtrier, une somme aussitôt revue à la hausse par un quotidien national.

Au pied des dunes, Elder regardait l'étendue grise et froide de la mer.

– Tu crois que c'est lui ? demanda Maureen.

– Je n'en sais rien. (Il avait répondu sèchement, d'une voix plus acerbe qu'il n'en avait eu l'intention.) Excuse-moi, je...

– Non, ce n'est pas grave.

Ils ne reparlèrent pas avant un certain temps. Chacun savait qu'ils en étaient à présent réduits aux conjectures ; l'autopsie n'avait pas encore déterminé la cause exacte de la mort. Un examen scientifique poussé du corps et du lieu de l'inhumation, de la grange et de la voiture incendiée, pourrait permettre de découvrir des traces d'ADN liant indubitablement Donald au meurtre. D'autres pistes, d'autres indices. Pareillement, les enquêteurs découvriraient peut-être un lien avec l'un des délinquants sexuels dont on vérifiait méthodiquement tous les faits et gestes dans le cadre de l'enquête en cours. Les ordinateurs pourraient comparer les informations à celles du système CATCHEM [1], dans lequel étaient répertoriés les meurtres d'enfants commis depuis quatre décennies. Mais tout cela prenait du temps, et l'attente créait un vide dans lequel les pensées tentaient sans cesse de s'infiltrer.

– Quand McKeirnan et Donald se sont emparés de Lucy Padmore, finit par dire Elder, c'était ici. À Mablethorpe. Ce qu'ils lui ont fait subir, ça s'est passé ici. Quand son ravisseur a enlevé Emma, c'était à cent trente, cent cinquante kilomètres d'où nous sommes. Quand il l'a séquestrée, c'était encore assez loin, à cent dix kilomètres, disons. Et pourtant, il prend le risque de se faire découvrir en l'amenant ici en voiture alors qu'il aurait pu la laisser dans cette grange du Nottinghamshire. Pourquoi ?

Maureen mit de l'ordre dans ses pensées.

– C'est une question que nous devrions poser à un profileur, à un psychologue de la police scientifique. Et nous le ferons. Mais s'il y a un mode comportemental... je ne sais pas, ce sont peut-être des conditions qu'il éprouve le besoin de recréer. Une forme de fétichisme, je suppose. (Elle regarda autour d'elle.) Quelque chose qui a un rapport avec cet endroit.

Elder se rappelait s'être tenu au même endroit, devant la même vaste étendue de sable, les vagues qui roulaient et se brisaient au même rythme, en ce point précis – du moins, lui semblait-il.

1. Catchem (« Attrapez-les ») Database : Base de données de la « Centralised Analytical Team Collating Homicide Expertise and Management ».

– Si c'est Donald, dit Maureen dont le vent ébréchait un peu la voix, quelle probabilité y a-t-il qu'il recommence ?

– S'il s'agit bien de lui, fit Elder, tant qu'il restera en liberté, elle ne peut être que très forte.

C'est un truisme, peut-être, de dire que la prison change tous ceux qui subissent le système pénitentiaire, les gardiens, les détenus, les contrôleurs judiciaires, tout le monde. En même temps, elle fige chez certains des aspects qui ne changeront plus jamais. Pendant son incarcération à la centrale de Gartree, Alan McKeirnan semblait être devenu, aux yeux d'Elder, une statue de cire de lui-même, une carapace de l'homme qu'Elder avait vu sourire avec insolence au banc des accusés et qui avait été condamné à la réclusion à perpétuité. Âgé de quarante ans mais paraissant plus vieux – presque sans âge – McKeirnan entra d'une démarche raide, sous escorte, dans la petite pièce sans aération, silhouette grande et mince vêtue de gris et de noir.

– File-moi une cigarette.

Elder en fit sortir une en secouant le paquet et l'alluma pour McKeirnan, lui passant le paquet en même temps.

– T'as pris ton temps, dit McKeirnan. Ça fait un moment que le fiston s'est fait la malle. (Il s'esclaffa, d'un rire métallique, rouillé.) C'est un grand garçon, maintenant, tout seul dans la nature.

– Ça t'inquiète ? demanda Elder. (Les yeux de McKeirnan semblaient s'être enfoncés profondément dans leurs orbites.) À la façon dont tu en parles, on croirait que tu te fais du souci pour lui.

– Pour Shane ? Non.

– Tu t'intéresses à lui ?

– Rien à foutre.

– Le fiston, c'est comme ça que tu parles de lui.

– Plus maintenant.

– Mais tu es responsable.

– Moi ? Qu'est-ce que je peux faire, enfermé ici ?

– À cause de ce que tu as fait il y a longtemps.

McKeirnan lui rendit son regard de ses yeux sombres, sans éclat.

– Une gamine a été tuée, ajouta Elder.

– On a la télé, tu sais. Certains l'ont. Sky News. CNN. BBC News. Les matons, du moins. Les infos circulent.

– Alors, tu sais de qui je parle.

– Elle avait seize ans, c'est ça ? Quel gâchis. Et jolie, en plus.

– Tu sais où on l'a retrouvée ?

– On se gèle les couilles, sur cette côte, presque toute l'année.

– Shane aurait pu retourner là-bas ?

McKeirnan détourna le regard.

– Shanc aurait pu retourner là-bas ? répéta Elder.

– Possible.

– Pourquoi ? Pourquoi à cet endroit ?

– C'est là qu'il est devenu un homme.

– Et tu crois que c'est lui qui a fait le coup ?

– Il est tout seul ?

Une expression fugitive sur le visage d'Elder lui apprit que non.

– Il ferait jamais un truc pareil par lui-même, affirma McKeirnan.

– Comment tu peux en être sûr ?

– Si tu veux savoir autre chose, dit McKeirnan, ça sera pas gratuit.

Elder sortit de sa poche un second paquet de cigarettes et le posa sur le premier.

– Non. Ça sera plus cher que ça. Beaucoup plus.

– Pas question que je marchande, fit Elder.

– Alors, qu'est-ce qui te fait croire, dit McKeirnan, que je vais baisser mon froc pour un mec comme toi ?

– Parce que c'est Shane qui est en cavale. Le fiston. Ton protégé. Parce qu'il est en liberté, et pas toi.

– Et je lui souhaite bonne chance, fit McKeirnan en levant un verre imaginaire.

Commençant à se lever, Elder racla sa chaise sur le plancher en la repoussant.

– Attends, dit McKeirnan en tendant la main vers lui. Attends une minute, attends.

Lentement, Elder se rassit.

– Dis-moi…, fit McKeirnan en se penchant en avant et en baissant le ton. Raconte-moi ce qu'il lui a fait, à la fille. Et après, je te dirai peut-être ce que tu veux savoir.

Elder le regarda durement, droit dans les yeux.

– Va au diable, McKeirnan.

De nouveau, McKeirnan eut le même rire rauque, abominable.


À Newark, la fête s'était terminée avec le week-end. Après un jour de repos, les forains avaient remballé et pris la route de Gainsborough, un gros bourg sans grâce situé juste de l'autre côté de la limite du comté, dans le Lancashire. Encore un terrain vague bourbeux, encore une journée passée à décharger les camions et à monter laborieusement les manèges. Donald s'appliqua à ne pas se faire remarquer, le nez sur son travail, abattant son boulot, mais pas plus. Le soir, préoccupé, il gardait le silence. Un jour, quand Angel se réveilla, le lit était vide à côté d'elle, Shane s'était envolé. C'était la seconde fois qu'il disparaissait sans prévenir. Pas de petit mot, pas d'explication. Après l'altercation avec Brock, l'affaire du coup de couteau, il était resté absent deux jours pleins.

Pendant que Shane était parti, Della, le visage grave, fit venir Angel dans sa caravane et lui

340

demanda de s'asseoir. Dans le journal ouvert sur la petite table, une photo floue de Shane la regardait droit dans les yeux.

– Tiens..., fit Della, rattrapant Angel par le bras avant qu'elle ne tombe, ... assieds-toi et déguste-moi ça.

Angel lut chaque page, chaque colonne de texte plusieurs fois, les hypothèses sur ce qui était arrivé à Emma Harrison, des spéculations et quelques faits précis.

– Qu'est-ce que tout ça a à voir avec Shane ? demanda Angel d'une voix à peine plus audible qu'un murmure.

Della tourna la page et lut le résumé du procès de Shane, le compte rendu du martyre subi par Lucy Padmore aux mains de Shane et de McKeirnan. Angel sentit en elle quelque chose se nouer et durcir. Elle était blême en sortant de la caravane de Della, le visage de la couleur d'un suaire, d'un linceul. L'espace de quelques pas, ses jambes menacèrent de la trahir, de se dérober sous elle.

Tard ce même soir, quand Shane réapparut, Angel lut l'expression que portait son visage et tint sa langue.

Cette nuit-là, au lieu de faire l'amour, il se colla contre elle, et tandis qu'elle restait là, immobile dans le noir, elle crut entendre le mouvement ténu, incessant, de ses lèvres. Si elle n'avait pas su à quoi s'en tenir à son sujet, elle aurait pu croire qu'il disait ses prières.

Au matin, Shane était calme, silencieux, un peu replié sur lui-même, mais presque égal à lui-même.

Rassurée, Angel pencha la tête pour l'embrasser dans le cou lorsqu'elle passa derrière lui pour sortir.

Malgré tout, elle attendit d'être de nouveau seule avec lui, à l'abri du regard des autres.

– Regarde, dit-elle en poussant le journal vers lui. C'est toi, non ? Tu lui as donné des coups de couteau. Tu l'as torturée. Tu lui as fait... toutes ces horreurs, et puis tu l'as tuée.

Shane lui arracha le journal, y enfouit son visage, puis le laissa tomber sur le plancher.

– Oui, dit-il.

– Oh, mon Dieu! s'écria Angel. Oh, mon Dieu!

Le lendemain matin, ils n'étaient plus là ni l'un ni l'autre.

## 39

L'autopsie ne permit pas de déterminer la cause exacte du décès – en raison des blessures subies par le corps, de son long séjour par temps chaud dans une tombe peu profonde. À un certain moment, au cours du martyre d'Emma, ses fonctions vitales avaient cessé. Quant à savoir si elle était déjà morte lors de son dernier voyage vers la côte, c'était très probable, mais difficile à prouver.

On retrouva la camionnette à Louth, garée en stationnement interdit devant l'une des nombreuses boutiques d'antiquaires de la ville. Cette fois, le véhicule ne contenait aucun souvenir, pas le moindre indice ; on l'avait nettoyé avec soin, à l'extérieur comme à l'intérieur. Un examen préliminaire laissait à penser qu'on ne trouverait pas d'empreintes digitales, ni même, sans doute, le moindre cheveu. Celui qui avait commis l'imprudence – ou pris le malin plaisir – de les mener jusqu'à la grange où il avait séquestré Emma Harrison n'avait pas l'intention de les mener plus loin.

Les enquêteurs qui examinaient l'endroit où l'on avait trouvé Emma n'étaient pas plus heureux dans leurs recherches. La bicyclette du jeune garçon avait malencontreusement labouré une partie de la zone entourant la tombe, et le sable sec et grossier n'avait pas grand-chose à révéler; à en juger d'après les rares traces existantes, l'homme qui avait enterré Emma portait sans doute autour de ses chaussures un emballage quelconque, peut-être des sacs en plastique ordinaires ou bien destinés au jardinage, un peu comme les policiers eux-mêmes.

En tant que site, la grange semblait promettre davantage, mais l'intérieur se trouvait dans un tel état que les opérations de tri et d'identification exigeaient plus de temps et de travail qu'à l'ordinaire.

Pendant que l'équipe de Maureen Prior continuait de rechercher et d'éliminer les suspects potentiels, les enquêteurs dirigés par Gerry Clarke, à présent libérés de l'obligation de retrouver la jeune fille disparue, s'efforçaient d'évaluer le sérieux des appels qui affluaient après le battage des médias et la promesse d'une récompense pécuniaire – et d'agir en conséquence. Des femmes obèses et solitaires qui s'aventuraient rarement au-delà de l'épicerie du coin et qui voulaient leurs cinq minutes face aux caméras de télévision. Des couples qui plantaient une épingle sur une carte et prétendaient avoir aperçu quelqu'un ressemblant à Shane Donald tenter d'enlever une jeune fille. Une façon de tenter leur chance, comme s'ils prenaient un billet de loterie ou qu'ils misaient sur un cheval donné à cent contre un.

Elder resta plutôt en retrait durant cette phase, soupesant du mieux possible chaque information à mesure qu'elle était enregistrée, se sentant frustré en dépit de tout, parce qu'il était trop éloigné du cœur de l'enquête.

Il faisait les cent pas dans le couloir, hésitant à prendre au distributeur une tasse de plus du même café insipide, quand Helen Blacklock l'appela sur son portable.

– Tu vas bien? demanda-t-elle. (Puis, après un silence gêné :) J'ai essayé de t'appeler plusieurs fois...

– Oui.

– Je t'ai laissé des messages.

– Oui, je sais.

Nouveau silence, puis :

– Tu aurais préféré que je n'appelle pas.

– Non. Pas du tout.

– Alors, tu es occupé.

– Oui.

– Cette fille, celle qu'on a trouvée, Emma...

– Oui.

– Vous ne savez pas...

– Non. Nous sommes encore dans le brouillard, j'en ai peur.

– Et Donald ?

– Helen, nous n'avons pas fini notre enquête. Nous faisons de notre mieux.

– Tu n'as pas envie d'en parler.

– C'est difficile.

– Oui, bien sûr. Je comprends. (Elder entendit sa respiration, tout près du combiné, alors qu'elle tirait sur sa cigarette. Celle qu'elle avait allumée avant d'appeler.) Excuse-moi, je n'aurais pas dû appeler.

– Non, je t'en prie.

– Au revoir, Frank. À une autre fois.

Quand la communication fut coupée, il se sentit coupable, sans savoir vraiment pourquoi.

Le lundi, en fin d'après-midi, l'un des jeunes inspecteurs adjoints de Clarke nota un appel provenant d'un certain Craig, qui prétendait avoir travaillé avec Shane Donald dans une fête foraine à Gainsborough. Et qu'est-ce qu'il devait faire pour toucher la récompense ? Le mardi, à midi, personne n'avait encore réagi, et ce fut seulement lorsque l'adjoint qui avait pris l'appel en informa directement son inspecteur principal que la machine se mit en branle.

– Maureen, c'est Gerry. Frank est dans les parages ?

Elder se trouvait à moins de quatre mètres. Il scrutait une liste de noms sur un écran d'ordinateur.

– J'ai une piste qui pourrait vous intéresser tous les deux. Je vais vous donner les détails. Ça ne donnera peut-être rien, mais on ne sait jamais.

Moins de dix minutes après, le soleil brillant haut dans le ciel derrière eux, Elder et Maureen roulaient vers le nord dans une berline banalisée.

Craig travaillait aux autos tamponneuses, sautant d'une voiture à l'autre. Pas très grand, un mètre soixante-huit ou dix, cheveux noirs épais vaguement bouclés, chemise en toile sans manches qui mettait ses biceps en valeur, jean rapiécé. Ils le regardèrent un moment, malgré la sono tonitruante, plaisanter avec les gamins, baratiner les filles. Il n'y avait pas beaucoup de soirs où il ne finissait pas par en peloter une, au minimum, dans l'herbe rase en bordure du champ de foire.

Ni Elder ni Maureen ne ressemblaient vraiment à des clients, plantés à côté du manège, à attendre que le tour se termine.

– Craig..., fit Maureen en s'approchant tranquillement de lui pour que leur conversation reste discrète. Vous vous appelez bien Craig, n'est-ce pas ?

Ses yeux bleu pâle bondissaient, nerveusement, de l'un à l'autre, comme s'il se méfiait.

– Je crois que vous vouliez nous parler. De Shane Donald.

– Pas ici.

La caravane qu'il partageait avec trois autres forains sentait le renfermé, la bière éventée, le tabac froid. Un relent douceâtre de haschich. Odeurs d'aisselles et de fumette. Quatre hommes de moins de trente ans vivant ensemble dans un espace réduit.

– On peut ouvrir la fenêtre ou quelque chose ? demanda Maureen.

– Elles sont coincées, fit Craig en guise d'excuse.

Ils se mirent d'accord pour laisser la porte entrouverte de quelques centimètres. Craig fit sauter l'opercule d'une cannette de bière, prit son tabac et son papier à cigarettes.

– Cette prime, commença-t-il.

– Dites-nous simplement ce que vous savez, fit Maureen.

Sans trop de fioritures, il s'exécuta, racontant l'arrivée de Shane près de Manchester, il n'y avait pas si longtemps, son embauche immédiate. Puis son installation avec Angel...

– C'est son vrai nom ? demanda Elder.

– Pour autant que je sache.

– Continuez, dit Maureen.

Craig leur raconta la fois où Shane, sans qu'il y ait eu de provocation, avait agressé son ami Brock, un couteau à la main.

– C'était dingue, complètement dingue. Il lui a ouvert le bide sans raison. Il est venu tout droit vers lui, et il l'a planté. Comme ça. On a dû l'emmener à l'hosto, on a attendu la moitié de la nuit que les toubibs finissent de le recoudre.

Il y aura une entrée dans le registre des admissions, pensait Maureen. Facile à vérifier.

– Et ça lui a pris tout d'un coup ? demanda Elder. Sans avoir été provoqué ?

Sous son regard, Craig battit un peu en retraite.

– Brock a peut-être dit quelque chose, je sais pas.

– À propos de quoi ?

– De la fille.

– Donald a voulu la défendre ? fit Maureen.

– Ouais, si vous voulez. Sauf que c'était rien du tout, ce qu'il a dit, Brock. Rien du tout.

– Apparemment, Donald n'était pas de cet avis, commenta Elder.

– Ouais, mais il était complètement givré, non, comme je le disais. Je l'ai toujours su, qu'il était à la masse, vous voyez ? Dès la première fois où je l'ai vu. Quelque chose dans ses yeux, la façon qu'il a de jamais vous regarder, vous savez, bien en face. Je vois pas ce qu'elle lui trouve, Angel, sauf que c'est une junkie pour commencer.

– Quand les avez-vous vus pour la dernière fois ? demanda Maureen.

– Dimanche. Dimanche soir. La dernière fois. Le lendemain matin, ils étaient partis.

– Vous ne savez pas où ?

Craig ôta un brin de tabac de sa lèvre et secoua la tête.

Ils lui demandèrent combien de jours la fête foraine était restée à Gainsborough, et où elle s'était installée avant cela. Quand Craig mentionna Newark, Elder et Maureen échangèrent un regard. Ils voulurent savoir combien de temps Shane Donald s'était absenté de son travail, disons... depuis huit jours. Craig croyait savoir qu'il avait disparu le week-end précédent, après avoir agressé Brock, et peut-être une fois depuis, il n'en était pas sûr. Il ne semblait pas avoir grand-chose d'autre à leur dire qui puisse être d'une quelconque utilité.

– Merci d'avoir pris contact avec nous, dit Maureen qui s'apprêtait à partir.

– C'est fini ? dit Craig. C'est tout ?

– Pour l'instant. On va devoir parler aux autres, bien sûr, à certains d'entre eux. Avant de partir.

– Pour quoi faire ?

– Oh, simple confirmation, sans plus.

– Mais c'est moi qui vous l'ai dit, hein ? Qui vous ai dit où il était.

– Où il était avant de partir.

– Ouais, mais, « permettant l'arrestation », c'est ça qu'est marqué dans le journal. Pour la prime. « Des informations permettant l'arrestation... »

– Et la condamnation.

– Ouais, et la condamnation. D'accord.

– Ce n'est pas encore pour demain, dit Maureen en ouvrant la porte.

– Mais c'est lui qu'a fait le coup, non ? Pour la môme.

– Nous n'en savons rien, répondit Elder. Nous n'en savons absolument rien.

– Hé ! Ils l'ont dit, pourtant, dans le journal, noir sur blanc, merde !

Della n'avait aucune raison de faire confiance à la police. Quand elle avait lu l'article sur Shane Donald, elle n'avait pensé qu'à le dire à Angel, à la mettre en garde ; après cela, les morceaux du puzzle pouvaient bien tomber où ils voulaient. La vie distribuait les cartes, et vous ne pouviez rien faire d'autre que les jouer, en les gardant tout contre vous avant de les abattre. Elle lui avait donné un homme qu'elle avait aimé, une femme aussi ; un enfant qui était mort. À présent, elle vivait dans sa caravane et voyageait avec la fête foraine. Parfois, elle disait la bonne aventure, elle tirait les cartes, elle prédisait l'avenir de n'importe qui, sauf le sien.

Pour Elder et Maureen, elle fit du thé, noir et fort.

– Elle a vu quelque chose de bien chez ce garçon, dit Della. Sinon, elle ne serait pas partie avec lui. Pas comme elle l'a fait. Je connais Angel depuis un moment, et elle n'a jamais été comme ça avant, avec personne. Pas comme elle était avec lui. Elle l'aime. Et je pensais qu'elle ne ferait plus jamais assez confiance aux gens pour aimer quelqu'un.

– Quel âge a-t-elle ? demanda Maureen.

– Dix-sept ans.

– Et vous ne savez pas où ils sont allés ? fit Elder.

– Non, et si je le savais, je ne suis pas sûre que je vous le dirais.

349

– Ce serait peut-être ce qui pourrait leur arriver de mieux, dit Maureen.

– Quoi ? La prison ? Vous imaginez ce qui arriverait à une fille comme Angel si on l'envoyait en prison ? Ou ce qui lui arriverait à lui aussi, d'ailleurs. (Della secoua la tête.) Mon Dieu, non. Laissez-les vivre heureux pendant que c'est possible.

– Mais vous avez dit à Angel qui était Donald, intervint Maureen. Vous l'avez prévenue.

– Je voulais qu'elle sache, c'est tout. Je voulais qu'elle choisisse.

– Espérons qu'elle a fait le bon choix.

– Il ne lui fera pas de mal, affirma Della.

– Vous en semblez certaine.

– Il l'aime, lui aussi. À sa façon.

– Est-ce qu'il ferait du mal à quelqu'un d'autre ? demanda Elder.

Della le regarda droit dans les yeux.

– Je ne crois pas que ce soit lui, si c'est ce que vous voulez savoir. Je ne crois pas que ce soit lui, qui ait tué cette pauvre gamine. Shane et Angel, ils travaillaient avec nous, à ce moment-là. Tous les deux ensemble.

– Nous avons besoin de les retrouver, dit Elder. De toute façon.

Della lui rendit son regard sans dire un mot.

– Elle a de la famille ? demanda Maureen. Angel ?

– Personne chez qui elle irait se faire héberger.

– Vraiment personne ?

– Elle a été dans des familles d'accueil, il me semble. À Liverpool, quelque part par là. Et puis, je crois, à Stoke-on-Trent. C'est tout ce que je sais.

– Et elle a un nom ? À part Angel ?

– Angel Elizabeth Ryan, voilà comment elle a été baptisée.

– La caravane dans laquelle ils vivaient, dit Maureen. Ça serait possible qu'on y jette un coup d'œil ?

Della allait dire non, mais elle haussa les épaules.

– Pourquoi pas ? Ça ne peut pas leur faire de tort.

Ils semblaient être partis, tout simplement, en emportant ce qui leur appartenait. Elder et Maureen trouvèrent quelques magazines, des pages de journal froissées, un collant filé, deux chaussettes dépareillées, un T-shirt taché qui aurait pu appartenir à l'un ou à l'autre, plusieurs sachets de thé, une bouteille de lait qui commençait à tourner, une boîte de haricots en conserve, deux bouteilles de shampooing presque vides, une boîte de tampons périodiques dans laquelle il en restait encore un, un peigne auquel il manquait plusieurs dents et, coincé derrière le bord du matelas où elle avait glissé, une bande de photos d'identité.

Elle provenait d'un photomaton comme on en trouve dans les gares, quatre clichés l'un au-dessus de l'autre ; Shane et Angel, leurs visages pressés l'un contre l'autre, souriant, louchant, faisant les clowns devant l'objectif. Sur l'une des vues, Angel embrassait le dessous du menton de Shane ; sur une autre, Angel, la tête levée, regardait Shane qui fixait l'appareil avec insolence. Dix-sept et trente ans : on aurait pu leur en donner quinze et vingt-deux ou vingt et un, ou même moins.

Tandis qu'ils rentraient en voiture, Maureen tenant le volant, le ciel perdit de sa luminosité.

– Il y a combien de temps qu'on se connaît ? demanda Elder.

Ils venaient de passer le rond-point de Marston, roulant vers le sud.

– En tout ? Cinq ans, peut-être six.

– Et on a travaillé ensemble combien d'années ? Trois ?

– Où veux-tu en venir ? demanda Maureen.

– Cinq ans, répéta Elder. Et tout ce que je sais de toi, c'est que tu fais bien ton boulot, que tu préfères ton whisky allongé d'eau, la bière à la pression à la bière en boîte. J'ai une vague idée de l'endroit où tu habites, mais je ne suis jamais entré chez toi ; je ne sais même pas si tu vis seule ou avec quelqu'un.

– C'est exact, fit Maureen.

– Et ça ne te paraît pas bizarre ?

– Pourquoi tu me dis ça ? demanda Maureen. C'est à cause de Joanne ? Vous avez eu des mots ? Elle t'a tapé sur le système d'une façon ou d'une autre ?

– Tu vois, tu sais tout, ou presque, à mon sujet.

– C'est toi qui as choisi de me raconter ta vie, voilà pourquoi.

– Et toi, tu as choisi de ne pas me raconter la tienne.

– Exact.

Un soir, au cours d'un voyage assez semblable à celui-ci, mais plus long, en revenant d'Écosse, en fait, et sous la pluie, Elder avait vidé son sac, racontant la liaison de Joanne avec son patron. Et Maureen l'avait écouté sans dire grand-chose, sans faire de commentaire lorsque son récit fut terminé, même si Elder avait senti la désapprobation qui émanait d'elle envahir l'espace restreint où ils se trouvaient, une désapprobation d'autant plus virulente qu'elle restait inexprimée.

– Tu crois que c'est lui le coupable ? demanda Maureen.

– Je ne sais pas.

– Tout semble l'indiquer.

– Je sais.

– Mais tu n'es pas convaincu ?

Elder secoua la tête.

– Il y a quelque chose dans cette affaire... Je ne sais pas quoi, mais ça ne colle pas.

– S'il n'est pas coupable, pourquoi a-t-il pris la fuite ?

– Imagine : tu te réveilles un matin, et tu vois ta photo à la une de tous les journaux, des manchettes qui t'accusent de meurtre. Qu'est-ce que tu fais ? Tu te rends à la police, en espérant que ça va s'arranger ?

– Si je m'appelle Shane Donald, certainement pas.

– Justement.

Quelques kilomètres plus loin, Elder ajouta :

– Qu'il soit coupable ou pas, il va bien falloir qu'on mette le grappin sur lui.

Maureen acquiesça.

– S'ils restent ensemble, ce sera plus facile. Je vais contacter les services sociaux, voir si on peut obtenir des renseignements sur cette fille, une liste de ses familles d'accueil, au moins. Il se pourrait que l'une d'elles lui ait laissé un souvenir pas trop mauvais pour qu'elle pense à y retourner, voire y séjourner.

– Ils vont avoir besoin d'argent, dit Elder. Bientôt, en tout cas. Soit ils en voleront, soit ils chercheront du boulot. On devrait se renseigner sur toutes les petites fêtes foraines, c'est ce qu'ils semblent connaître le mieux, tous les deux.

Il faisait plus sombre, à présent, sans que ce soit encore la nuit noire. Un ciel presque sans étoiles, la lune n'était qu'une virgule qu'on apercevait du coin de l'œil. Maureen avait-elle vu juste ? se demandait Elder ; cette soirée avec Joanne – même pas une soirée, à peine une heure – l'avait-elle affecté d'une façon dont il n'avait pas pris conscience sur le moment ?

*Comme au bon vieux temps.*

Non, cela n'avait pas été le cas.

– Où veux-tu que je te dépose, Frank ? demanda Maureen alors qu'ils s'approchaient de la ville.

– N'importe où. Ça m'est égal.

– Je peux passer devant chez Willie Bell, si c'est là que tu vas.

– Ce sera parfait.

Avant qu'elle eût quitté la route principale, le téléphone de Maureen sonna. Elle répondit, écouta son interlocuteur, prit congé de lui et coupa la communication.

– La centrale de Gartree. McKeirnan veut te voir.

– Mais j'en sors à peine. Pour ce que ça m'a servi.

– Eh bien, il veut que tu reviennes. Il dit que c'est important. Il semblerait qu'il ait reçu du courrier intéressant.

## 40

La carte postale montrait une promenade en béton qui s'amenuisait vers l'horizon, tel un vaste rempart utilitaire contre la mer. Quelques échoppes vendaient des seaux en plastique, des pelles, des ballons noir et blanc dans des filets jaunes, des T-shirts de Bob le Bricoleur, des tasses de thé et des glaces à manger sur la plage. Des familles abritées derrière des pare-vent sur le sable presque blanc. Et puis la mer, qui s'étendait jusqu'à l'horizon grisâtre comme une peau morte et grise aussi. « Bienvenue à Mablethorpe » en caractères guillerets, rouge vif.

McKeirnan brandissait la carte entre l'index et le pouce pour qu'Elder la voie. Quand Elder tendit la main pour la prendre, McKeirnan la mit vivement hors de sa portée.

– Tu as dit que c'était important, fit Elder.

– Ça l'est.

– Alors, arrête de jouer.

– Allons, dit McKeirnan, maintenant que t'es là, qu'est-ce qui nous presse ? Détends-toi. On a toute la vie devant nous.

– Parle pour toi.

– Et toi, alors ? Inspecteur principal Elder, retraité. Qu'est-ce que tu fais, maintenant ? Tu joues au loto ? Aux boules ? Tu profites des tarifs troisième âge au salon de massage le vendredi après-midi ?

– Arrête de m'emmerder, McKeirnan. (Elder regarda sa montre.) Si je me lève, je m'en vais, et je ne reviens pas. Quoi qu'il arrive.

McKeirnan soutint son regard peut-être trente secondes de plus, puis il retourna la carte et la fit glisser sur la surface ternie de la table pour qu'Elder la lise.

« *Alan – Je m'amuse bien. J'aimerais que tu sois là.* »

L'écriture, au bille bleu, était irrégulière, quelque peu précipitée, et penchait légèrement vers le bas en allant de gauche à droite. Le point final était tellement marqué qu'il avait laissé une petite protubérance au recto. Il n'y avait pas de signature.

– Et alors ? fit Elder.

– Regarde le cachet de la poste.

La carte était datée de samedi, le jour où le corps d'Emma Harrison avait été découvert.

– Coïncidence, dit Elder.

– Tu crois ?

– Dis-moi le contraire.

– C'est toi le flic. Du moins, tu l'étais. Je t'écoute.

– Tu prétends que c'est une carte de Shane ?

– J'ai dit ça ?

– McKeirnan...

– Non, j'ai pas dit ça. (Un sourire, bien ancré dans le regard de McKeirnan.) Pas Shane, pas exactement.

– Encore des devinettes, McKeirnan.

– Et t'aimes pas jouer.

– Je n'aime pas me faire mener en bateau par des types comme toi.

– Pauvre chou.

Elder rongea son frein. Maîtrisa sa respiration. Compta jusqu'à dix. Il reprit la carte et la regarda de nouveau.

– Tu prétends qu'il y a un rapport avec la mort d'Emma Harrison.

– Oui.

– Il faudra que tu sois plus précis que ça.

McKeirnan sourit.

– Il se l'est faite, c'est ça l'important.

– Comment tu le sais ?

Le sourire se fendit jusqu'aux oreilles.

– Il me l'avait promis.

– Qui ?

McKeirnan se carra contre le dossier de sa chaise.

– Tu te rappelles ce que tu m'as dit l'autre jour ? Quand tu es venu ? Qu'il était pas question que tu marchandes ? Eh bien, maintenant, tu vas le faire quand même.

– Et tu me l'as dit toi-même, je suis fini, en retraite. Même si je le voulais, je ne pourrais rien faire.

– Je suis raisonnable, dit McKeirnan. J'ai pas d'idées extravagantes, de pardon ou de libération anticipée. Mais s'il me reste... quoi ? ... encore six années à tirer, je veux qu'elles se passent en douceur. Ailleurs qu'ici. Je veux être reclassé. En catégorie C. (Il rit.) Je veux me préparer pour le jour où je sortirai. (Brusquement, il se pencha en avant, collant son visage tout près de celui d'Elder, ce visage dont la peau était tendue autour des orbites.) La môme, il l'a pas tuée tout de suite, hein ? Il l'a gardée en vie un moment, un jour ou deux. Il avait des choses à faire. À lui faire, à elle. T'as pas besoin de me dire quoi, parce que je le sais. Toi, t'en es réduit à imaginer, mais moi, je sais. Et il y a autre chose que je sais. Ça va pas s'arrêter là. Pas avec une seule môme. Il va recommencer. À moins que...

– Ce que tu me demandes, dit Elder, je ne peux pas le faire.

– Alors, envoie-moi quelqu'un qui peut.

– Comment sait-on qu'il ne bluffe pas ? demanda Bernard Young. (Ils étaient réunis dans le bureau du commissaire principal, en ce début d'après-midi. D'un coup sec, Young ouvrit l'un des tiroirs de son bureau et le referma violemment.) Bon sang, je ne supporte pas d'être à la merci d'un salaud pareil. Je ne le supporte pas.

Le silence retomba dans la pièce, il s'installa ; on n'entendit plus que la respiration gênée de quatre personnes, le chuintement de la pompe de l'aquarium, le bourdonnement constant de la circulation qui s'écoulait dans les deux sens, les trilles étouffées des téléphones.

– Pour ce que ça vaut, fit Elder, je crois ce que dit McKeirnan.

Bernard Young fit pivoter son fauteuil à angle droit et reprit sa position première. À peine une demi-heure plus tôt, il était ressorti d'une entrevue particulièrement pénible avec le directeur adjoint. Le besoin d'un résultat rapide, la réputation de la police. Au ministère de l'Intérieur, un haut fonctionnaire avait harcelé le chef de la police. Dans la capitale, quelques jeunes loups de la police de Londres affûtaient déjà leurs crayons et le bout de leurs chaussures, prêts à débarquer pour évaluer la façon dont l'enquête avait été menée. Et puis, tournés vers lui, il y avait les visages des parents d'Emma Harrison, éviscérés comme leur fille.

– Très bien, Frank, dit Young. Explique-nous comment tu vois les choses.

Elder s'éclaircit la gorge.

– Nous devons supposer que McKeirnan sait qui a envoyé cette carte postale. Et qu'il connaît bien ce type. Ce qui pourrait signifier qu'ils correspondent grâce à Internet – j'imagine qu'on lui permet d'y accéder d'une façon ou d'une autre, sous surveillance la plupart du temps – ou alors, il y a des lettres qui ont circulé dans les deux sens. À mon avis, le degré de censure en ce qui concerne McKeirnan doit être pratiquement nul. Mais je pense que cela va beaucoup plus loin que l'une ou l'autre de ces deux formes de communication. Je crois qu'il s'agit de quelqu'un qu'il connaît personnellement, avec qui il a parlé en tête à tête. Ce qui veut dire : un co-détenu.

– Auquel cas, intervint Gerry Clarke, nous pouvons retrouver sa trace sans l'aide de McKeirnan.

– Il suffit de passer en revue tous les taulards de trente ans et moins libérés de Gartree au cours des – quoi ? – cinq dernières années.

– Pourquoi « de trente ans ou moins » ? demanda Clarke.

– C'est un aspect du problème, répondit Elder. J'en suis sûr. *Pas Shane, pas exactement.* – les paroles exactes de McKeirnan.

– Il n'est pas possible qu'il mente pour protéger Donald ?

– Je ne le crois pas.

– Pourquoi ?

– Pour commencer, cela m'étonnerait que ces deux-là ne se détestent pas franchement. Et d'autre part... (Elder revoyait l'expression de McKeirnan. *Il se l'est faite, c'est ça l'important. Il me l'avait promis.* La jubilation avec laquelle il avait prononcé ces mots.) Non, poursuivit Elder, je crois que c'est le fait de quelqu'un de nouveau, d'un type qui, pour je ne sais quelle raison, veut exécuter les ordres de McKeirnan. Il cherche son approbation. Quel qu'il soit, il veut être comme Shane Donald. L'acolyte de McKeirnan. Son bras droit. Son disciple. La carte postale est une sorte de témoignage, un moyen de montrer qu'il a bien travaillé, qu'il n'a pas trahi la confiance placée en lui, qu'il a tenu parole.

– Pourquoi maintenant ? demanda Maureen. Pourquoi passer à l'action en ce moment même ?

– Si Frank a raison, dit Clarke, la réponse est sûrement très simple. C'est parce que ce type a été libéré il y a peu de temps.

– D'accord, fit Elder, et pas seulement ça. C'est parce que Donald l'a été aussi. Et il sait que Donald est en cavale. Il veut nous lancer sur une fausse piste, nous faire croire que c'est Donald le coupable.

– Mais il veut que McKeirnan sache la vérité, ajouta Maureen.

– Oui.

Bernard Young se pencha en avant, les coudes sur le bureau.

– Gerry, si nous faisons les recherches nous-mêmes en laissant McKeirnan aller au diable, dans combien de temps pouvons-nous espérer des résultats ?

– Eh bien, pour commencer, il nous faut une liste de tous les détenus récemment libérés qui auraient pu entrer en contact avec McKeirnan. Comparer cette liste à celles sur lesquelles nous travaillons déjà, qui recensent les criminels condamnés pour agressions et violences sexuelles. En commençant par le Nottinghamshire et le Lincolnshire, le South Yorkshire aussi peut-être, en allant au-delà si nécessaire. Le temps d'entrer tous ces renseignements dans l'ordinateur, on peut espérer trouver un profil qui corresponde d'ici demain soir. Et probablement plus d'un, peut-être une douzaine.

– Sur lesquels il faudra faire des recherches et des vérifications, commenta Maureen.

Clarke hocha la tête.

– Donc, cela pourrait nous prendre deux ou trois jours de plus, peut-être davantage.

– C'est bien possible, oui.

– Très bien, dit Young. Mettons toutes les chances de notre côté. Gerry, commencez les recherches, insistez sur l'urgence de la situation. Si vous trouvez le premier, tant mieux. En attendant, je vais parler au directeur adjoint, et puis au directeur de la prison de Gartree. Au ministre de l'Intérieur, s'il le faut. Maureen et Frank, tenez-vous prêts à partir dans moins d'une heure.

McKeirnan examina Maureen Prior de la tête aux pieds avec un sourire goguenard et fatigué.

– Tu la sautes, Frank ?

– Asseyez-vous, McKeirnan, dit Maureen.

Il s'assit, en prenant tout son temps. Ni Maureen ni Elder ne seraient venus si ce n'était pas lui qui avait la situation en main, et il le savait.

– Nous avons besoin de savoir, annonça Elder, qui a envoyé la carte.

– Quand on s'est mis d'accord...

– Pas de promesses, ce n'est pas comme ça que ça marche.

– Alors, ça ne marchera pas du tout.

En faisant paresseusement grincer sa chaise sur le plancher, McKeirnan se leva. Il avait presque traversé la pièce, le gardien s'apprêtant à déverrouiller la porte, quand Maureen le rappela.

– Attendez.

Ne prêtant aucune attention à l'air suffisant de McKeirnan, elle attendit qu'il eût repris place sur sa chaise.

– Voilà ce que nous pouvons faire, dit-elle : remettre un rapport au directeur disant que vous nous avez apporté une aide particulièrement précieuse dans le cadre d'une enquête que nous menons actuellement. Nous insisterons sur le fait que vous vous êtes manifesté de votre propre chef, nous proposant de communiquer des informations importantes sans que nous vous l'ayons demandé d'abord. Notre conclusion sera que, compte tenu d'une attitude aussi responsable, nous recommandons que votre statut soit réexaminé et que, toutes choses restant égales par ailleurs, on vous reclasse en tant que détenu de catégorie C.

– C'est tout ? fit McKeirnan.

– C'est tout.

McKeirnan fit basculer sa chaise, se tenant en équilibre sur les deux pieds arrière, et frotta son poing droit du bout des doigts de son autre main.

– Vous avez cinq minutes pour vous décider, dit Maureen. La première est presque terminée.

En douceur, McKeirnan fit reprendre à sa chaise sa position normale.

– Tout ce que vous voulez, c'est un nom ?

– C'est un début, dit Elder.

– Deux minutes, fit Maureen sans regarder sa montre.

– D'accord.

Sortant un bloc-notes de sa poche, elle le fit pivoter vers lui, ôta le capuchon d'un stylo-bille, et le posa près de sa main.

– Écrivez-le.

Regardant Maureen, McKeirnan fit passer sa langue sur sa lèvre inférieure, puis il prit le stylo.

– Comment je peux savoir qu'à la seconde même où vous sortirez d'ici, vous allez pas revenir sur tout ce que vous avez promis ?

– Vous ne pouvez pas.

McKeirnan sourit lentement, puis inscrivit soigneusement deux mots au centre de la première page du bloc, qu'il repoussa. Quand il lâcha le stylo, celui-ci roula jusqu'au bord de la table et rebondit sur le plancher, où personne ne le ramassa.

– *Adam Keach.*

– Parle-nous de lui, dit Elder.

– Renseignez-vous, regardez son dossier, son casier, ce que vous voudrez. C'est facile, pour vous.

– Dis-nous autre chose. Qui n'est pas dans son casier.

McKeirnan sourit.

– Il me suivait partout, il me suppliait de lui en parler. De ce qu'on avait fait. Il trouvait des moyens de me payer. De me dire merci. (Il rit, de son rire décapant.) Quand je sortirai, il disait, je te montrerai ce que je suis capable de faire.

Maureen rangea le bloc-notes dans son sac.

– Une autre question, dit Elder. Susan Blacklock.

– Qui?

– Susan Blacklock, elle a disparu l'été où on a retrouvé le corps de Lucy Padmore.

– Tu m'as déjà posé des questions sur elle. (McKeirnan secoua la tête.) J'en sais pas plus aujourd'hui qu'à ce moment-là.

– La côte du North Yorkshire, McKeirnan, Whitby. Donald et toi, vous étiez là-bas.

– On est allés dans plein d'endroits, moi et Shane.

– Qu'est-il arrivé à cette fille, McKeirnan?

– Je t'ai déjà répondu que j'en savais rien. Mais je vais te dire un truc, quand même. Si on l'a toujours pas retrouvée, le mec qui l'a enterrée, il a dû creuser profond.

– Très bien, dit Maureen au gardien de prison. On a fini. Remmenez-le dans sa cellule.


Adam Keach était né à Ashfield en 1978, le cadet de trois garçons. Quand il avait dix-huit mois, sa

mère fut condamnée pour escroquerie aux presta-
tions sociales. Son père, déjà coupable d'une longue
liste de délits divers, était connu de la police et du
contrôle judiciaire. Les services sociaux furent aler-
tés quand le petit frère d'Adam, Dean, fut soigné à
l'hôpital de Mansfield pour de graves contusions
aux bras et aux jambes. Une assistante sociale se
rendit au foyer des Keach à deux reprises et
s'assura que les enfants ne couraient pas de danger.
À l'âge de quinze ans, Adam fut exclu temporaire-
ment de l'école pour avoir blessé un camarade de
classe en lui plantant dans le dos de la main une
pointe Bic affûtée pour l'occasion. À dix-sept ans,
son frère aîné, Mark, et lui-même furent interrogés
à deux reprises à propos du vol d'un ordinateur et
d'un Game Boy chez un voisin, sans que des poursuites soient engagées. Finalement, peu de temps
après son dix-neuvième anniversaire, il fut
condamné à trois ans de prison pour cambriolage
aggravé. Après avoir agressé un co-détenu avec un
bout de tuyauterie, manquant de peu lui arracher
un œil, Keach vit sa peine doublée, et il fut transféré à la prison de Gartree, où il rencontra Alan
McKeirnan.

Adam Keach fut finalement libéré à la fin du
mois de mai, environ deux semaines avant la disparition d'Emma Harrison.

À la conférence de presse, ce soir-là, après avoir
annoncé que l'enquête continuait de progresser sur
plusieurs fronts, Bernard Young insista avec un
soin particulier sur le fait que la police avait toujours pour objectif prioritaire de retrouver la trace
de Shane Donald, dont on croyait savoir qu'il était
à présent accompagné d'une certaine Angel Elizabeth Ryan. Un numéro de téléphone était mis à la
disposition des personnes désirant communiquer

des renseignements à leur sujet, les appels étant, bien sûr, traités en toute confidentialité.

On avait retrouvé deux des familles d'accueil d'Angel, les personnes en question étant actuellement interrogées, et on en recherchait une troisième. La police vérifiait aussi les témoignages de personnes prétendant avoir aperçu le couple en des lieux aussi divers que Rotherham, Hull, et Hest Bank près de Morecambe Bay.

Plus longtemps ils pourraient cacher aux médias la traque d'Adam Keach, et plus grandes seraient leurs chances, pensaient-ils, de le retrouver avant que lui-même ne trouve une nouvelle victime.

## 41

C'était la deuxième nuit que Shane et Angel dormaient à la dure, cette fois sous un porche à l'arrière d'un alignement de boutiques pas loin du centre de Crewe, de vieux journaux étalés sous eux pour l'isolation, des manteaux et leurs corps serrés l'un contre l'autre pour se tenir chaud – la température restant clémente en cela qu'elle ne chuta pas sous les dix degrés. En guise de petit déjeuner, ils burent du lait et mangèrent du pain frais qui avaient été déposés de bonne heure devant la porte d'un café au bout de la rue. Angel s'était coupé les cheveux, presque aussi court que ceux de Shane.

La veille, elle avait passé presque toute la journée assise en tailleur devant la gare de Crewe, près d'une boîte en carton ouverte posée sur le trottoir et d'un panneau portant l'inscription : *J'ai faim et je suis sans-abri. S.V.P. Aidez-moi.* Tout ce qu'elle avait récolté, c'était deux livres cinquante-cinq en piécettes et un billet de train usagé, une plaisanterie sans doute. Une fois, alors qu'elle venait de quémander une cigarette, un homme au costume de bonne coupe lui avait tendu avec un sourire le paquet presque entier ; une femme lui avait donné la moitié d'un sandwich fromage-salade, un gamin de seize ou dix-sept ans maximum était allé acheter un café à emporter, grand modèle, au buffet de la gare, et le lui avait offert avec une courbette solennelle. Les employés de la gare l'avaient regardée d'un sale œil, mais sans la chasser.

Vers la fin de la journée, Shane était parti de son côté, pour revenir deux heures plus tard avec près de cinquante livres en billets divers.

– Où t'as trouvé tout ça, Shane ? Tout ce fric ?

– Qu'est-ce que ça peut foutre ?

– Dis-le-moi.

– Vaut mieux que tu le saches pas.

Quand elle avait finalement puisé en elle-même le courage de lui poser des questions sur Emma Harrison, il avait répondu de la même façon. Jusqu'au moment où ils s'étaient retrouvés blottis l'un contre l'autre sous le porche, l'haleine chaude et aigre de Shane contre le cou d'Angel, contre sa joue.

– Cette fille, je l'ai jamais touchée. Je sais pas qui c'est. Ces trucs qu'on raconte, dans les journaux et tout, c'est pas vrai. (Il glissa la main sous le bras d'Angel pour lui toucher le sein.) Tu me crois, hein ?

– Oui, dit Angel. Oui, bien sûr que je te crois.

Elle avait désespérément besoin de le croire.

Quelques instants plus tard, elle sentit le corps de Shane se détendre derrière elle, et elle comprit qu'il s'était endormi.

La veille, Angel s'était rendue à l'ancienne adresse de sa mère adoptive – Eve Branscombe, la seule qu'elle eût vraiment aimée, celle qu'elle appelait maman – où on lui avait appris qu'elle avait déménagé. La femme qui leur ouvrit la porte s'était montrée un peu revêche, au début, puis elle s'était radoucie lorsque Angel lui avait expliqué, non pas la vérité bien sûr, pas entièrement, mais suffisamment pour lui inspirer de la sympathie. Elle avait prié Angel d'entrer et lui avait donné une tasse de thé et des biscuits, des sablés et des petits-beurre. Puis elle avait inscrit une adresse sur un bout de papier, sans être très sûre du numéro, mais sur le nom de la rue elle pensait ne pas se tromper. J'espère que vous la trouverez, mon petit, bonne chance.

Ils allaient essayer aujourd'hui même. Angel fit sa toilette aussi méticuleusement qu'il est possible de la faire dans les toilettes publiques, mit un haut propre, bien qu'un peu fripé, et se peigna. Shane avait besoin de se raser, et l'une des ses chaussures commençait à perdre sa semelle.

Ils prirent un bus et continuèrent leur chemin à pied. La rue qu'ils cherchaient était un cul-de-sac dans une petite résidence toute neuve, dont certaines maisons étaient encore en construction, entourées de monticules de terre et de piles de brique, comme si l'entreprise, à court d'argent, avait déserté le chantier.

Personne n'avait entendu parler d'une Mme Branscombe à la première maison où ils tentèrent leur chance, mais les voisins croyaient savoir qu'elle habitait au numéro douze. Près de la porte d'entrée, il y avait un panier suspendu rempli de fuchsias roses et violets et de géraniums écarlates dont les branches traînaient jusqu'au sol. La porte elle-même était presque entièrement en verre granité. Le bouton de sonnette déclencha un carillon de quatre notes.

La femme qui vint ouvrir semblait avoir un peu plus de soixante ans. Petite, replète, chaussée de pantoufles, elle portait un tablier à fleurs par-dessus un chemisier uni et une jupe. Elle regarda Angel en clignant des yeux, commença à dire quelque chose, puis ses paroles s'étranglèrent dans sa gorge.

– Angel, finit-elle par articuler.

– Maman.

Sous le regard gêné de Shane, elles tombèrent dans les bras l'une de l'autre. Quand, finalement, les larmes aux yeux, Angel le présenta, Mme Branscombe serra la main de Shane, déclara qu'elle était enchantée de faire sa connaissance, et les invita tous les deux à entrer.

– Eve, dit-elle. Vous pouvez m'appeler Eve.

Le salon se trouvait à l'arrière de la maison, une petite pièce carrée avec une porte qui donnait sur le jardin. Un canapé à deux places et un fauteuil, assortis ; des chiens en porcelaine sur la cheminée dans laquelle fonctionnait un chauffage au gaz imitant un feu de bois.

– Asseyez-vous là tous les deux pendant que je mets de l'eau à chauffer. Angel et moi, on a plein de choses à se raconter.

Après plusieurs tasses de thé, un sandwich au jambon et plusieurs tranches de génoise recouverte d'un glaçage à la pâte d'amande – « achetée au supermarché, bien sûr, mais presque aussi bonne que si elle était faite maison, cette pâte d'amande est vraiment délicieuse » – Eve Branscombe écouta avec intérêt Angel donner une version expurgée de leurs activités au sein d'une petite fête foraine itinérante. Et si Shane ne dit pas grand-chose, ma foi, c'est qu'il était timide en société, comme beaucoup de jeunes gens.

– Et à présent, vous voyagez pour le plaisir, si j'ai bien compris ? Vous prenez un peu de temps pour profiter de la vie. Des vacances, en somme.

– Oui, maman, répondit Angel. C'est ça.

– Et vous allez où, ensuite ?

– On n'a pas encore décidé. On pensait rester par ici pendant quelques jours. J'aimerais montrer à Shane l'endroit où j'ai grandi. La ville, tu vois.

– Tu étais heureuse, ici.

– Je l'étais.

Shane redouta de nouvelles larmes.

– Tu ne prends plus d'enfants chez toi, alors ? demanda Angel.

– Non, mon chou, plus maintenant. Je deviens trop vieille pour ça. Je vis toute seule, à présent. (Puis, consciente de la façon dont Angel la regardait, elle ajouta :) J'ai une chambre libre au premier, si vous voulez rester un moment. Ce n'est pas très grand, bien sûr. Il n'y a qu'un lit à une place. Mais je suppose que ça ne vous gênera pas de vous serrer un peu.

– Merci, maman. Ça serait génial. Hein, Shane, qu'est-ce que t'en dis ?

– Ouais, génial.

– Alors, c'est d'accord. (Eve se massait les cuisses comme si elle pétrissait de la pâte. Quelques minutes plus tard, quand les dernières tranches de gâteau eurent fait le tour de la table, elle ajouta :) C'est fatigant, de voyager, non ? Et salissant, aussi. Si vous voulez prendre un bain, l'un ou l'autre, le ballon d'eau chaude est plein.

Dès qu'ils bougeaient, le lit grinçait. Le matelas était à peine plus épais qu'une galette.

– C'était ma chambre, avant, tu sais, dit Angel.

– J'aime encore mieux dormir dans la rue, merde ! C'est plus confortable.

– Shane, c'est pas vrai.

– Ça reste à voir.

– Et puis, elle nous rend service, c'est pas vrai ?

– Si, c'est vrai, fit Shane à contrecœur.

Ils ne parlaient que par chuchotements, pour qu'on ne puisse pas surprendre leur conversation. Quelques minutes avant dix heures, Eve Branscombe avait éteint la télévision, annonçant qu'elle allait se coucher.

– Je ne supporte plus de regarder les informations, par les temps qui courent. On y voit toujours des horreurs, des tremblements de terre et des meurtres. Si vous avez envie de veiller un peu, ne vous gênez pas, bien sûr, aussi longtemps que vous voudrez. Il y a du lait plein le frigo, si vous voulez boire avant d'aller au lit. (Elle eut un sourire doux, tout en rondeur.) Faites comme chez vous, tout simplement.

La dernière chose qu'Angel et Shane avaient envie de regarder, c'était bien le journal télévisé. Ils étaient restés dans le salon peut-être un quart d'heure de plus, guettant les bruits en provenance de la salle de bains du premier, puis ils étaient montés se coucher à leur tour.

– Combien de temps t'as vécu chez elle, à propos ? demanda Shane.

– Trois ans, un peu plus. De neuf ans à douze ans. Presque treize. Elle m'a offert un vélo pour mon douzième anniversaire, je me rappelle. D'occasion, il était, mais ça m'était égal. Il a fallu que je le laisse ici quand je suis repartie.

– Pourquoi t'as fait ça ? Pourquoi t'es repartie, je veux dire ? Tu t'entendais si bien avec elle, comment ça se fait que t'es pas restée ?

Angel tripotait le bout de ses cheveux coupés de façon inégale.

– Elle avait un garçon en pension, aussi, Ian. Plus vieux que moi, juste deux ans de plus. Il a commencé à... tu sais, il a commencé à essayer de me tripoter. J'ai voulu le dire à maman, mais c'était difficile. Elle m'écoutait pas vraiment. Pour tout le reste, elle était géniale, tout le reste sauf... sauf ça. Ça s'est terminé que j'ai trouvé un bout de verre cassé et que j'ai saigné ce mec avec. Ils m'ont retirée de chez elle. Maman, elle voulait pas les laisser faire, elle voulait qu'ils me donnent encore une chance, mais non, rien à faire. C'est après ça qu'ils m'ont envoyée dans un orphelinat. Et c'est là-bas que j'ai commencé à m'ouvrir les poignets.

Elle se rapprocha de Shane, et il l'embrassa, en bon copain d'abord, puis plus tendrement. Pour la deuxième fois, Shane glissa une main vers la raie des fesses d'Angel, et pour la deuxième fois elle lui dit non.

– Qu'est-ce qui se passe? T'as tes règles, ou quoi?

– Non, c'est seulement... Que ça me paraît pas correct.

– Et pourquoi, d'un seul coup?

– M'man nous entendrait.

– C'est même pas ta vraie mère, bordel!

– Tu comprends ce que je veux dire.

– Et elle croit que t'es encore vierge, peut-être?

– Maintenant, tu dis n'importe quoi.

– C'est toi qui dis n'importe quoi.

– Oh, Shane...

– Ouais?

– On va quand même pas s'engueuler, non?

Shane laissa échapper un long soupir.

– D'accord, d'accord, je m'excuse. C'est seulement...

– Je sais.

Au bout d'un moment, il roula sur le dos, et elle le soulagea à la main.

Le lendemain matin, Eve Branscombe leur demanda comment ils avaient dormi, les fit entrer dans la petite cuisine où deux couverts étaient mis pour le petit déjeuner, leur servit des céréales et des œufs à la coque, deux chacun, et du pain grillé à profusion, dont une tranche qu'elle coupa en lamelles pour Angel.

– Des petits soldats, tu te souviens?

– Bien sûr.

– Eh bien, régale-toi. Il y a encore du pain si tu en veux. Et du thé dans la théière.

– Tu manges rien, maman ?

– Oh, j'ai déjà pris mon petit déjeuner.

À peine quelques minutes plus tard, Shane eut envie d'aller aux toilettes. Il trouva Eve sur le palier du premier, debout près du téléphone, le combiné à la main. Sur la petite table ronde, un exemplaire du *Mail* était ouvert à la page deux, où s'étalait une photo de Shane.

– Salope !

La peur envahit le regard d'Eve Branscombe.

– Espèce de vieille salope !

D'un brusque revers de la main, il la gifla, et comme elle poussait un cri et reculait en chancelant, il lui arracha le combiné des mains et s'en servit pour la frapper durement au-dessus de l'oreille.

Eve hurla et s'écroula à terre.

– Shane ! Mais qu'est-ce qui te prend ?

Angel le tirait par le bras, et Shane la repoussa.

– Elle était en train de nous balancer, tu vois pas. Cette vieille charogne hypocrite !

Eve gémit, et comme il se baissait vers elle pour la frapper de nouveau, elle se protégea le visage du mieux qu'elle put avec ses bras potelés.

– Shane, arrête ! Oh, maman, maman, maman !

Angel s'accroupit entre la sexagénaire et Shane Donald, mais celui-ci lui saisit le poignet et la tira en arrière.

– Shane, arrête. Je t'en supplie. Ça suffit.

Reculant la jambe pour prendre de l'élan, il expédia un coup de pied dans le flanc d'Eve Branscombe.

– Shane...

– D'accord, on se casse. On part d'ici tout de suite.

– On peut pas la laisser comme ça.

– Cette connasse. J'espère qu'elle va crever.

Moins de cinq minutes après, ils sortaient de la maison et dévalaient la rue, Angel presque traînée de force, mais prenant la fuite malgré tout, un sac à dos sur les épaules et un bagage dans chaque main, ravalant ses larmes.

## 42

– Qu'est-ce que t'as ? demanda Shane.

Ils se trouvaient sur une aire de repos le long de la route de Nantwich à Wrexham, au sud de Crewe.

– Rien, répondit Angel.

– Ah, ouais ? Alors, pourquoi t'es comme ça ?

– Comme quoi ?

– Pourquoi tu fais la gueule ? Pourquoi tu dis pas un mot ?

Angel se détourna, et Shane se déplaça pour la regarder en face.

– Alors ?

– Je pense à maman.

– Mais c'est pas ta mère, bordel ! Ça l'a jamais été.

– Tu comprends ce que je veux dire.

– Elle était en train de nous balancer, d'accord ?

– Shane, t'aurais pu la tuer.

– Putain, c'est tout ce qu'elle méritait.

Angel vida par terre le fond de sa tasse de thé et s'éloigna. Cette fois, Shane ne la suivit pas. La circulation, plutôt fluide, s'écoulait de l'autre côté de la crête hirsute de la haie d'aubépine. Le temps s'apprêtait sans doute à changer, les nuages s'assombrissaient à l'ouest et la température était en baisse.

Shane regarda Angel qui restait figée, tête baissée, près de l'accotement couvert de gazon. Ses cheveux étaient juste assez longs pour que le vent les soulève. Quelque chose lui noua les tripes, et il eut envie de la rejoindre, de passer un bras autour d'elle et de lui dire que tout irait bien, mais il ne bougea pas.

Un camion à plate-forme entrait lentement, transportant six Skoda Fabia toutes neuves, aux carrosseries étincelantes, bleues, rouges et vertes. Quand le chauffeur sauta de son habitacle, il fixa Angel un moment, et elle lui rendit son regard. Une demi-heure avec lui dans sa cabine, pensait Shane, et elle pourrait leur gagner facilement cinquante livres, peut-être plus. Il leur fallait du cash. Le peu qu'il leur restait, sa réserve mise à part, fondait à vue d'œil.

L'idée d'Angel, c'était d'aller à Londres, où ils pourraient facilement se faire oublier, voilà ce qu'elle disait. Mais McKeirnan avait toujours dit qu'à Londres, c'était rempli de losers, de blackos et de pédés, et Shane pensait qu'il avait sans doute raison. Sans compter les réfugiés, maintenant, les Afghans ou il ne savait quoi, les Africains, les Irakiens, quelque chose comme ça, il ne savait pas. Le Pays de Galles. Voilà ce qu'ils devraient faire, aller en stop au Pays de Galles. Personne ne les retrouverait, là-bas. C'était là qu'il avait toujours eu envie d'aller.

Comme si elle venait de prendre une décision, Angel se retourna et vint vers lui, affichant un sourire comme par magie.

– J'ai faim, dit-elle. Tu veux quelque chose ?

– Nan, ça va.

– Je vais m'acheter un hamburger.

– J'en prendrai une bouchée.

– Tu crois ça ?

Elle l'embrassa au coin des lèvres.

Entre les deux moitiés du pain rond, la viande était mince et grise, et Angel la noya sous le ketchup, la moutarde aussi. Quand Shane mordit dedans, une giclée de rouge et de jaune dégoulina sur son menton, et quand il voulut s'essuyer, il se tacha toute la main. Angel s'esclaffa et dit : « Je peux récupérer mon hamburger, s'il te plaît ? », et Shane fit semblant de le lui lancer à la figure puis le lui tendit presque avec gentillesse. Ça va s'arranger, pensa Angel, ça va finir par s'arranger, entre nous deux ; et pendant une bonne minute, presque deux, elle voulut y croire. La nuit précédente, en une ou deux occasions, elle avait tenté au cours de la conversation de suggérer à Shane d'aller chez les flics, de se livrer. Mais pour toute réaction, il s'était renfrogné, la traitant de débile.

– Faut qu'on se sépare, dit Angel. (Le hamburger était avalé, et ils buvaient du Coca pour en noyer le goût.) Juste pour un moment, une semaine environ.

– Pas question.

Shane secoua la tête.

– Il le faut. Après ce qui s'est passé. On attire trop l'attention, comme ça. Si on reste ensemble, quelqu'un va nous repérer, tu le sais bien.

– Jusqu'à maintenant, personne l'a fait.

– C'était pas pareil. Si maman avait pas parlé à la police avant, elle l'a sûrement fait à l'heure qu'il est. (Elle lui tira doucement sur le bras.) Shane, j'ai raison, tu le sais bien.

– Combien de jours ? demanda-t-il après quelques instants de silence. Pour combien de jours tu veux qu'on se sépare ?

– Juste une semaine, environ, comme je t'ai dit. Et puis je te rejoindrai.

– Mais tu le feras pas, hein ? Tu foutras le camp. C'est juste un prétexte pour me larguer.

– Dis pas ça.

– C'est pourtant vrai, bordel !

– Non. Non, c'est pas vrai. Je te le promets. C'est juré. Écoute, on va choisir un endroit, d'accord ? Une station-service, sur l'autoroute. Au sud de Birmingham. Sur la M5. La première station que tu trouves, d'accord ? Dans une semaine à partir d'aujourd'hui. En début de soirée. Vers six, sept heures. Le premier arrivé attend l'autre. Après, on pourra aller n'importe où. Au Pays de Galles, comme tu voulais le faire. Comme tu me l'as dit. D'accord, Shane ? D'accord ?

– D'accord.

Quand il regarda Angel, il y avait de la tristesse dans ses yeux.

– J'y serai, je te le jure.

Elle l'embrassa avec fougue et s'éloigna, sachant que si elle devait partir, c'était maintenant ou jamais.

Le chauffeur du transport de voitures revenait de la cafétéria.

– Vous voulez que je vous emmène ? proposa-t-il à Angel désormais seule.

– Oui, répondit-elle. Oui, je veux bien. Attendez, je prends juste mon sac.

Shane la regarda s'éloigner, puis il se détourna.

Trop contente de détourner l'attention des médias du véritable objet de ses investigations, la police se garda bien de les contredire quand ils affirmèrent que Shane Donald restait le suspect principal dans l'enquête sur le meurtre d'Emma Harrison. Les relations publiques organisèrent une conférence de presse avec Elder, et donnèrent leur accord pour qu'il soit interviewé à la télévision locale à la condition expresse qu'on ne lui demande rien qui risque d'avoir des conséquences sur un éventuel procès à venir. Elder honora donc de sa présence l'émission

*Les Midlands aujourd'hui*, répondant pendant une minute quarante aux questions qu'on lui posait sur Donald, avec une compétence non dénuée de brusquerie, avant de fournir au jeune chroniqueur du *Post* de quoi rédiger un encadré d'une demi-page sur deux colonnes dans lequel la disparition encore non élucidée de Susan Blacklock occupait une place de choix.

Des photos de Shane et d'Angel, à la une, remplissaient les étagères des marchands de journaux. Un couple de jeunes et dangereux délinquants en cavale.

*Les Bonnie & Clyde du 21ᵉ siècle*, les avait surnommés un sous-rédacteur quelconque, bien qu'aux dernières nouvelles ils n'aient pas encore braqué de banque ni brandi de flingue. Même les pages artistiques de l'*Independent* suivirent le mouvement, en publiant des photos tirées de films qui racontaient des histoires de couples en fuite : John Dall et Peggy Cummings dans *Gun Crazy* ; Farley Granger et Cathy O'Donnell dans *Les Amants de la nuit* ; Martin Sheen et Sissy Spacek incarnant Charles Starkweather et Caril Fugate dans *Badlands* de Terrence Malick.

Et pendant ce temps, la traque d'Adam Keach se poursuivait ; avec la plus grande célérité possible, on s'employait à retrouver les membres de sa famille, ses amis et ses complices, et à les interroger.

Elder parcourut en voiture la distance relativement modeste le séparant de Crewe pour parler à Eve Branscombe dont les blessures, heureusement, étaient moins graves qu'on n'aurait pu le craindre à première vue. Elle le dévisagea, tournant vers lui un visage rond, empâté, et quand elle se mit à parler, ce fut d'une voix qui exprimait une vraie peur, une authentique inquiétude pour Angel : une gentille fille qui avait mal tourné. Quand Elder lui posa des questions sur Shane Donald, des larmes lui vinrent aux yeux, mais c'étaient des larmes de colère et de peur ; en décrivant de quelle façon il l'avait agressée, elle frémit, comme si la main de Donald la giflait de nouveau, comme si elle sentait le bout d'une chaussure se planter dans son flanc.

– C'est lui qui l'a tuée, hein ? Cette pauvre gamine, Emma, c'est bien comme ça qu'elle s'appelait ?

– Nous n'en savons rien, madame Branscombe, répondit Elder.

– Si Angel ne l'avait pas retenu, il m'aurait tuée aussi.

– Où étais-tu passé ? demanda Maureen quand Elder revint dans le bureau. J'ai essayé de te joindre sur ton portable.

– Excuse-moi, je l'avais éteint.

– C'est pratique.

– C'était à quel sujet, à propos ?

– Angel Ryan.

– Quoi de neuf à son sujet ?

– Elle a téléphoné trois fois. Elle veut te parler.

– À moi ? Pourquoi ?

Maureen eut un sourire caustique.

– Peut-être à cause de toute cette publicité dont tu bénéficies ?

## 43

La tête baissée, fumant une cigarette, Angel était assise sur un banc de la station de bus de Broad Marsh à Nottingham. Son jean, souillé d'une tache de gras ou de cambouis sur l'une des jambes, était usé presque jusqu'à la corde à la hauteur des genoux ; elle avait aux pieds des baskets crasseuses, et portait un mince T-shirt de coton sous une chemise d'homme, en toile, déboutonnée, et par-dessus le tout une veste courte en velours, couleur rouille, suffisamment neuve pour avoir été soustraite à un magasin genre River Island au début de la journée.

Tandis qu'Elder s'approchait, sortant du passage souterrain, elle leva les yeux vers lui.

– Angel Ryan ?

Tirant une dernière bouffée de sa cigarette, elle la laissa tomber par terre.

– Vous m'avez reconnue, alors ?

Elder jeta un regard à gauche vers deux types assis, courbés sur leur cannette de cidre, puis à droite sur une femme exténuée qui faisait de son mieux pour discipliner quatre jeunes enfants et les empêcher de courir devant les roues des bus entrant dans la gare routière.

– Ce n'était pas trop difficile, dit Elder en lui tendant la main. Frank Elder.

– Et vous n'êtes pas dans la police ?

– Pas exactement. Plus maintenant.

Bien que la température fût clémente, Angel se mit à boutonner sa veste. Puis à la déboutonner, nerveusement.

– Vous avez envie de me parler ? demanda Elder. (Angel haussa les épaules.) Venez, ça ne rime à rien de rester ici.

Elle le suivit. Ils traversèrent le centre commercial de Broad Marsh, prirent l'escalier mécanique menant vers Low Pavement, puis une suite de rues étroites passant entre d'anciennes manufactures victoriennes que l'on réhabilitait peu à peu pour en faire des lofts et des petites boutiques chic qui semblaient, aux yeux d'Elder, ne vendre que des objets dont il n'avait pas besoin ou qu'il ne pouvait pas facilement s'offrir.

Tout en marchant, Elder parla de choses et d'autres, de sujets sans conséquence, cherchant à mettre Angel à l'aise. À l'angle de Stoney Street et de High Pavement, il désigna un banc, dans le cimetière de l'église St Mary.

– Asseyons-nous un moment.

À l'intérieur de l'église, quelqu'un jouait de l'orgue, travaillant ses gammes, puis un morceau dont Elder pensa qu'il était peut-être de Bach.

– Vous vouliez me parler ? dit-il.

– Ouais, je crois.

– De Shane ?

Angel leva brièvement les yeux vers lui, puis baissa de nouveau la tête.

– Oui.

– Où est-il ?

– J'en sais rien.

– Vraiment ?

– Pas où il est en ce moment, non.

– Mais vous pourriez entrer en contact avec lui, si vous vouliez ?

– Peut-être. Ouais, peut-être.

Angel le regarda encore une fois, très vite. Il était vieux, il devait avoir à peu près l'âge de son père, supposa-t-elle. De jolies mains. Et il ne la bousculait pas, et ça, elle appréciait. Il faisait comme s'ils étaient amis. Elle avait connu des travailleurs sociaux, quelques-uns, qui étaient comme lui ; des psychologues, aussi. Elle se demandait si elle pouvait lui faire davantage confiance qu'aux autres. Si elle pouvait faire confiance à qui que ce soit, y compris à elle-même.

– Qu'est-ce qui se passerait si Shane voulait se livrer à la police ? demanda Angel à voix basse, comme si elle ne voulait pas entendre ce qu'elle disait.

– C'est ce qu'il a l'intention de faire ?

– Mais, si il le faisait, insista Angel, qu'est-ce qui se passerait ?

– Ça dépend.

– Cette fille, celle qu'était dans le journal, Emma quelque chose, il a rien à voir là-dedans. Je vous le jure. (Elder hocha la tête, pratiquement convaincu, à présent, que c'était vrai.) Il devrait quand même retourner en prison, pourtant, non ? demanda Angel.

– C'est inévitable, j'en ai peur. Au regard de la loi, pour être précis, c'est un prisonnier en fuite. Sa libération conditionnelle serait annulée, et il devrait purger le restant de sa peine, au moins. Et il y aurait de nouvelles poursuites contre lui, j'imagine. Cette dame, à Crewe... Eve, c'est bien ça ? Et peut-être sa contrôleuse judiciaire, aussi. Il encourrait probablement une peine sévère.

Angel détourna les yeux.

– Vous avez parlé de tout ça ? ajouta Elder au bout d'un moment. Shane et vous ?

Angel secoua la tête.

– Oui. Non. Non, pas vraiment. Je veux dire, j'ai essayé. J'ai essayé d'en parler avec lui, mais il voulait pas. Il... Et puis j'ai peur... (Elle regarda Elder de nouveau, essayant de nouveau de lire quelque chose dans ses yeux.) J'ai peur, si il continue comme ça... si on... (Elle cligna des yeux.) J'ai peur qu'il se lâche complètement, que plus rien l'arrête. Il pourrait même tuer quelqu'un. Sans vraiment le vouloir, bien sûr, mais...

– Je comprends.

– Vraiment ?

– Peut-être. Je pense que oui.

– C'est vous, hein, qui l'avez arrêté, la première fois ? (Elder hocha la tête.) C'était encore qu'un gamin, dit Angel.

– Un gamin qui avait participé à un meurtre.

– C'est l'autre qui avait tué, McKeirnan. Pas Shane.

– Ce n'est pas ce qu'a pensé le jury.

– Et vous ?

Elder ne répondit pas tout de suite.

– Au minimum, il a assisté à tout ce qui s'est passé, et il a laissé faire.

– Et pour ça, il doit passer presque la moitié de sa vie en prison ?

– C'est la loi.

– Putain de loi !

Un couple de Japonais se dirigeant vers l'église tourna la tête vers eux au passage. L'organiste semblait avoir fini son récital improvisé, ou bien il prenait une pause.

– S'est-il déjà montré agressif envers vous ? demanda Elder.

– Non. Pas vraiment.

– Vous en êtes sûre ?

– Il me ferait pas de mal.

Combien de fois ai-je entendu ça ? pensa Elder.

– Vous n'avez pas peur pour vous-même ? demanda-t-il.

Angel secoua la tête. Un camion en piteux état passa derrière eux dans la rue étroite, son tuyau d'échappement crachant une fumée noire.

– Sait-il que vous êtes ici avec moi, en train de me parler ?

– Non.

– Et vous pensez vraiment qu'il serait prêt à se livrer à la police ? Parce que, si c'est le cas, il n'a qu'à se rendre dans le commissariat le plus proche.

– Il ne ferait jamais ça.

– Qu'est-ce qu'il serait prêt à faire, alors ?

– Vous parler.

– Pourquoi à moi ? Comme vous le disiez vous-même, c'est moi qui l'ai envoyé en prison.

– Il vous fait confiance. Enfin, c'est ce que je crois. À cause d'une ou deux choses qu'il a dites. Que vous étiez un type bien. Pour un flic. Réglo. C'est ce qu'il a dit. (Lentement, Angel se tourna de nouveau pour lui faire face.) C'est vrai ?

– J'essaie de l'être.

Elder se levait déjà.

– Marchons encore un peu.

Ils descendirent quelques marches usées à l'autre bout du cimetière, pour rejoindre Stoney Street. Elder s'efforçait de faire le lien entre l'impression qu'il avait d'Angel et les renseignements, aussi rares fussent-ils, que Maureen avait reçus des services sociaux. Il s'était attendu à rencontrer une fille qui n'avait pas à ce point confiance en elle-même, qui portait plus ouvertement les stigmates de sa vie passée. Mais les endroits où Angel s'était tailladée avec une lame de rasoir ou des éclats de miroir brisé étaient cicatrisés, à présent, et pour la plupart dissimulés par ses vêtements.

Qui, se demanda Elder en regardant Angel traverser la rue devant lui, essayait-elle de sauver le plus, Shane Donald ou elle-même ?

Dans un café, à l'angle de Stoney Street et de High Pavement, Elder commanda un expresso et regarda Angel manger une soupe puis un petit pain au bacon et à la tomate.

– Je vais le retrouver, dit-elle. Dans quelques jours. Je pourrais vous téléphoner, pour vous faire savoir à quel moment.

– Vous pourriez me le dire tout de suite.

– Non, plus tard.

– Vous ne me faites pas confiance.

Angel cligna des paupières.

– Vous allez seulement lui parler, hein ? Vous allez pas essayer de l'arrêter ? Parce que sinon, il va s'enfuir, j'en suis sûre.

– Je comprends, dit Elder.

– Et si il veut pas vous suivre, vous essaierez pas de l'arrêter ?

– Je ne suis plus dans la police, répondit Elder. Je n'ai plus le pouvoir d'arrêter qui que ce soit.

– Et il n'y aura pas de policiers sur place ? Vous le promettez ?

– Du moment qu'il a envie de me parler, je lui parlerai seul à seul.

Elder copia pour Angel son numéro de portable, se rendit à la caisse et régla l'addition. Tandis qu'ils regagnaient la rue, il lui glissa dans la main un billet de vingt livres et deux de dix.

– Vous me tiendrez au courant ? demanda Elder.

– Oui. Je vous ai dit que je le ferais.

– Et ensuite ? Je veux dire, supposons qu'il décide de se rendre, qu'est-ce que vous ferez, à ce moment-là ?

– Je sais pas. Je retournerai chez les forains, peut-être. Della me reprendra toujours, c'est sûr.

Elder hocha la tête.

– Essayez de reparler à Shane, dit-il. Tâchez de lui faire changer d'avis.

Ils firent un petit bout de chemin ensemble vers le centre commercial de Broad Marsh, puis Elder s'arrêta et regarda Angel s'éloigner, les mains enfoncées dans les poches de sa veste en velours – survivante improbable, rescapée du mauvais sort.

## 44

Il se réveilla l'esprit embrumé, la tête remplie d'ouate. Tout d'abord, il crut que c'était Katherine qu'il avait senti rôder aux confins de ses rêves, puis il se rendit compte qu'il s'agissait d'Angel. Il s'habilla très vite, poussé par un brusque besoin d'espace et de grand air, et parcourut en voiture la faible distance séparant la maison de Willie Bell du parc de Wollaton, où il descendit vers le lac en passant devant le château.

Des cerfs paissaient dans le pré voisin ou bien se tenaient sous les arbres par groupes de deux et trois. Si Angel se décidait vraiment à lui dire où se trouvait Shane Donald, il ne pourrait en aucun cas garder ce renseignement pour lui tout seul, il en était bien conscient. Il serait obligé de le communiquer à Maureen, et une fois qu'il aurait fait ça, c'est l'affaire tout entière qui lui échapperait des mains.

Elder allongea le pas ; s'il parvenait à obtenir leur aval pour parler à Shane d'abord, il lui resterait une chance de convaincre ce dernier de se rendre. Une chance bien mince, mais une chance tout de même.

Il contournait la première courbe du lac, où le sentier s'élargit pour offrir une vue sans obstacle du château de Wollaton, quand son téléphone se mit à sonner.

– Frank Elder ?

C'était une voix d'homme, que l'on aurait autrefois qualifiée de fort courtoise – un terme qui avait peut-être cours encore aujourd'hui dans certains milieux.

– Oui ?

– Ici Stephen Bryan. Vous m'avez laissé votre numéro, me demandant de vous rappeler.

Tant d'événements s'étaient succédé qu'il fallut un bon moment à Elder pour situer ce nom.

– Oui, finit-il par dire. C'est exact. Cela fait déjà quelques jours.

– J'étais en voyage.

– C'est au sujet de Susan Blacklock, annonça Elder. Vous étiez camarades de classe, je crois. À Chesterfield.

– Elle n'a pas réapparu, n'est-ce pas ?

À chaque nouvelle phrase, l'accent régional qui affleurait sous sa diction modèle s'affirmait un peu plus.

– Elle devrait ?

– Cela dépend du genre de l'histoire dans laquelle nous sommes.

– Pardon ?

– Pessimiste ou sentimentale. David Lynch ou Steven Spielberg. George Eliot, si vous voulez, ou Charlotte Brontë.

– On n'est pas dans la fiction, dit Elder. On n'a pas le choix.

Il y eut un rire à l'autre bout.

– Vous avez toujours envie de parler ? Parce que, si c'est le cas, je crains que le créneau ne soit très étroit. Je pars pour Édimbourg après-demain.

– Alors, que diriez-vous de cet après-midi ?

Bryan lui donna les indications nécessaires, et Elder les griffonna sur le dos de sa main.

Clarendon Park n'était pas très loin du centre-ville. C'était le quartier de Leicester où il fallait vivre si l'on était un enseignant ayant atteint l'échelon supérieur des rémunérations ; mieux encore, psychothérapeute ou prof de fac. Des villas victoriennes aux impostes encore munies de leurs vitraux d'origine, aux cuisines restaurées abritant des fours Bosch en acier brossé, aux murs intérieurs repeints à l'aide des pigments à l'ancienne de chez Farrow & Ball.

La maison de Stephen Bryan faisait partie d'un alignement de douze demeures mitoyennes flanqué à chaque extrémité d'une maison double d'une hauteur plus importante. Depuis les étages supérieurs, il devait être possible de voir la gare, par-dessus les arbres.

*Stephen Makepiece Bryan*, annonçait noir sur blanc et en italique la carte fixée à côté de la porte d'entrée. Pour quelqu'un qui ne devait guère avoir dépassé la trentaine, pensa Elder, Bryan ne se débrouillait pas trop mal.

Quand il appuya sur la sonnette, Elder eut droit à une salve de musique orchestrale, discordante et suraiguë.

– Toutes mes excuses, dit Bryan en ouvrant presque aussitôt la porte. C'est du Bernard Hermann, la musique de *Psychose*. Elle est censée faire fuir les cow-boys de la compagnie du gaz et les prosélytes de l'église baptiste. (Bryan portait un jean bleu noir et une chemise style années cinquante en tissu imprimé achetée d'occasion. Il était pieds nus.) Je suppose que vous n'appartenez à aucune de ces deux catégories.

– Frank Elder. On s'est parlé au téléphone.

Bryan lui serra la main et recula d'un pas.

– Entrez donc.

Elder le suivit dans un couloir étroit et long dont l'un des côtés était encombré par un fatras de cartons et de sacs en plastique.

– Mes locataires, expliqua Bryan. Un groupe qui s'en va, un autre qui s'installe. Ça m'empoisonne l'existence, mais la plupart du temps, c'est la seule façon de payer les factures à la fin du mois. C'est une de mes tantes qui m'a laissé cette maison, et depuis, je m'y accroche désespérément – même si parfois j'ai vraiment l'impression d'héberger la moitié de l'université De Montfort.

Il y avait des affiches des festivals de cinéma de Berlin et de Telluride et, à mi-chemin, un étonnant portrait en noir et blanc d'un homme jeune et séduisant, éclairé par un spot depuis le mur d'en face.

– Il est beau, non ? fit Bryan.

– James Dean ?

– Montgomery Clift. *Une place au soleil.*

Bryan fit franchir à Elder une porte située en face du pied de l'escalier. La cloison séparant les deux pièces principales du rez-de-chaussée avait été percée pour créer un vaste espace doté d'une large ouverture carrée en son milieu. Des tapis recouvrant un parquet éraflé mais ciré ; des étagères, du plancher au plafond, bourrées de livres, de cassettes vidéo et de DVD ; la partie antérieure était dominée par un grand téléviseur à écran large et ses haut-parleurs séparés posés à même le plancher ; dans le fond, un vieux secrétaire en bois avait été transformé pour recevoir un ordinateur et son écran, l'imprimante étant posée sur une petite table juste à côté. Il y avait une toile encadrée, aux couleurs vives, au-dessus de la cheminée carrelée, un vase haut en verre fumé, rempli de fleurs, placé dans l'âtre et d'autres fleurs encore sur une table basse, encerclées par de petites piles de livres.

– Je peux vous offrir du thé du Yorkshire, du café du Nicaragua, ou de l'eau plate. Faites votre choix.

Elder secoua la tête.

– Je n'ai pas soif, merci.

– Cela ne vous dérange pas que je me fasse du thé ?

– Je vous en prie.

Elder s'assit dans un fauteuil incliné en cuir et se laissa aller en arrière. Dehors, la circulation restait discrète, et il y avait peu de bruit à l'intérieur de la maison. Les dernières vingt-quatre heures avaient sans doute éprouvé Elder plus qu'il ne l'aurait cru, car il sentait que ses paupières commençaient à se fermer.

Se secouant, il s'avança dans son fauteuil pour examiner les livres posés sur la table : une étude de *Sueurs froides* par Charles Barr, *Wilder par Wilder*, et deux livres signés de Bryan lui-même – un poche mince et plutôt carré intitulé *Les Stars oubliées des années 50* et, plus copieux : *Shakespeare au cinéma, interprétations contemporaines*. La photo de couverture montrait un jeune homme en veste voyante, soutenant un camarade blessé et brandissant un pistolet.

– Ma thèse, expliqua Bryan en revenant dans la pièce. Avec quelques mises à jour et des coupures, mais elle se lit toujours comme si elle était vierge de tout contact humain.

– Le cinéma, fit Elder, c'est manifestement votre spécialité.

Bryan se laissa tomber sur le canapé en face de lui, manquant de peu de renverser son thé.

– Oui. Je donne quelques cours au bout de la rue, je fais un peu le critique (pour la radio surtout, dans une émission qui s'appelle *Le dernier rang*), et je présente un film de temps en temps au cinéma Phoenix. Sinon, je suis, me semble-t-il, une sorte de rentier, qui ramasse les pépètes tout en débouchant les toilettes. Et je veille à ce que mes locataires n'importunent pas les voisins en écoutant du rock à deux heures du matin, et à ce qu'ils ne fument dans les parties communes que des substances anodines, genre cannabis.

– Certains estimeraient que vous avez la vie belle.

– Et la plupart du temps, ils auraient raison.

– J'ai parlé à Siobhan Banham et à Rob Shriver, c'est Rob qui m'a donné votre numéro. Siobhan m'a dit que Susan Blacklock et vous étiez très proches, et que vous passiez beaucoup de temps à parler ensemble.

Bryan posa son thé.

– Je crois que c'est vrai.

– Puis-je vous demander de quoi vous parliez ?

Bryan sourit.

– En dehors des interprétations contemporaines de Shakespeare, vous voulez dire ?

– En dehors de ça.

– Avant tout, elle avait envie de parler de son père.

– Elle avait des problèmes avec lui ?

– Non, c'est avec Trevor que cela se passait mal. Je ne pensais pas à Trevor, mais à son vrai père.

Elder eut l'impression que ses poumons étaient brusquement privés d'oxygène.

– Vous n'étiez pas au courant ? s'étonna Bryan.

– Non. Première nouvelle.

– Ah. (Bryan but une gorgée de thé.) Je savais qu'elle ne le criait pas sur les toits, que Trevor était son beau-père.

– À vous entendre, on dirait que vous le connaissez bien ?

– Pas vraiment. Mais parfois, il venait la chercher en voiture, après les réunions du club théâtre, ce genre de choses. Il était aux petits soins pour elle, pourrait-on dire. Susan trouvait cela..., ma foi, étouffant.

– Mais elle ne se comportait jamais avec lui comme s'il n'était pas vraiment son père ?

– Non, pas du tout. Et je crois que personne ne le savait. En fait, j'en suis sûr.

– Puis-je vous demander comment il se fait que vous soyez au courant ?

Bryan sourit, la mémoire lui revenant.

– C'était pendant l'une de ces fameuses conversations, en fait. À propos de Shakespeare. Nous venions d'étudier *Le Roi Lear*, de faire quelques improvisations. Nous devions aller voir la pièce, à Newcastle...

– La représentation qui a été annulée.

– Précisément. Quoi qu'il en soit, nous avions travaillé par groupes de deux sur cette scène où l'une des filles se dresse contre son père et lui dit que s'il espère qu'elle va veiller sur lui de la manière à laquelle il est habitué, il va être plutôt déçu. Je paraphrase grossièrement, bien sûr.

– Bien sûr.

– Susan et moi en avons reparlé plus tard. Elle m'a regardé, l'air grave, et m'a dit : « Je ne traiterais jamais mon père comme ça, quoi qu'il ait fait. » Ma foi, je l'avais vue avec Trevor, je l'avais entendue assez souvent se plaindre de lui, j'ai dû la regarder d'un air un peu stupéfait, et c'est à ce moment-là qu'elle me l'a dit.

– Continuez.

– Sa mère avait tout juste seize ans quand elle est tombée enceinte. Elle sortait avec un homme, qui devait être nettement plus âgé qu'elle. Ils se sont connus dans le magasin de disques où il travaillait. Il l'a draguée, il l'a invitée. Personne ne savait, secret total, et puis, vlan ! – fini le secret. Du moins, en ce qui concernait sa grossesse. À en croire Susan, son père ne voulait pas le savoir. Il a fait de son mieux pour décider sa mère à se faire avorter, et comme elle a refusé, il s'en est lavé les mains. Il a même refusé de lui parler, d'avoir quoi que ce soit à voir avec le bébé une fois qu'il est né.

– Et Susan savait tout cela ?

– Apparemment.

– Et malgré tout, elle éprouvait de l'affection pour lui ? Alors même qu'il les avait abandonnées, sa mère et elle ?

– Oui. C'est ce que je crois. Elle lui aurait pardonné, de toute façon. Si elle avait pu. Mais je ne pense pas qu'elle l'ait jamais vu, pas en sachant qui il était. En tout cas, elle ne savait pas où il se trouvait, où il vivait. J'en suis sûr. Je crois savoir qu'elle a essayé de questionner sa mère à ce sujet, un jour, et que sa mère lui a fait une scène. Alors, elle devait sans doute passer pas mal de temps à penser à lui, à rêvasser, je suppose. Vous savez, à imaginer ce qu'elle lui dirait si un jour il surgissait soudain du néant.

– Et à votre connaissance, elle n'en a jamais parlé aux autres, à aucun de ses amis ?

– Non, je suis certain qu'elle n'en a rien dit. Et elle m'a fait promettre de n'en souffler mot à personne.

– Et vous avez tenu parole.

– Jusqu'à maintenant.

Bryan reprit sa tasse mais ne but pas.

– C'est important ? demanda-t-il.

– Aujourd'hui, je n'en sais franchement rien, répondit Elder. Mais pour Susan Blacklock, ça l'était sûrement.

Comme Elder prenait congé, une camionnette blanche se gara devant la maison pour emporter les effets personnels du locataire sur le départ.

– Si vous découvrez quelque chose, dit Bryan, concernant Susan, je vous serais reconnaissant de m'en informer.

– Je n'y manquerai pas, fit Elder alors que les deux hommes se serraient la main. Et je guetterai vos interventions dans l'émission... Comment s'appelle-t-elle, déjà ? *Le premier rang* ?

– *Le premier rang, Le dernier rang*, c'est la même chose.

Bryan leva la main quand Elder remonta dans sa voiture, puis il aida son locataire à débarrasser le fatras qui encombrait son entrée.

## 45

– Pourquoi me l'as-tu cachée ?

Helen Blacklock, les yeux bouffis de sommeil, fit un effort pour accommoder sur le visage d'Elder qui la dominait dans l'encadrement de la porte. Elle était vêtue de l'uniforme vert citron qu'elle portait pour travailler à la boutique du quai.

– Excuse-moi, j'ai dû m'assoupir après le boulot. Qu'est-ce que tu disais ?

– Pourquoi me l'as-tu cachée ?

– Quoi ?

– La vérité.

Il était relativement tôt, vingt heures trente tout au plus, un soir d'été finissant sans encore les moindres prémices d'automne. L'abbaye de Whitby, à l'instant où Elder avait franchi la côte de Blue Bank, s'était détachée nettement sur la mer.

La glace avait presque fondu dans le verre qu'Helen avait rempli de tonic et d'une giclée de gin ; deux mégots gisaient dans le cendrier, un magazine ouvert s'étalait sur le plancher, où il était tombé en lui glissant des mains.

– Je vais boire un autre verre.

– Vas-y.

– Tu en veux un ?

– Non, fit Elder un peu trop sèchement. (Puis, se reprenant :) Si, tout compte fait. D'accord, je t'accompagne.

– Du gin ? Je crois que je n'ai rien d'autre.

– Du gin, ce sera très bien.

La pièce lui parut plus petite que dans son souvenir, puis il se rendit compte qu'il la comparait aux amples volumes de la maison de Stephen Bryan à Leicester.

– De la glace et du citron ? demanda Helen depuis la cuisine.

– S'il te plaît.

– Les deux ?

– Les deux.

La main qui lui passa son verre manquait pour le moins de fermeté, et le regard d'Helen ne soutint le sien qu'un bref instant avant de se détourner. Elle attendit qu'Elder s'installe pour s'asseoir à son tour, en face de lui, et juste assez loin pour rester hors de portée, au cas où l'un ou l'autre aurait éprouvé le besoin de tendre le bras pour établir le contact.

– Quand tu parles de vérité, dit Helen, tu penses à Dave ?

– Je ne connais pas son nom.

– Le père de Susan.

– Oui.

– David Ulney.

– Tu ne m'as jamais parlé de lui.

– Non.

– Tu as laissé tout le monde croire que Trevor était le père de Susan. (Helen hocha la tête, évitant toujours son regard.) La police, moi, tout le monde.

– Oui.

– Mais pas Susan elle-même.

– J'ai essayé.

– Mais elle savait.

Helen se décida à regarder Elder.

398

– Elle a trouvé une photo. Elle avait neuf ans, bientôt dix. Un jour, elle a fouillé dans mes affaires, tu sais comment font les mômes. Pourquoi j'avais gardé ce cliché, Dieu seul le sait. Dave Ulney avec ses chaussures à semelle de crêpe et son costume de dandy 1900, col en velours, veste longue, le grand jeu. (Elle marqua une pause pour allumer une cigarette.) Susan m'a demandé qui c'était, et sans prendre le temps de réfléchir, je lui ai tout dit.

– Tout ?

– Je lui ai raconté qu'il était parti et qu'il nous avait abandonnées, elle et moi. Sans jamais nous donner d'argent. Encore que je ne lui en aie jamais demandé. Oui, je lui ai dit tout ça ; et pourquoi est-ce que je n'aurais pas dû le faire ? Et puis, sous ses yeux, j'ai déchiré cette satanée photo en petits morceaux et je les ai jetés à la poubelle. (Helen tira une longue bouffée de sa cigarette, garda la fumée dans ses poumons, puis l'expira lentement.) Mon Dieu, ce qu'il me plaisait ! J'en étais folle. (Elle eut un rire rauque, comme pour se dénigrer.) J'avais seize ans. Qu'est-ce que je savais de la vie ? Je n'en savais même pas assez pour garder les genoux serrés.

– Tu en savais assez pour garder le bébé ; tu as fait un choix.

– J'avais peur, j'étais terrifiée. À l'idée de me faire avorter, je veux dire. Et puis, garder l'enfant, c'était ce que mes parents ont voulu, dès qu'ils ont su. « On ne te laissera pas tomber », ils m'ont dit. « Et les types comme lui, on peut s'en passer. Bon débarras. » Ma mère est venue avec moi au lycée pour voir le proviseur, le médecin, elle a fait tout ce qu'il fallait. Elle a été géniale. Elle est dans une maison de retraite, maintenant, à Scarborough, dans l'un de ces anciens grands hôtels réhabilités sur North Cliff. Quand mon père est mort, elle s'est effondrée. (Pendant un moment, Helen garda le silence, perdue dans ses pensées.) Excuse-moi, où en étais-je ?

– À la naissance de Susan.

– Oui. J'ai eu de la chance. Elle est passée comme une lettre à la poste. Et puis, quand elle avait à peine plus de six mois, Trevor est venu, tellement pétri d'admiration pour moi, le pauvre, qu'il adorait presque jusqu'au sol que je foulais. Du moins, cela a duré un certain temps. Ou bien était-ce devant Susan qu'il était en extase ? À présent, je n'en suis plus si sûre. Quoi qu'il en soit, il était prêt à me prendre sous son aile, avec mon bébé, une petite famille prête à emporter, je suppose. Et moi, je me suis dit, soyons francs, ma foi, il y a peu de chances qu'on me fasse un jour une meilleure proposition que celle-ci. Alors, on s'est mariés, civilement, avec le minimum de formalités, en présence de ses parents et des miens, sans tralala. Si on te pose la question, il m'a dit, répond que le bébé est de moi. Et c'est ce que j'ai fait. Comme exigence, ça ne me paraissait pas énorme, après tout.

Elder tendit le bras pour prendre son verre. Helen semblait avoir eu la main lourde sur le gin, et il en était heureux.

– Comment Susan a-t-elle réagi quand tu lui as appris tout ça ?

– À ton avis ? C'était comme si elle avait reçu un coup sur la tête. Au début, elle en est restée muette, tu sais, elle ne disait plus un mot. L'air absent. Et puis elle s'est mise à me bombarder de questions, sans arrêt, jusqu'au moment où elle a compris que je ne lui donnerais jamais de réponse. Alors, elle s'est arrêtée.

– Sais-tu si elle a jamais abordé le sujet avec Trevor ? Si elle l'a interrogé ?

– Non, je ne pense pas. Il me l'aurait dit. Forcément.

– Ça ne te surprend pas, qu'elle n'en ait jamais parlé avec lui ?

Helen ne répondit pas tout de suite. Quelque part, une horloge sonna neuf heures.

– Maintenant que j'y pense, si, ça m'étonne. Dieu sait s'ils se chamaillaient souvent quand Susan est entrée dans l'adolescence. Parfois, Trevor la couvait trop, elle le trouvait envahissant. Ce n'était pas son intention, il croyait bien faire, mais... On aurait dit qu'il voulait toujours en faire plus, se prouver à lui-même qu'il était le meilleur père possible, en faisant ce qu'il croyait être son devoir. En plein milieu d'une de leurs disputes, sous le coup de la colère, Susan aurait très bien pu lui déballer ce qu'elle savait, tu sais, pour se venger de lui. Mais non, je ne pense pas qu'elle l'ait jamais fait.

– Et son père, Dave, je veux dire, est-elle jamais entrée en contact avec lui ?

– Non, jamais.

– Tu en es sûre ?

– Je l'aurais su, non ?


Ils contournèrent le bassin du port, pour rejoindre la digue Ouest. Ils y trouvèrent l'assortiment habituel de pêcheurs, quelques couples d'amoureux blottis l'un contre l'autre sur les bancs de bois, des hommes en pardessus et casquettes plates qui promenaient de petits chiens. À quinze cents mètres de là, les lumières de Sandsend brillaient, petites et précises, à la lisière de la marée montante. Helen s'était changée ; elle portait un pantalon de velours gris et un sweat-shirt à capuche vert bouteille. Elder avait sorti un vieil anorak du coffre de sa voiture. Les quidams qu'ils croisaient pouvaient fort bien les prendre pour de vieux amis, et guère plus.

– Si je t'avais tout de suite parlé de Dave, dit Helen, ça n'aurait rien changé, n'est-ce pas ? Pour retrouver Susan ? Je veux dire, comment est-ce que ça aurait pu t'aider ?

– Je n'en sais rien. Tu as sans doute raison, mais je ne sais pas. Enfin, cela nous aurait sans doute intéressés, comme une nouvelle piste à explorer au même titre que les autres...

– Et quand vous auriez compris qu'elle ne menait nulle part ?

Elder ne répondit pas. Un peu plus loin sur la jetée, ils s'arrêtèrent pour voir un bateau sortir du port, tous feux allumés, en route pour une nuit de pêche.

Quand Helen se retourna pour continuer la promenade, Elder resta sur place.

– Dave Ulney, dit-il. Qu'est-ce qu'il est devenu ?

– Comment veux-tu que je le sache ?

– Il a tout simplement disparu ?

– C'est tout comme. À la première occasion, il a foutu le camp à l'autre bout du monde. (Elder fixa sur elle un regard interrogateur.) En Nouvelle-Zélande. Il m'a envoyé une carte – une seule – deux ans après, sans raison. De Karori, je ne sais même pas où ça se trouve. *Je suis installé ici, maintenant. J'espère que tu vas bien. Dave.* Pas un mot pour Susan, le salaud. Il ne s'inquiétait même pas de la santé de sa propre fille. (Helen avait les larmes aux yeux.) J'ai brûlé sa carte aussitôt.

– Susan ne l'a pas vue ? Elle n'a pas su de qui elle était ?

– Elle avait deux ans.

– Mais tu ne lui en as pas parlé, plus tard ? Après qu'elle eut trouvé la photo ?

– Pourquoi j'aurais fait ça ? C'était déjà assez dur pour elle.

Il restait encore de la colère dans sa voix, du ressentiment mêlé à ses larmes.

– Tu n'as plus jamais entendu parler de lui par la suite ? Tu n'as plus eu de ses nouvelles ?

– Pas un mot.

Ils allèrent jusqu'au bout de la deuxième digue, la plus petite, et restèrent un moment à regarder les lumières d'un navire porte-conteneurs qui se traînait, à l'allure d'un escargot, sur la ligne d'horizon. Le vent était assez fort, à présent, pour projeter violemment les vagues contre les piliers de la digue, et les embruns leur fouettaient le visage.

– Je me demandais si je te reverrais, dit Helen.

Elder l'embrassa, et elle lui prit la main pour la glisser sous son sweat-shirt et la tenir contre son sein. De retour chez elle, il la déshabilla lentement, couvrant de baisers les courbes et les rondeurs de son corps avant de s'allonger sur le dos pour qu'elle puisse le dévêtir à son tour, le dominant pour le contempler dans la pénombre, lui ôtant sa chemise d'abord, puis son pantalon. Elle laissa échapper un petit cri étouffé lorsqu'elle s'empala sur lui, puis ce fut un va-et-vient délibérément lent, la pointe de son sein dans la bouche d'Elder, et quand elle fut parcourue par un frisson, son corps se contracta en un spasme qui eut raison d'Elder, signant sa perte soudaine et prématurée.

– Je suis désolé, dit-il alors qu'elle se dégageait en roulant sur le flanc.

– Ce n'est pas grave, mon chou, fit Helen avec un sourire. Repose-toi, reprends des forces.

Mais ils dormaient tous les deux quand le téléphone retentit. Réveillé en sursaut, Elder se demanda un bref instant où il était, ne reconnaissant pas tout de suite la sonnerie de son portable. La voix de Joanne était lointaine, tremblotante.

– Frank, c'est Kate. Elle n'est pas rentrée. Je suis morte d'inquiétude.

Elder prit sa montre sur la table de nuit, le regard inquiet d'Helen suivant ses gestes. Il était une heure et demie du matin.

– As-tu appelé la police ?

– Non. Je ne savais pas si je devais le faire.

– Appelle-les tout de suite. Je suis à deux heures de route de Nottingham. Peut-être un peu plus. J'arrive dès que possible.

Helen se tenait debout, nue, près de la porte de la chambre.

– Je vais faire du café pendant que tu t'habilles. Une thermos pour la voiture.

– D'accord. Merci.

Il composa le numéro de Maureen Prior tout en raflant sa chemise.

## 46

Elder conduisait trop vite. Sur la route étroite entre Pickering et Malton, il faillit perdre le contrôle de sa voiture dans un virage, puis il se ressaisit alors qu'il allait s'assoupir, ses paupières se fermant un bref instant sur la voie extérieure de la M18 entre 130 et 145 kilomètres à l'heure – le maximum de ce qu'il pouvait tirer de sa Ford vieillissante. Le contact de ses roues contre le bord de la route suffit à le réveiller en sursaut. Il se laissa glisser vers la voie centrale puis, après avoir changé d'autoroute, il s'arrêta à la première station-service pour s'asperger le visage d'eau froide et boire le reste du café préparé par Helen.

– Il ne va rien lui arriver, Frank, ne t'inquiète pas.

Il saisit l'ironie de la situation en entendant ses propres paroles, ou presque, lui revenir aux oreilles au bout de tout ce temps.

Le fait que son esprit fonctionnait à plein régime, sautant d'un scénario à un autre, se révéla une sorte de bénédiction, l'empêchant de s'attarder sur les visions que son imagination aurait pu lui suggérer. Son imagination et son expérience.

Il y avait une voiture de police devant la maison de Joanne, et une Vauxhall, qu'il reconnut comme étant celle de Maureen, garée juste derrière. Un agent en tenue ouvrit la porte et demanda à Elder de justifier de son identité quand celui-ci tenta d'entrer en force. Joanne était debout au centre du vaste salon, comme perdue dans l'espace. Quand elle vit Elder, elle courut vers lui, s'arrêta, et, comme il tendait les bras vers elle, s'y réfugia en trébuchant, laissant jaillir sans retenue les larmes qu'elle avait ravalées jusqu'à cet instant. Les yeux fermés, Elder enfouit son visage dans les cheveux de Joanne qui s'agrippait fermement à lui, et dont il sentait le visage humide pressé contre sa chemise.

Gênée, la jeune femme agent de police qui parlait à Joanne, passant en revue les notes qu'elle avait prises un peu plus tôt, détourna le regard. Postée près de l'escalier en spirale, Maureen Prior attendit qu'Elder lève la tête pour échanger avec lui un regard rapide, suivi d'un bref signe de dénégation.

Elder tenait Joanne dans ses bras et la laissait pleurer.

– Je vais faire du café, Frank, annonça Maureen.

La jeune policière la suivit, à la recherche de la cuisine, laissant Elder et Joanne seuls. Leurs silhouettes se reflétaient vaguement sur la paroi vitrée qui les séparait du jardin plongé dans l'obscurité.

– Oh, Frank...

Elder l'emmena avec ménagement jusqu'au long canapé puis, desserrant l'emprise de ses doigts, la fit asseoir en douceur.

– Raconte-moi, dit-il. Quand tu seras prête, raconte-moi ce qui s'est passé.

À tâtons, Joanne chercha un mouchoir en papier et se tamponna les yeux, puis se moucha.

– Kate était... Elle était à son entraînement, comme d'habitude, tu sais... au stade Harvey Hadden... Elle devait terminer vers... Oh, à n'importe quel moment entre huit et neuf heures...

– Il fait sûrement nuit, à ce moment-là ? l'interrompit Elder.

– Enfin, disons à huit heures et demie, je n'en sais rien. Et puis, ça n'a pas d'importance.

– Cela pourrait en avoir.

– Frank, je t'en prie.

– Excuse-moi, continue.

Il lui pressa la main.

– Parfois, elle rentre tout de suite, mais pas toujours. Assez souvent, je crois qu'elle va boire un verre ou je ne sais quoi, tu vois, histoire de traîner un peu, de décompresser.

– Tu ne savais pas où elle était, où elle allait ?

– Bon sang, Frank, elle a seize ans.

– Justement.

– Qu'est-ce que tu veux dire ?

– Je veux dire que si elle n'a que seize ans, j'aurais cru que tu voudrais savoir où elle passait ses soirées.

– Vraiment ? Alors, si tu t'inquiétais autant pour elle, tu aurais peut-être dû rester dans les parages. (Elder se mordit les lèvres.) Excuse-moi, ajouta Joanne.

– Non, je t'en prie, continue.

– Les soirs où elle sortait, elle rentrait en général à dix heures et demie, onze heures au plus tard. Surtout en milieu de semaine. Ce soir, à minuit, comme elle n'était toujours pas là, j'ai commencé à téléphoner à tous ses amis, ceux que je connais. Certains d'entre eux, qui font partie du club d'athlétisme, l'ont vue à l'entraînement en début de soirée, mais pas depuis.

– Pas depuis quand ? Exactement, je veux dire ?

– Frank, je n'ai pas obtenu d'heure précise, j'étais trop inquiète, je...

– Ce n'est pas grave, peu importe, on peut toujours vérifier...

– On l'a déjà fait.

Elder se retourna brusquement quand il entendit la voix de Maureen ; il n'avait pas remarqué qu'elle était de retour dans la pièce.

– Pour autant que l'on sache, reprit Maureen, Katherine a quitté les vestiaires du stade entre huit heures trente et neuf heures moins le quart. L'un de ses camarades lui a proposé de la raccompagner en voiture, mais elle a décliné son offre. Elle a dit qu'elle avait un bus à prendre. (Maureen marqua une pause.) Jusqu'à maintenant, nous n'avons trouvé personne qui l'ait vue plus récemment que cela.

De neuf heures moins le quart à quatre heures et demie du matin : Elder faisait le calcul dans sa tête. Il n'y avait pas loin de huit heures que sa fille avait disparu.

– Ce garçon avec qui elle sortait..., commença Elder.

– Gavin ?

– Je ne crois pas que ce soit ce nom-là.

Joanne regarda Elder, perplexe, tandis qu'il fouillait sa mémoire.

– Stuart, il me semble qu'il s'appelait Stuart.

– Je ne connais pas de Stuart.

– Il fait partie de son club d'athlétisme, il roule dans une vieille 2 CV.

Joanne secoua la tête.

– Ce n'était pas l'un des noms en notre possession, dit Maureen. Pas de Stuart parmi les gens à qui nous avons parlé jusqu'à présent. Je vais faire vérifier.

Alors qu'elle quittait la pièce, la femme agent revint avec des tasses de café sur un plateau.

– Tu as parlé d'un Gavin, fit Elder en se tournant de nouveau vers Joanne. Gavin qui ?

– Salter. Il est étudiant, à l'université.

– Laquelle ?

– Pas celle de Trent, je ne crois pas, du moins. Non, à l'ancienne fac, j'en suis sûre.

– Et Katherine sort avec lui ?

– Elle sortait. Je crois qu'ils se sont chamaillés, juste avant la fin du dernier trimestre.

– Tu as une idée de l'endroit où il habite ?

– À Lenton, par là. Je ne sais pas exactement.

– Bon sang ! s'exclama Elder entre ses dents.

Joanne appuya son front contre sa main.

– Frank, s'il te plaît, ne rends pas les choses plus difficiles qu'elles ne le sont déjà.

– Il y a du café, annonça l'agent en tenue.

Personne ne bougea.

– Il s'appelle Stuart Reece, dit Maureen en surgissant du hall d'entrée quelques instants plus tard. Il pratique le saut en hauteur, apparemment. Il habite à Lady Bay. Quelqu'un est en route pour l'interroger.

Elder hocha la tête et lui donna le nom de Gavin Salter. Il était possible mais peu probable, Maureen le savait, que ce Gavin Salter figure dans l'annuaire du téléphone. Ou encore sur les listes électorales, bien que ce ne soit pas du tout certain en raison des mœurs migratoires des étudiants. Plus probablement, ils allaient devoir attendre le lendemain matin et se procurer son adresse au secrétariat de l'université.

– Jo, fit Elder à voix basse, pourquoi ne montes-tu pas t'allonger un peu ? Prendre un peu de repos ?

– Je ne pourrais pas dormir, répondit Joanne.

Mais elle se leva tout de même, bien qu'en vacillant un peu, et se dirigea vers l'escalier, Elder à son côté.

– Où est Martyn, ce soir ? demanda-t-il.

Joanne le regarda sans que son visage change d'expression, puis elle se détourna et disparut.

Elder et Maureen Prior étaient assis sur les marches incurvées en béton menant à la porte d'entrée. La porte elle-même restait ouverte, Joanne dormant d'un sommeil agité au premier étage. Le ciel commençait déjà à s'éclaircir de façon visible vers l'est. Les deux agents en tenue étaient rentrés faire leur rapport au commissariat central, où une équipe distincte d'enquêteurs avait été constituée et confiée à Colin Sherbourne, un tout jeune inspecteur principal récemment transféré de Humberside. Sherbourne était venu en voiture voir Elder pour l'assurer que son équipe et lui faisaient tout leur possible.

– Il n'y a pas si longtemps qu'il a commencé à se raser, commenta Elder quand Sherbourne fut reparti.

– C'est un bon inspecteur, Frank. Organisé. Pas le genre à s'affoler facilement.

– Il n'a pas l'expérience...

Maureen posa la main sur son bras.

– Frank, on a perdu un minimum de temps, tu le sais aussi bien que moi.

– Cela fait huit heures, plus maintenant...

– Dans la plupart des affaires de ce genre, on est rarement alerté avant le lendemain matin.

Elder laissa longuement échapper l'air de ses poumons, comme un soupir.

– Il ne s'agit pas d'une enquête supplémentaire.

– Frank...

– Allons, Maureen. (Elder s'était levé, à présent.) Ce n'est pas ce que tu penses, depuis mon premier coup de téléphone ?

– Non.

– Non ? Tu ne mens pas très bien, Maureen. Ça ne te vient pas naturellement.

– Ce que je pense, Frank, c'est que, au matin, Katherine va rentrer à pied à la maison. L'air un peu penaud, sans doute, mais elle va revenir. Et dans pas si longtemps.

– J'aimerais croire que tu as raison.

– Tu sais ce qui s'est passé, à mon avis ? Je crois qu'elle a rencontré son étudiant – Gavin, c'est ça ? – ils se sont retrouvés et rabibochés et elle a passé la nuit chez lui. Elle a seize ans, Frank, et ce n'est probablement pas la première fois, même si tu dois m'en vouloir de te le dire.

Mais Elder secouait la tête.

– Elle est entre ses pattes, Maureen. Adam Keach ; c'est lui qui l'a enlevée, j'en suis sûr.

– Frank, tu perds tout sens logique. Il y a cent explications plus plausibles.

– Vraiment ?

– Tu le sais bien. Et puis, pourquoi est-ce que Keach ferait une chose pareille ? Supposons un instant que l'idée lui ait traversé l'esprit, et que d'une façon ou d'une autre il se soit suffisamment rapproché pour en avoir l'opportunité, pourquoi prendre un tel risque ?

– Pourquoi enlever Emma Harrison en plein jour ? Transporter son corps en rase campagne ? Pourquoi envoyer une carte postale claironnant son exploit ? Pour impressionner McKeirnan, voilà pourquoi. Et quel meilleur moyen de l'impressionner que d'enlever la fille du type qui l'a envoyé en taule ?

Maureen regardait, droit devant elle, l'aube de plus en plus claire ; derrière quelques volets, quelques rideaux, on voyait filtrer à présent une pâle lueur électrique ; un chien aboya au loin, un autre lui répondit. Ce que disait Elder était pure conjecture, mais la conjecture, c'était pratiquement tout ce qu'ils avaient, pour le moment. La conjecture, et puis cet instinct, chez Elder, un instinct auquel par le passé Maureen avait appris à se fier.

Se levant, elle se posta près de lui.

— Tous les moyens sont mobilisés pour retrouver Adam Keach. Et les recherches vont s'intensifier dès maintenant, je te le promets. S'il se déplace, il ne peut pas rester caché longtemps. En attendant, laissons Colin Sherbourne faire son boulot. Je vais demander à être tenue au courant, en permanence, des progrès des deux enquêtes. Colin n'y verra pas d'inconvénient, il s'y attend.

— Et moi, je reste là à me ronger les sangs ? Et à me tourner les pouces ?

— Repose-toi, Frank. C'est la meilleure chose que tu puisses faire.

— Tu plaisantes, j'espère.

— Reste ici, à la maison, Frank. Ils doivent avoir un lit pour toi, avec toutes ces chambres. Joanne aura besoin de toi quand elle se réveillera.

— Et toi, qu'est-ce que tu vas faire ?

— Moi ? Dormir un peu. Je te téléphone vers sept heures trente, si tu ne m'as pas appelée avant.

## 47

Katherine Elder ne rentra pas chez elle à pied, ni l'air penaud ni autrement.

Les recherches entre le stade et l'arrêt du bus ne donnèrent rien : pas de vêtement abandonné, pas de bouton arraché ni de signes de lutte. Tout cela allait être revérifié, centimètre carré par centimètre carré.

Avant deux heures de l'après-midi, les enquêteurs avaient déjà retrouvé tous les athlètes participant à l'entraînement de la veille au soir et pris leurs dépositions. Tout confirmait la première version qu'ils avaient recueillie : la séance terminée, Katherine, son sac de sport à l'épaule, était partie seule. Ceux qui s'étaient posé la question avaient supposé qu'elle allait prendre le bus pour rentrer chez elle. Bien sûr, il était possible qu'elle ait prévu de retrouver quelqu'un, mais elle n'avait rien de dit de tel à qui que ce soit, et personne ne se rappelait avoir vu près du stade une voiture inconnue.

– Ce jeune, Stuart Reece..., avait dit un peu plus tôt Elder à Colin Sherbourne. Quand vous l'interrogerez, j'aimerais vous accompagner.

– Je ne sais pas, Frank...

– Je l'ai rencontré, je lui ai parlé.

– Malgré tout...

Elder avait posé la main, en douceur, sur l'avant-bras de l'inspecteur principal.

– Je n'interviendrai pas. Je ne ferai rien qui puisse vous gêner. Je ne perdrai pas mon calme. Je vous le promets.

À contrecœur, Sherbourne accepta.

Manifestement, Stuart Reece était consterné d'apprendre la disparition de Katherine, et désireux d'apporter son aide. Il avait passé deux bonnes heures au stade, ce soir-là, à travailler ses sauts et sa pointe de vitesse, et à faire de la musculation. Oui, il avait bavardé avec Katherine, la dernière fois juste avant qu'elle ne parte prendre sa douche et se changer.

– Quelle impression vous a-t-elle donnée? demanda Sherbourne.

– Elle était normale. Comme d'habitude.

– Elle n'était pas inquiète?

– Non.

– Préoccupée?

– Non.

– Et vous a-t-elle dit ce qu'elle allait faire plus tard dans la soirée?

Reece eut un vague haussement d'épaules.

– Elle ne m'a rien dit.

– Vous en êtes sûr?

– Oui.

– Vous avez une voiture, n'est-ce pas?

– Oui, une vieille 2 CV. Pourquoi?

– L'avez-vous utilisée hier soir?

– Oui, je m'en sers presque tout le temps. Sans voiture, depuis l'endroit où j'habite, il faut une éternité pour venir au stade, en prenant un bus qui va au centre-ville puis un autre qui en repart, et encore le même cirque pour le retour.

– Vous avez proposé à Katherine de la raccompagner?

Avant de répondre, Reece jeta un regard vers Elder qui se tenait debout à quelques pas derrière l'épaule de Colin Sherbourne.

– Oui. Oui, je l'ai fait. Je lui ai dit : « Veux-tu que je te ramène chez toi ? », et elle a répondu : « Non, merci ». (Reece haussa les épaules.) Et puis c'est tout.

– Est-ce que cela vous a surpris ? demanda Sherbourne. Qu'elle refuse ?

Reece leva la main pour écarter de ses yeux une mèche de cheveux.

– Pas vraiment, non. Je veux dire, il n'y avait aucune sorte d'arrangement entre nous à ce sujet, vous savez. Parfois, elle venait avec moi, et parfois non.

– Et vous ne savez pas pourquoi, en cette occasion précise, elle a décliné votre offre ?

Reece secoua la tête.

– Non.

Elder avança d'un pas.

– Stuart, vous aimez bien Katherine, n'est-ce pas ? dit-il.

– Oui, bien sûr. Elle est géniale, on s'amuse toujours avec elle. Tout le monde...

– Non, je veux dire, vous avez de l'affection pour elle. Vraiment.

Les pieds de Reece exécutèrent une petite danse bizarre.

– Eh bien, oui, vous savez, comme je le disais, elle est... Oui, oui, c'est vrai.

– La première fois que je vous ai vus, tous les deux ensemble, vous l'embrassiez.

Reece rougit.

– Ça ne voulait rien dire, c'était seulement...

– Histoire de s'amuser un peu ? (Sur les joues et le cou de Reece, la rougeur s'accentua et s'étendit.) Parce que, à mes yeux, c'était plus sérieux que ça.

(Reece fit un effort de volonté pour calmer les mouvements de son corps dégingandé.) Vous savez, Stuart, ce que Katherine m'a dit ? Ce qu'elle m'a laissé entendre ? Après votre départ. Que vous souhaitiez que cela devienne du sérieux, les relations entre vous deux. C'est vrai ?

Reece contemplait le plancher.

– Oui, je crois.

– Et ma fille, qu'en pensait-elle ?

– Elle ne voulait pas en entendre parler.

– Pardon ? Je ne vous entends pas.

– Elle ne voulait pas en entendre parler, hurla presque Stuart Reece.

– Et comment avez-vous pris ça ?

– À votre avis ?

– Très mal. Comme si vous étiez indigne d'elle. Nul. Proscrit.

Reece secoua la tête de droite à gauche et aspira une longue goulée d'air, la bouche grande ouverte.

– Je ne suis pas idiot. Je vois très bien ce que vous essayez d'insinuer : que j'ai pété les plombs parce que Katherine m'a repoussé, parce que je ne lui plaisais pas, qu'elle ne s'intéressait pas à moi. Que j'ai pris ça tellement mal que je... je ne sais pas, que j'ai fait quelque chose, j'ai perdu mon calme, que je lui ai fait du mal. (Il se tut et s'immobilisa, regardant Elder en face.) Écoutez, j'ai beaucoup d'affection pour elle, vous avez raison. Plus qu'elle n'en a pour moi. Mais ce genre de chose arrive sans arrêt. Des filles, il y en a plein. Au lycée, au club d'athlétisme, partout. Et quand j'entrerai en fac, il y en aura d'autres. J'aurais voulu vivre une belle histoire avec votre fille, je le souhaite toujours. Mais le fait que ce ne soit pas arrivé ne veut pas dire que j'ai perdu la tête. Ce que je vous ai dit sur la soirée d'hier, c'est la vérité. Je suis rentré seul en voiture, et j'étais chez moi vers neuf heures ou neuf heures

416

et quart. Et si vous interrogez mes parents, ils vous le confirmeront. D'accord ?

Elder soutint le regard du jeune homme pendant quelques instants, puis hocha la tête.

– Merci d'avoir répondu à nos questions, dit Colin Sherbourne. Nous parlerons à vos parents en temps utile. D'accord, Frank ?

Elder hocha de nouveau la tête.

– Katherine, monsieur Elder, dit Stuart Reece, j'espère que vous la retrouverez. J'espère qu'elle va bien.

Retrouver la trace de Gavin Salter se révéla beaucoup moins simple. L'université confirma qu'il était étudiant en seconde année de droit et fournit deux adresses : la sienne, valable pour l'année universitaire, et celle de ses parents.

La maison qu'il partageait à Lenton avec six autres étudiants se trouvait à deux pas de la rue principale. C'était un bâtiment de trois étages, dont la peinture s'écaillait autour des fenêtres, avec, devant la porte, des poubelles qui débordaient. Quatre des étudiants étaient encore là, mais pas Salter.

Un peu plus tard, au cours de la même matinée, deux inspecteurs de la police du Hampshire se garèrent devant le domicile des parents de Salter à Stockbridge. Sa mère revenait tout juste de l'église et les accueillit dans l'allée menant à la porte d'entrée. Le jeune frère de Gavin lavait la Land Rover au jet ; quant à Gavin lui-même, il était encore au lit.

– Excusez-moi..., dit-il, la langue pâteuse, en serrant la ceinture de sa robe de chambre. La soirée a été un peu agitée, hier, je le crains.

Ils prirent place autour d'une table ronde dans le salon. Ayant poliment refusé une tasse de café, les

417

deux policiers regardèrent Salter dissoudre deux Alka-Seltzer dans un verre d'eau et les avaler.

– Katherine Elder, commença le plus âgé des deux hommes. Quand l'avez-vous vue pour la dernière fois ?

Dans ses réponses, Salter se révéla prudent, circonspect, sa formation de juriste, sans doute, prenant le dessus. Katherine et lui s'étaient disputés au début du mois de juin, avant la fin du trimestre. Il voulait qu'elle vienne en France avec lui – ils auraient pris l'Eurostar, puis le TGV pour Avignon, ou une autre destination de ce genre. Tout d'abord, Katherine avait déclaré que sa mère ne la laisserait jamais partir, puis elle avait avoué qu'elle n'avait pas vraiment envie de le suivre, de toute façon. Salter admit qu'il avait eu pour Katherine des mots assez déplaisants, l'accusant d'être une petite lycéenne idiote sans aucune personnalité, et la discussion avait pris un tour plutôt véhément, voire violent.

– Violent jusqu'à quel point ?

– Eh bien, ma foi, jusqu'au recours aux hurlements et aux insultes.

– Vous l'avez frappée ?

– Grand Dieu, non !

– Même pas dans le feu de l'action ? Vous en êtes sûr ?

– Écoutez, ce n'est pas de cette façon que j'ai été élevé. Je ne frappe pas les femmes.

– Alors, comment vous êtes-vous réconciliés ? Après cette querelle ?

– Nous ne nous sommes jamais réconciliés. Kate est partie comme une furie, en claquant les portes – c'était dans la maison de Lenton. Et nous en sommes restés là, pratiquement.

– Elle était en colère, contrariée ?

– Je suppose que oui.

– Et vous ?

– Je crois que je m'en voulais surtout d'avoir perdu mon calme. Je veux dire, Katherine et moi, on avait passé de bons moments ensemble, l'espace de deux trimestres, et ce voyage en France aurait été sympa, mais, vous voyez, notre relation arrivait plus ou moins à son terme. Alors, d'une certaine façon, c'était mieux comme ça.

– Et vous l'avez revue, après cela ?

– Pas réellement. En deux ou trois occasions, peut-être, en passant. Nottingham n'est pas une si grande ville, après tout.

– C'était quand ? Ces deux ou trois occasions ?

– Ce devait être le même mois, en juin. Je suis revenu ici à la fin du trimestre.

– Et quels contacts avez-vous eus avec Katherine depuis que vous êtes ici ?

– Aucun. Absolument aucun.

– Pas d'appels téléphoniques ? De lettres ? De textos ? D'e-mails ?

– Je vous le répète, absolument rien.

Quelques minutes plus tard, les deux inspecteurs étaient dans leur voiture, en route pour Winchester.

– Qu'est-ce que tu en penses ? demanda le premier.

– De lui ? C'est un petit con arrogant qui sera avocat avant que toi et moi passions inspecteurs principaux. Et il gagnera plus en un mois que ce qu'on ramassera en un an impôts déduits. Mais je le crois, si c'est ce que tu veux dire. Je crois qu'il n'est absolument pour rien dans cette affaire.

– Dommage.

– Ouais.

Une heure, plus ou moins, après que la police du Hampshire eut transmis son rapport sur l'interrogatoire de Gavin Salter, Elder reçut deux appels

sur son portable. Le premier était d'Helen Blacklock, qui avait déjà essayé de le joindre à plusieurs
reprises, et qui lui demandait d'une voix inquiète s'il
avait des nouvelles, et comment il tenait le coup; le
second, de Maureen Prior : un témoignage apparemment digne de foi signalait la présence d'Adam
Keach à Cleethorpes, sur la côte, à une trentaine de
kilomètres de l'endroit où le corps d'Emma Harrison avait été découvert.

Le sang d'Elder sembla se figer dans ses veines; il
dut masser énergiquement sa cuisse gauche soudain
ankylosée pour relancer la circulation. Si Keach
avait enlevé Katherine dans l'heure qui avait suivi la
fin de son entraînement, il aurait pu sans mal
atteindre la côte dans la nuit.

Colin Sherbourne envoya des enquêteurs au siège
de la compagnie de transport, pour noter les heures
auxquelles les bus avaient emprunté cet itinéraire,
parler aux chauffeurs, leur montrer des photos :
vous rappelez-vous avoir vu cette jeune fille ?

Que faire d'autre ? Et lui-même, que pouvait-il
faire ?

En se garant devant la maison, Elder regarda sa
montre. Même si la journée semblait traîner en longueur, interminablement, le temps s'écoulait à toute
vitesse. Alertée par le bruit de la voiture, Joanne
l'attendait, angoissée, sur le pas de la porte;
l'expression d'Elder lui apprit qu'il n'apportait ni
bonnes ni mauvaises nouvelles.

Elle le serra brièvement contre elle puis se détacha de lui.

– Martyn est là. Il est rentré il y a vingt minutes.

Martyn Miles se trouvait dans le patio, une
vodka-tonic à la main. Il portait une chemise bleu
lavande pâle, un pantalon de moleskine vert olive,
et il ôta ses lunettes de soleil lorsque Joanne fit
entrer Elder dans le salon et s'avança vers lui.

– Frank, je suis navré, dit-il. Vous devez être mort d'inquiétude. Il y a du nouveau ?

– Non, pas vraiment.

– Katherine n'est pas idiote, elle ne serait pas partie comme ça sans avertir quelqu'un.

– Non.

– Elle avait son portable, elle aurait appelé.

– Son téléphone est éteint, dit Joanne. Il l'est depuis la première fois où j'ai essayé de la joindre hier soir.

– Vous n'avez aucun moyen de localiser quand même l'appareil ? demanda Martyn.

– Non, pas sans signal.

– Il y a sûrement quelque chose à faire.

– La police effectue des vérifications auprès de tous les amis de Katherine, de toute personne qui aurait pu la voir ou lui parler au cours des derniers jours, de tous les gens qui la connaissaient bien.

– Cet étudiant qu'elle voyait..., commença Martyn.

– Gavin Salter. Il est dans le Hampshire, chez ses parents. Hier soir, il prenait une cuite chez un copain qui fêtait ses vingt et un ans, devant une flopée de témoins.

– Et les recherches, elles ont donné quoi ?

– La zone autour du stade a été examinée à la première heure ; des recherches plus fouillées se déroulent en ce moment même, pour voir s'il y a des indices nous permettant de reconstituer ce qui a pu se passer. Avant la fin de la journée, il y aura des affiches collées dans toute la ville, à la gare, partout. Des bulletins aux informations régionales, à la radio et à la télé.

– Et c'est tout ? On reste ici et on attend ?

– Tant qu'on n'apprend rien de nouveau, il est difficile de savoir ce qu'on pourrait faire de plus.

– Il y a forcément quelque chose !

Balayant l'espace d'un grand geste, Martyn heurta le bras de Joanne et son verre s'envola, lui glissant entre les doigts.

– Merde !

– Tu as mal ? demanda Elder à Joanne.

– Non, ça va. Mais tu pourrais demander à Martyn à quoi rime ce cinéma qu'il nous fait tout à coup.

S'accroupissant pour ramasser les débris de verre, Martyn leva les yeux vers elle.

– Qu'est-ce que tu veux dire par là, au juste ?

– Je veux dire que la première chose que tu as faite, quand tu es rentré et que j'ai commencé à te dire que Katherine avait disparu, ça a été de me demander de me calmer et de te préparer un verre.

– C'était ce dont j'avais besoin. Et tu étais dans un tel état d'agitation que tu en devenais incohérente.

– Et maintenant que Frank est ici, tu essaies de nous faire croire que tu es réellement inquiet. Comme si ça ne t'était pas complètement égal.

– Bien sûr que non, ça ne m'est pas complètement égal !

– Tu en es sûr ?

Il se releva brusquement, le visage tout près du sien.

– Je t'emmerde, Joanne.

– C'est charmant, Martyn, fit-elle avant de se détourner.

Martyn laissa retomber sur le tapis les morceaux de verre qu'il venait de ramasser.

– Où étiez-vous hier soir, Martyn ? demanda Elder.

– Qu'est-ce que ça peut bien vous foutre ?

– Je demande, c'est tout.

– Je fais partie des suspects, c'est ça ?

– Tous les gens de l'entourage de Katherine vont devoir répondre à la même question.

– Mais ce n'est pas vous qui me la poserez.

– Martyn était à Londres, pour affaires. N'est-ce pas, Martyn ? Il est descendu au Waldorf. Sauf que tu n'y étais pas, parce que, quand j'ai téléphoné là-bas après minuit, Kate n'étant toujours pas rentrée, on m'a dit que tu ne figurais pas sur leurs registres.

– Le portier de nuit a dû se tromper.

– Ils avaient reçu une réservation, mais elle avait été annulée.

– D'accord, ma chérie, dit Martyn. J'étais avec une femme, dans son appartement de Notting Hill, et on a à peine fermé l'œil, parce qu'on a baisé comme des bêtes presque toute la nuit. Voilà ! Tu es satisfaite ?

C'est d'une voix forte, triomphante, qu'il avait jeté ces mots au visage de Joanne.

Elle voulut le gifler, mais Martyn lui attrapa le poignet.

– Lâchez-la, dit Elder.

Martyn desserra les doigts et se dirigea vers la porte.

– Regardez-vous un peu, fit-il avec un sourire méprisant. Aussi minables l'un que l'autre. Vous vous méritez bien.

Le poing serré, Elder s'avança vers Martyn, mais Joanne se mit en travers de sa route.

– Pas ça, Frank.

Martyn s'esclaffa et prit tout son temps pour traverser le salon d'un pas nonchalant.

– Il y a combien de temps qu'il est comme ça ? demanda Elder.

Joanne le regarda.

– Pendant combien de temps a-t-il été autrement ?

## 48

Elder se réveilla juste avant cinq heures, et ses pieds ne touchaient pas encore le plancher qu'il composait déjà le numéro de Maureen sur son portable. Si Keach séquestrait Katherine et s'il procédait comme la première fois, il devait avoir choisi à l'avance un endroit isolé, à une heure de route tout au plus.

Maureen répondit à la quatrième sonnerie.

– La fille que McKeirnan a relâchée, fit Elder, Michelle Guest. L'endroit où il la retenait, c'était au nord de Retford. Et la voiture utilisée pour enlever Emma Harrison a été volée sur le parking de la gare de Retford.

– Frank, arrête, dit Maureen. On a déjà fait le rapprochement. Il y aura une équipe sur les lieux dès le lever du jour. Un hélicoptère de la police. Des chiens. Tout.

– Et pourquoi tu ne me l'as pas dit, bon sang ?

– Je te le dis maintenant.

Elder retint son souffle.

– Rejoins-moi au commissariat, proposa Maureen. On pourra examiner ça sur la carte. (Il y eut un silence, puis Maureen ajouta :) Frank... ? Tu tiens le coup ?

– On se voit dans une heure, dit Elder avant d'interrompre la communication.

Sur l'écran, la carte de l'institut géographique était claire et précise : elle montrait les fermes, les routes, les lignes électriques, les limites des champs, les cours d'eau, les sentiers publics. Le soleil se levait à cinq heures douze, et sur le terrain, les recherches devaient commencer à six heures trente. L'hélicoptère de la police, équipé d'une caméra thermique, effectuerait son premier passage une vingtaine de minutes plus tard. Elder et Maureen arriveraient sur place peu après sept heures.

– C'est bien ici, dit Maureen, que Michelle Guest a été séquestrée, n'est-ce pas ?

Elle désignait un point de l'ancienne voie romaine qui reliait North Wheatley à Clayworth.

– Oui, fit Elder. McKeirnan avait garé sa caravane à l'endroit où la route rejoint le canal de Chesterfield. Il a retenu Michelle Guest pendant près de deux jours, puis il l'a éjectée de sa voiture ici, juste avant Bole Fields.

Maureen hocha la tête.

– On a choisi North Wheatley comme point de départ des recherches, et on se déploiera en arc de cercle à partir de là.

– Et si on ne trouve rien ?

– À moins qu'on ait un autre élément concret sur lequel s'appuyer, on agrandit la zone de recherche. (Maureen se cala contre le dossier de son siège.) En attendant, Colin Sherbourne passe en revue la liste de tous les véhicules volés dans la région de Retford.

– Et l'apparition de Keach à Cleethorpes ?

– Nous vérifions toujours, bien sûr. Mais plus le temps passe, moins elle paraît probable.

Quand ils sortirent de la ville en direction du nord-est, ils trouvèrent des routes pratiquement dégagées. Le chauffeur d'Elder lui exprima à voix basse toute sa sympathie dans l'épreuve qu'il traversait, après quoi le voyage se déroula en silence. Les recherches étaient bien entamées lorsque Elder arriva. Il attendit, assista aux opérations, et arpenta le périmètre des champs, tout en s'efforçant de chasser certaines images de son esprit. Il y parvint presque.

Au début de l'après-midi, déprimé et mort de fatigue, Elder fit signe qu'il en avait assez vu et qu'il voulait repartir. Ils allaient atteindre le rond-point d'Ollerton quand un appel radio leur fit rebrousser chemin. La caméra thermique de l'hélicoptère venait de repérer quelque chose dans un champ près d'Oswald Beck, à côté des lignes à haute tension. Phares allumés et sirène en marche, ils firent le trajet dans l'autre sens à plus de cent quatre-vingts à l'heure. Elder, à côté du chauffeur, respirait bruyamment, la bouche ouverte, la sueur s'amassant au creux de ses paumes.

Un chemin juste assez large pour laisser passer les engins agricoles partait vers le sud, puis vers l'ouest. Des policiers en bleu de travail convergeaient vers un angle du champ. Le cœur battant, Elder courut entre eux, dérapant sur la terre desséchée. Tout près de la haie, près du châssis brisé d'une remorque agricole abandonnée, étaient empilées plusieurs bâches de plastique noir épais, qui formaient une bosse à la lisière de la haie elle-même. Devant Elder, des mains gantées soulevèrent les bâches, une par une. En dessous, et à demi enfouie dans le sol, gisait une carcasse de mouton en décomposition.

Elder se couvrit le visage de ses mains et pleura.

De retour en ville, Elder rendit visite à Colin Sherbourne. Des quatorze véhicules dont on avait signalé le vol dans la région de Retford, trois seulement n'avaient pas été retrouvés : une Ford Fiesta presque neuve, une Mini Cooper et une camionnette Fiat.

Pour les médias, qui s'en étaient déjà donné à cœur joie avec Shane et Angel, s'était comme si Noël revenait une seconde fois en été. *DISPARITION DE LA FILLE D'UN POLICIER – KATE, FILLE D'UN EX-SUPERFLIC, KIDNAPPÉE – UN TUEUR EN LIBERTÉ REPRODUIT DES CRIMES CÉLÈBRES.* On pilla les archives pour exhumer les affaires les plus sensationnelles autrefois résolues par Elder. Une photo de Katherine franchissant la ligne d'arrivée au stade Harvey Hadden fut vendue et publiée simultanément dans de nombreux journaux. Les reporters assiégèrent la maison de Joanne, la suppliant en vain de leur accorder une interview, volant des clichés au téléobjectif de Joanne et Martyn, dans leur chambre du premier, manifestement en pleine dispute; de Joanne, seule dans le jardin, bouleversée. Quand Martyn Miles sortit de chez lui ce matin-là, il dut passer en force au milieu d'une grappe d'une demi-douzaine de journalistes, et faillit avoir une altercation avec un photographe indépendant, le menaçant de lui prendre son appareil et de le pulvériser sur le bitume. Quand il revint, quarante minutes plus tard, les bras encombrés par trois gros bouquets de fleurs, il fut filmé en vidéo, articulant « Allez tous vous faire foutre » avant de tourner la clé dans la serrure.

Journalistes ou pas, Elder avait besoin de parler à Joanne.

Il fonça tête baissée à travers la petite meute de cameramen.

Joanne était assise dans la salle à manger à une table en bois cérusé, devant des albums ouverts, des photos de Kate étalées sur toute la surface : Katherine, seule, sur la plage de St Ives, plissant les yeux face au soleil pour regarder l'objectif ; Katherine, écarlate, âgée de trois jours, calée contre le bras de son père ; une photo d'eux trois prise au retardateur, le père, la mère et la fille assis sur un banc dans un parc de l'ouest de Londres.

– Tu es sûre que c'est la meilleure chose à faire ? demanda Elder.

– Regarde-la sur celle-ci, dit Joanne qui semblait ne pas l'avoir entendue. Ce vélo... C'était pour son quatrième anniversaire, non ?

Il se souvenait de tout et il ne se souvenait de rien, comme si Katherine lui échappait déjà.

– Je m'excuse, Frank, dit Martyn en entrant, l'air penaud, dans la pièce. Hier, je me suis comporté comme un imbécile.

– Qu'est-ce qui a changé ? demanda Joanne sans se retourner.

Martyn repartit, les laissant seuls.

Presque translucide, la peau de Joanne avait perdu toute coloration, et ses yeux semblaient anormalement immenses. Ses doigts bougeaient sans cesse. Tout en sachant que c'était une erreur, Elder s'assit près d'elle pour regarder les photos. Quand sa tête s'affaissa vers l'avant et que Joanne comprit qu'il s'était assoupi, elle le poussa du coude pour le réveiller, le conduisit à la chambre d'amis du premier étage, lui ôta ses chaussures et ferma les stores. Il sombra dans le sommeil avant même qu'elle eût quitté la chambre et dormit six heures d'affilée.

Lorsque Joanne le réveilla en le secouant doucement, elle avait son portable dans l'autre main.

– Tu l'avais laissé dans ta veste, en bas. Il y a un appel. Une certaine Helen ?

Joanne se retira pour le laisser téléphoner, et Elder eut avec Helen Blacklock, pendant quelques minutes, une conversation hésitante, malaisée, chacun ayant conscience de s'aventurer dans un champ de mines.

Quand elle jugea qu'elle pouvait décemment revenir, Joanne lui apporta de la soupe et du pain grillé.

– Je ne suis pas invalide, tu sais.

– Ça m'occupe.

Il la remercia et elle s'assit avec lui, parlant de façon sporadique, pendant qu'il mangeait.

– Tu ne penses pas qu'il puisse y avoir du nouveau ?

Elder secoua la tête.

– Maureen aurait appelé.

Un peu plus tard, Elder se surprit lui-même en se rendormant, pour finalement émerger peu après trois heures du matin. Il descendit pieds nus au rez-de-chaussée. La maison était silencieuse, exception faite de ces petits bruits d'origine indéterminée que font toutes les maisons, même les plus récentes, dans le silence de la nuit. Il fit du thé dans la cuisine et se mit à feuilleter les vieux magazines de Joanne, *Vogue* et *Vanity Fair*. Trouvant un livre de poche que Joanne avait commencé à lire, un roman d'Anita Shreve, il l'emporta dans le salon. Il en lut plusieurs chapitres avant de l'abandonner, puis il se leva de son siège, éteignit la lumière, et vint se poster tout contre la paroi vitrée, le regard braqué vers le jardin. Il était toujours à la même place quand Joanne descendit l'escalier en spirale, dans sa longue robe de chambre rose qui froufroutait en balayant le sol.

Quand elle se plaça près de lui, Elder sentit contre lui la chaleur de son bras.

– Helen, dit Joanne au bout d'un moment, qui est-ce ?

– Une amie.

– Et rien de plus ?

Comme Elder ne répondait pas, elle glissa ses doigts entre les siens.

Dans la pièce vide, leur respiration semblait bruyante.

Il embrassa Joanne, elle lui rendit son baiser, et il crut d'abord que tout irait pour le mieux, mais lorsque après quelques instants, ils se séparèrent, Joanne dit qu'elle avait l'impression d'embrasser un fantôme. Et Elder pensa que ce genre de phrase semblait sortir tout droit du livre qu'il venait de lire, et il s'écarta d'elle. Il posa un baiser dans ses cheveux avant de remonter dans la chambre pour y chercher ses chaussures. Sur le pas de la porte, au moment de partir, il lui tint la main en essayant de ne pas la regarder dans les yeux.

À sept heures ce même matin, quand le courrier arriva à la prison de Gartree, le gardien de service, alerté par la police, intercepta la carte postale adressée à McKeirnan. La vue du port de Whitby était orientée au nord-ouest, montrant l'arche en mâchoire de baleine, la statue du capitaine Cook près du bord de la falaise, et les sables qui serpentent le long du rivage de l'Upgang.

## 49

Un motard de la police apporta de toute urgence la carte postale depuis Gartree jusqu'au bureau de Bernard Young à la Division des crimes majeurs, à Nottingham. L'écriture était reconnaissable : c'était la même que la première fois. *Alan – Viens te baigner. L'eau est bonne!* Protégée par son enveloppe en plastique, la carte passa de main en main : de Young à Gerry Clarke à Maureen Prior à Colin Sherbourne à Elder lui-même, pour être rendue au commissaire principal.

– Je suis désolé, Frank, dit Young. (Elder le regarda sans répondre.) J'ai contacté la police du Yorkshire, ils vont coopérer sans restriction. Dès cet après-midi, il y a aura une cinquantaine d'agents sur le terrain, et deux fois plus de volontaires. Il y a des chiens, dressés pour effectuer des recherches, un canot de sauvetage et son équipage, et une équipe de plongeurs prêts à intervenir.

– Des plongeurs ? s'étonna Clarke.

– *L'eau est bonne*, cita Young en guise de réponse.

– Vous pensez qu'il faut prendre ce qu'il écrit au pied de la lettre, alors ?

– Je crois que c'est une hypothèse qu'il ne faut pas négliger.

Ce fut Maureen qui dit tout haut ce qu'ils pensaient tous.

– Pour autant que nous le sachions, quand il a envoyé la carte de Mablethorpe, Emma Harrison était déjà morte.

Elle prit bien soin de ne pas croiser le regard d'Elder.

– Rien ne prouve qu'il en soit de même cette fois-ci, déclara Young. Nous devons supposer qu'il procède différemment. Et Dieu fasse que nous ayons raison.

Le commissaire principal avait prononcé ces paroles, Elder le comprit, autant par égard pour lui que parce qu'il voulait y croire. Comme les autres, il savait que Katherine pouvait être déjà morte. C'était d'ailleurs probable. Malgré tout, il se força à continuer d'écouter. Sa fille se trouvait entre les mains d'un meurtrier, et eux cinq étaient toujours assis autour de cette table, à plus de cent cinquante kilomètres de distance. Le soleil du matin était déjà assez haut dans le ciel pour que dans ses rayons obliques les particules de poussière brillent avec éclat.

– Frank, finit par dire Bernard Young, qu'est-ce que tu en penses ?

Elder se pencha en avant.

– McKeirnan et Donald ont toujours nié être impliqués dans la disparition de Susan Blacklock. Keach a pu choisir Whitby parce qu'il veut démontrer qu'il est plus fort qu'eux. Donc, c'est vers l'endroit où Susan Blacklock a été vue pour la dernière fois – près de Saltwick Nab – qu'à mon avis nous devrions concentrer nos recherches.

Le commissaire principal hocha la tête. Clarke et Sherbourne s'étaient déjà levés.

– Nous la trouverons, Frank, dit Young.

Il allait ajouter : « Ne t'inquiète pas », mais il se retint à temps.

Elder avait traversé la moitié du parking quand son portable sonna. Appréhension, impatience, il tremblait tant qu'il faillit le laisser glisser entre ses doigts.

– Allô ?

La voix, lointaine, étouffée, était celle d'une jeune fille.

– Allô ? Qui est-ce ? Kate ? Kate, c'est toi ?

– C'est Angel.

– Qui ?

– Angel.

Tout le long du dos de ses bras, la peau d'Elder était glacée, tendue.

– Oui, bien sûr.

– L'endroit du rendez-vous, avec Shane...

– Oui ?

– C'est la M5. La première station-service au sud de Birmingham. On sera à la cafétéria.

– À quelle heure ?

– Six heures et demie, sept heures. Ce soir.

Elder ne dit rien, secoua la tête. Tout autour de lui, des portières de voiture s'ouvraient, se refermaient, des moteurs démarraient.

– Ça sera possible ? demanda Angel d'une voix hésitante, anxieuse.

– Six heures trente ce soir. Oui, c'est parfait.

– Vous y serez ?

– Oui.

La communication fut coupée. Maureen attendait, debout près d'une berline bleu noir. Pour Elder, il n'était pas question, à présent, de gérer cette histoire-là tout seul, ni en totalité, ni même en partie.

– Maureen, dit-il en s'approchant d'elle, pour Shane Donald : je sais où on peut le trouver.

– Bien, fit-elle. On va régler ça en route.

On avait établi une base opérationnelle dans l'une des écoles secondaires de Whitby, sous la direction de Rob Loake. Dès qu'Elder arriva, il fonça sur lui, lui saisit le bras, et il exprima de façon brusque mais sincère à la fois sa colère et son inquiétude. Profitant d'une réunion improvisée sur-le-champ, il présenta Elder et Maureen Prior à l'équipe locale, et on se mit d'accord sur les priorités. La plupart des autres officiers de police étaient perturbés par la présence d'Elder ; après quelques mots pour l'assurer de leur sympathie, ils évitèrent le plus possible de lui parler.

Depuis l'hélicoptère de la police, Elder examinait les dalles et les pitons de roche noire qui s'enfonçaient dans la mer autour de Saltwick Bay ; et au deuxième passage, il découvrit sous l'appareil la progression laborieuse des rangées de silhouettes qui ratissaient les champs autour du parc de loisirs, exactement comme elles l'avaient fait quatorze ans plus tôt.

Quand vint le crépuscule, chaque caravane avait été fouillée, les bâtiments agricoles entre la côte et la route inspectés sur une superficie de 500 hectares.

Sans résultat.

– Demain, Frank, dit Maureen. On la trouvera demain.

Elder hocha la tête et se détourna, et sa peine se reflétait dans les yeux de la jeune femme.

Pendant ce temps, dans l'Ouest du pays, la police des West Midlands s'employait à exécuter l'ordre qu'elle avait reçu : appréhender Shane Donald. Deux équipes de quatre hommes furent envoyées sur les lieux, après que les signalements de Donald et d'Angel Ryan eurent été transmis par Internet.

Le plan était simple : Matt Jolley et Andy Firebrace devaient approcher le couple dans la caffétéria, Rose Pearson restant près de l'entrée et Malcolm Meade au pied de l'escalier. La seconde équipe, celle des renforts, attendrait dehors dans son véhicule.

Shane et Angel étaient assis au fond de la salle réservée aux fumeurs, près de la baie vitrée donnant sur l'autoroute. Angel actionnait son briquet jetable pour allumer une cigarette roulée ; Shane, lui tournant le dos à demi, braquait dans le vide un regard chargé de colère.

Andy Firebrace parvint à moins de vingt mètres de lui avant de se faire repérer.

Soudain, Shane posa les yeux, droit devant lui, directement sur le policier – et Firebrace, au lieu de continuer d'avancer, s'arrêta et leva une main, les doigts en éventail.

Repoussant sa chaise en arrière, Shane vit Matt Jolley à la droite de Firebrace.

– Salope ! hurla-t-il à Angel. Espèce de salope !

– Non, Shane !

Dans un fracas de vaisselle cassée, Shane renversa la table et partit en courant, feintant dans une direction puis une autre. Firebrace, tentant de changer de trajectoire, se trouva coincé par une femme portant un jeune enfant. Jolley percuta une table et perdit l'équilibre.

Blême, Angel resta debout le bras tendu, comme pour attraper Shane et le faire revenir.

Rose Pearson bondit pour l'intercepter, et Shane lui lança un violent coup de pied sous le genou, la frappant d'un coup de coude en haut de la joue.

– Police ! Dégagez ! Police !

La voix d'Andy Firebrace poursuivit Shane jusqu'au bas de l'escalier, où Malcolm Meade l'avait déjà perdu au milieu d'un troupeau de touristes du troisième âge à peine débarqués de leur car et qui avaient grand besoin de trouver des toilettes et une tasse de thé convenable.

Deux doubles portes en verre donnaient sur le parking. Quand Firebrace les eut franchies, il y avait peut-être deux douzaines de personnes en vue, mais aucune n'était Shane Donald.

– Mais où sont les renforts, nom de Dieu ! s'écriat-il sans s'adresser à qui que ce soit en particulier.

Rose Pearson était à la hauteur de son épaule, à présent. Elle se tenait la joue et parlait dans son téléphone portable.

Matt Jolley partit en courant entre les rangées de voitures garées, et, oui, Shane Donald était là, trente ou quarante mètres devant lui, presque au niveau des pompes à essence.

Firebrace se lança aussi à sa poursuite, hurlant le nom de Shane de toutes ses forces.

La voiture de police banalisée arrivait pleins gaz, maintenant, mais trop tard. Elle freina brutalement pour ne pas percuter le flanc d'une Ford Mondeo et s'arrêta en dérapage, les policiers bondissant du véhicule.

Shane, qui courait le long du périmètre, fit un écart et sprinta dans l'autre sens. Matt Jolley ralentit alors que Firebrace criait le nom de Shane, et celui-ci, en réaction, sauta la barrière à la deuxième tentative pour retomber sur la bande d'arrêt d'urgence.

Le chauffeur d'un semi-remorque transportant des pièces de fonderie vers Bristol aperçut Shane du coin de l'œil et, devinant son intention, força le passage pour changer de file.

Le plaquage de Firebrace faucha Shane sous la ceinture et l'envoya bouler, sans conséquence fâcheuse, sur le bitume de l'autoroute. Avant qu'il ne puisse se débattre ou lancer des coups de pied, Firebrace lui bloqua les bras derrière le dos, relevés vers les épaules, et il allait prendre ses menottes quand Matt Jolley saisit Shane par les cheveux et lui tira sèchement la tête en arrière.

– T'as du bol, tu sais, espèce de petit salaud ! Moi, je t'aurais laissé risquer ta peau au milieu des bagnoles.

Firebrace mit les menottes en place et les verrouilla, bien serrées.


À peu près à l'heure où Shane Donald était appréhendé, Don Guiseley retrouva Elder devant le quartier général installé dans l'école.

– Frank, je ne saurais pas te dire à quel point je suis désolé pour toi. (Il prit la main d'Elder dans les siennes.) Esme t'envoie ses amitiés. Elle pense à toi, et à ta fille aussi. Elle m'a dit qu'elle priait pour vous.

Ils longèrent le port et traversèrent le pont pour se rendre au Board Inn, où Guiseley commanda deux pintes. Ils s'installèrent à la même table que la première fois.

– C'est une vraie vacherie, Frank.

– Oui.

– Ce Keach, qu'est-ce que tu sais sur son compte ?

– Pas grand-chose. Oh, ses origines familiales, ses antécédents. Rien que d'assez banal. Une enfance de merde et le reste.

– Un peu comme l'autre type, alors. Donald.

– Keach est d'une nature plus violente. Il a failli tuer quelqu'un, en prison, simplement pour une réflexion qui ne lui a pas plu. Il est plus intelligent, aussi. Il a un Q.I. élevé. Il a suivi des cours pendant son incarcération, il a passé des diplômes de fin d'études secondaires et autres. Mais, sinon, l'un et l'autre sont des solitaires, à tous points de vue.

– Et, l'un comme l'autre, ils sont à genoux devant McKeirnan.

– Oui.

Elder but une gorgée de bière.

– Une clique de bureaucrates bourrés de bonnes intentions, dit Guiseley, a décidé qu'il n'y avait pas de risque à le laisser sortir.

– On ne peut les laisser en taule éternellement, Don. Pas tous.

– Non ? (Guiseley bourra de tabac le fourneau de sa pipe.) Keach et les types dans son genre, à la façon dont je vois les choses, au moindre doute, on devrait faire une exception.

Ils restèrent assis encore un moment, à faire durer leur bière, mais en dépit des efforts de Guiseley, la conversation resta plus que décousue. Quand il repartit, une heure plus tard, Elder fit le tour du port, puis, tournant le dos à la mer, se rendit chez Helen. Une lumière brillait encore à travers les rideaux. Helen faisait du repassage, en écoutant la radio. Elder lui avait téléphoné dans la journée, pour la prévenir qu'il viendrait la voir si cela lui était possible, en fonction des circonstances, et elle lui avait dit qu'elle comprenait.

Et quand Helen le serra contre elle, et pour la seconde fois seulement depuis la disparition de Katherine, Elder pleura, et elle pleura avec lui. Ils restèrent ainsi, debout, dans les bras l'un de l'autre, à ravaler leurs larmes.

– Oh, Frank...

– Je sais.

Ils savaient tous les deux trop de choses ; les mots leur manquaient.

Au bout d'un moment, Helen proposa un verre à Elder, qui secoua la tête.

– Tu vas rester ?

– Il vaudrait mieux pas. Ce ne serait pas un cadeau pour toi, dans l'état où je suis. J'ai une chambre en ville.

– Si tu changes d'avis...

– Oui. Merci.

438

Quand il longea de nouveau le port sur le chemin du retour, les mains dans les poches, il sentit dans le fond de l'air une fraîcheur nouvelle, et dans les ciel les étoiles étaient plus nombreuses que d'ordinaire. Katherine, se répétait-il sans cesse, encore et encore. Katherine.

## 50

Elder se réveilla à cinq heures, les cheveux collés par la sueur. Son oreiller était trempé. Les derniers vestiges d'un rêve s'accrochaient encore à sa mémoire, une image rémanente floue, détestable, qui s'effaça seulement quand il plongea la tête dans le lavabo pour s'asperger le visage d'eau froide.

Quand il se rassit sur son lit, il tremblait encore un peu. Ses pieds, ses jambes étaient presque engourdis.

Un peu plus tard, quand il mit le pied dehors, à l'obscurité du petit matin s'ajoutait une brume venue de la mer, qui noyait le décor dans un gris informe. Depuis le bout de la rue dominant la falaise Est, la balise du bout de la jetée était à peine visible, et l'horizon n'existait plus.

Peu avant six heures, dans un endroit suffisamment éloigné de la côte pour que l'air y soit relativement limpide, un joggeur matinal reconnut la camionnette dont le journal télévisé de la veille avait diffusé des photos : une petite Fiat, blanche avec des bandes grises et un rétro extérieur cassé du côté passager. Elle était garée sur le bas-côté d'une large allée forestière qui descendait en serpentant du village d'Aislaby vers l'embranchement de deux routes, dont l'une enjambait la rivière Esk.

L'homme jeta un coup d'œil à travers les fenêtres. Ne voyant rien, il continua de descendre la côte, et appela la police depuis une cabine, une centaine de mètres plus loin au bord de la route principale.

Il n'y avait pas longtemps que l'agent de permanence s'était installé à son bureau, une tasse de thé à portée de la main, quand le téléphone sonna.

Elder était entré quelques instants plus tôt dans la salle des transmissions. Rob Loake et Maureen étaient déjà là, devant la grande carte murale de la région fixée au mur. Loake mâchait un restant de sandwich au bacon.

– Patron, dit l'agent en s'avançant vers eux. Madame... Il semblerait que quelqu'un a découvert la camionnette.

– Où ça ?

L'agent montra l'endroit, à quelques kilomètres de la côte.

– Ici, patron. Juste avant Sleights.

– Qu'est-ce qu'elle fout là, bon sang ?

Ils arrivèrent sur place en quelques minutes, Loake roulant phares allumés, la cigarette aux lèvres, vitre baissée.

La camionnette était garée en biais, tournée vers le haut de la côte. À leur approche, des oiseaux s'envolèrent à grand tapage des hauts arbres, au-dessus d'eux, et leurs silhouettes noires s'élevèrent dans le ciel gris et calme.

Elder, la gorge sèche, s'arrêta avant d'atteindre le véhicule tandis que Loake manipulait entre le pouce et l'index de sa main gantée la poignée de la portière. Elle n'était pas verrouillée. Il ouvrit les portes arrière et se recula, faisant signe à Elder d'approcher. Le sol était humide.

Un vieux matelas étroit, souillé, était posé à même le plancher, replié vers le haut à l'endroit où il s'appuyait contre le dossier des sièges. Le matelas excepté, l'intérieur était vide : pas de vêtements abandonnés, pas d'indices évidents, pas de... (Elder retint son souffle) ... traces de sang visibles.

Elder se tourna vers Maureen et secoua la tête.

Sur la route, en contrebas, on entendait arriver d'autres véhicules. Brièvement, Maureen toucha le bras d'Elder. Loake s'était éloigné de quelques pas et parlait dans son téléphone portable. Bientôt, l'accès à l'allée forestière serait interdit aux deux extrémités, et l'équipe de l'Identité s'attellerait à l'examen de la camionnette. Les occupants de plusieurs vastes demeures, abritées par de hauts murs le long de l'allée, seraient réveillés pour qu'on puisse les interroger, et les recherches se poursuivraient dans cette nouvelle zone. Aux abords immédiats du véhicule, pour commencer, puis le long de la rivière, à l'ouest vers Grosmont et la lande, à l'est jusqu'à l'endroit où l'estuaire s'ouvre dans la mer. *Viens te baigner. L'eau est bonne !*

Elder remonta l'allée sur une courte distance et se retourna pour regarder, au-delà de l'herbe rêche des champs, la rivière Esk qui suivait de nombreuses courbes et méandres, passant entre les prairies, les bois, les landes, parsemés de bâtiments agricoles.

Était-ce donc là que se trouvait Katherine ? Quelque part dans ce paysage ?

Quand il redescendit, des policiers en combinaison isolante s'approchaient de la camionnette.

Au milieu de la matinée, ils n'avaient toujours rien trouvé. L'intérieur du véhicule avait été soigneusement nettoyé. Rien n'y avait été laissé : pas de cheveux, pas de fibres de vêtements, pas d'empreintes. On avait emballé le matelas dans une bâche en plastique pour l'envoyer au laboratoire. Les dépositions des personnes résidant dans les

environs immédiats avaient établi que l'allée forestière était restée déserte jusqu'à une heure trente du
matin. Une vieille dame se rappelait qu'un moteur
de voiture avait interrompu son sommeil peu avant
quatre heures. Deux heures avant que le sportif ne
fasse sa découverte : deux heures qui avaient permis
à Keach d'emmener Katherine ailleurs. À quelle
distance de là ? Et de quelle façon ? Avait-il pu
encore la contraindre à marcher, ou bien avait-il dû
la porter ? La traîner ?

Le terrain était difficile par endroits, accidenté,
envahi par la végétation, des bois touffus. Vers l'est,
le long de la rivière en direction de l'estuaire, de
soudaines nappes de brouillard limitaient encore la
visibilité.

Abattu, Elder retourna en ville à pied, suivant à la
fois la rivière et la ligne de chemin de fer jusqu'à
Ruswarp. De là, un sentier l'amena près du centre.

Devant la porte du centre de transmissions, le
jeune agent qui avait pris l'appel à six heures finissait une cigarette. En voyant Elder, il l'éteignit et
retourna à l'intérieur. À part deux secrétaires en
civil, l'une assise devant un ordinateur, l'autre près
des téléphones, ils avaient la pièce pour eux deux.

– J'ai deux collègues qui sont partis déjeuner, dit
l'agent qui éprouvait le besoin de s'expliquer. Tous
les autres, vous savez, ils participent aux recherches.

Elder hocha la tête ; il était bien placé pour le
savoir.

Près d'un mur latéral, il s'assit sur une chaise
d'écolier au dossier rigide, prêtant l'oreille au cliquetis discret des touches de l'ordinateur, tandis que
trois paires d'yeux l'évitaient de leur mieux.

La sonnerie du téléphone les fit sursauter.

La secrétaire garda un court moment le combiné
contre son oreille, puis se tourna, tendant le bras.

– Monsieur Elder, c'est pour vous.

Ils l'ont trouvée, pensa-t-il, et son visage devint exsangue. Il lui était impossible de faire le moindre geste.

– Vous voulez que je prenne le message ? proposa la secrétaire.

– Non.

Laborieusement, il se leva de sa chaise.

– Frank Elder.

– Tout le monde est très occupé, je suppose. À courir après des ombres.

C'était une voix – une voix d'homme – qu'il ne reconnaissait pas.

– Qui est à l'appareil ?

L'homme rit, et Elder comprit qui c'était.

– J'aurais bien envoyé une carte de Port Mulgrave, mais il n'y en avait pas.

Et la communication fut coupée.

– Port Mulgrave, dit Elder. Ça se trouve où ?

– Sur la côte, vers le nord. Près de Staithes.

– Montrez-moi. Montrez-moi ça sur la carte.

L'agent indiqua une petite échancrure du littoral, au nord de Runswick Bay, près de la nationale A174.

– Qu'est-ce qu'il y a, là-bas ?

– Quelques maisons. Et pas grand-chose de plus.

Elder hocha la tête et se dirigea vers la porte.

– Je crois que c'était lui, Keach, au téléphone. Dites-le à votre patron. Port Mulgrave. Dites-le à Maureen.

La Ford était dans un coin du parking. Il dut s'y reprendre à deux fois pour passer la marche arrière. Il sentit que le sang circulait de nouveau dans ses veines, un vaisseau palpitait sur sa tempe. Il aborda bien trop vite le rond-point qui allait le ramener de l'autre côté de la ville vers la route de la côte, et il se contraignit à ralentir. Mais sur la ligne droite longeant le terrain de golf, il écrasa l'accélérateur. La

444

longue côte montant en lacets de Sandsend à Lythe parut lui prendre une éternité. L'odeur de sa transpiration emplissait l'habitacle. Runswick Bay. Hinderwell. La route de Port Mulgrave partait à angle droit juste avant une église. Un peu plus loin, un pub, puis une cabine téléphonique. Celle d'où Keach l'avait appelé ?

S'il s'agissait bien de Keach, et pas d'un canular. S'il n'avait pas menti.

Elder continua d'avancer jusqu'à l'endroit où la route se terminait, laissant place à un sentier s'enfonçant entre les champs labourés. Les derniers lambeaux de brume s'étaient dissipés, mais un gros nuage bouchait l'horizon vers l'ouest. Lentement, il repartit en marche arrière, puis il fit demi-tour. Près de la route, du côté de la mer, on avait amputé la falaise d'une vaste demi-lune de terrain, à moins qu'elle ne se fût effondrée d'elle-même ; elle gisait là, sillonnée de sentiers ne menant nulle part, couverte de fougère par endroits, entre les espaces où la terre était à nu. Au-delà de l'effondrement, la marée descendante avait découvert des dalles de rocher gris-noir, et aussi, pointées vers le large sur un fond de sable et d'argile mêlés, les ruines de deux courtes digues qui semblaient s'effriter dans la mer. Blottie près d'elles, bien calée contre la falaise, se trouvait une grappe de cabanons en piteux état.

Prudemment, Elder commença à descendre.

Au-dessus de lui, des mouettes virevoltaient en poussant des cris rauques.

À dix mètres du bas de la pente, Elder sentit un éboulis de petites pierres se dérober sous son pied. Il partit en glissade, perdant l'équilibre, et la douleur fut vive quand sa cheville gauche se tordit sous lui dans sa chute.

Pendant quelques instants, il resta accroupi, à se masser la cheville, l'oreille aux aguets. À part les cris des mouettes, il n'entendit que le mouvement des vagues et sa propre respiration, haletante.

Au pied de la falaise, les cabanes penchaient dangereusement les unes contre les autres comme un jeu de cartes mal assorties. C'étaient des assemblages de planches de bois brut et de placages en bois traité, recouverts çà et là de plastique épais et de toile de bâche, tenus en place à l'aide de clous et de cordes. Les murs de certaines d'entre elles étaient couverts de peinture, des rouges et des bleus délavés, mais la plupart étaient à nu. Une cheminée bricolée, en fer-blanc, sortait du toit de l'une ; un loquet pendait de la porte d'une autre, les gonds ayant cédé alors que le cadenas tenait encore bon.

Non loin de là, on avait fait un feu sur la plage ; les braises étaient encore tièdes.

Lentement, Elder ouvrit la porte. Il attendit que ses yeux s'accoutument à l'obscurité avant d'entrer.

Il y avait d'autres cendres à l'intérieur, de plusieurs nuances de gris pâle, tassées dans les coins ; des dessins, frustes et rudimentaires, qui s'effaçaient sur les murs. La cheville d'Elder le faisait moins souffrir, à présent, il ressentait à peine une pointe de douleur quand il lui faisait supporter son poids.

Alors qu'il restait là, immobile, dans l'ombre, il entendit, ou il crut entendre, un bruit de l'autre côté du mur où deux larges planches jointives semblaient avoir été légèrement écartées à l'aide d'un levier. Il fit porter tout son poids contre l'une d'elles, et le panneau s'enfonça de deux centimètres, puis refusa de bouger. De nouveau, un bruissement à peine audible, puis une odeur fétide, fauve et moite. Elder exerça une nouvelle poussée, sans résultat.

Se reculant d'un pas, il leva le pied droit et lança son talon, de toutes ses forces, contre la planche.

Elle céda, et les chats bondirent en crachant, passant à droite et à gauche d'Elder, telle une masse de fourrure en furie. Comme il reculait en trébuchant, l'un des animaux lui sauta au visage, ses griffes lui entamant profondément la joue.

Quand Elder porta la main à son visage, il sentit du sang sous ses doigts.

Je connais cette scène, pensa Elder ; je sais où je suis. Comme un moteur de voiture, le cerveau d'Elder commençait à vibrer, à avoir des ratés.

Baissant la tête, il pénétra dans l'ouverture qu'il avait forcée.

Il vit d'abord un vieux placard, sur lequel était posée une pile de journaux anciens. À travers les fissures du toit, une lumière pâle éclairait le plancher. Le lit se trouvait où Elder s'attendait à le voir, poussé contre le mur le plus éloigné. Tant d'autres détails étaient exacts, et pourtant différents.

Elder s'avança lentement.

La couverture n'était pas grise, mais couleur de farine charançonnée. L'air était chargé de remugles douceâtres et salés, de poisson en décomposition et de sang qui sèche.

Debout près du lit, Elder fixait la forme roulée en boule et cachée à sa vue, redoutant ce qu'il allait découvrir. S'armant de courage, il agrippa le rebord de la couverture et la fit glisser lentement.

Katherine était recroquevillée sur elle-même, nue, les bras et les jambes couverts de pinçons, des meurtrissures décolorant ses épaules et son dos.

Le cœur d'Elder s'arrêta.

En approchant son visage de celui de sa fille, il entendit sa respiration entrecoupée.

– Katherine, dit-il à voix basse. Kate, c'est moi.

Quand il posa en douceur la main sur elle, Katherine gémit et ramena ses genoux encore plus près de sa poitrine. Ses paupières s'ouvrirent l'espace d'un éclair, puis se refermèrent.

– Kate... (Il se pencha pour poser un baiser dans ses cheveux.) Ça va aller. Je vais ramener des secours.

Se redressant, Elder se tourna à demi avant de prendre conscience d'une autre présence.

La barre de fer décrivit un arc de cercle, visant sa tête, et au dernier moment Elder leva le bras pour couper sa trajectoire. La douleur fusa, aiguë, intense, de son coude à son poignet, si vive qu'il crut l'os brisé.

Adam Keach portait un T-shirt noir, des Doc Martens et un jean noir ; les muscles de ses bras saillaient, nettement dessinés. Ses cheveux étaient épais et bruns, ses yeux, même dans cet espace pauvrement éclairé, d'un bleu vif. Un sourire fendait son visage comme une cicatrice.

– Elle est belle, non ? dit-il. Enfin, elle l'était. (Il s'esclaffa.) La Belle au Bois dormant. C'est à ça que tu pensais ? À la réveiller avec un baiser ?

Elder bondit pour s'emparer de la barre, mais il ne fut pas assez rapide.

Keach l'esquiva en se reculant, leva les deux bras bien haut, puis abattit la barre de fer. Cette fois, il frappa Elder en plein sur l'épaule gauche, le contraignant à tomber à genoux.

– Pas mal, pour un vieux.

Keach lui décocha un coup de pied en pleine poitrine et Elder tomba en arrière ; un second coup de pied, le bout de la chaussure frappant le sternum, et Elder, le souffle coupé, ne put empêcher sa tête de jaillir vers l'avant.

Keach le frappa au côté et le fit tomber sur le dos, puis, s'agenouillant au-dessus de lui, lui écrasa la gorge avec la barre de fer, qu'il tint en place avec les genoux pour avoir les mains libres. Un flot de vomissure se coinça dans la gorge d'Elder.

Le couteau que Keach sortit du fourreau accroché derrière son dos possédait une lame étroite et légèrement incurvée. Un couteau à dépecer, pensa Elder.

– Une sacrée prise, dit Keach. Toi, ici. Toi et elle. (Il rit de nouveau, et quand Elder tenta de se redresser, il accentua la pression avec ses genoux et tint la pointe du couteau au-dessus de l'arête du nez d'Elder.) Il serait content, Alan, de te voir comme ça. Toi, le flic qui l'a envoyé en taule. Et maintenant, bien sûr, il va le lire dans le journal, comme tout le monde. Il va le savoir, que j'ai baisé ta fille à mort et qu'après je vous ai achevés tous les deux, côte à côte. Je vais être célèbre, pas vrai ? Putain, c'est la gloire !

La pointe du couteau s'insinua sous la peau du front d'Elder et fit pression sur l'os.

Elder rugit et bascula en arrière, saisissant à deux mains le dessous de la barre. Le sang obscurcit l'un de ses yeux.

Poussant la barre vers le haut, il roula sur le côté, lançant son coude de toutes ses forces dans le visage de Keach alors même que celui-ci lui plantait son genou dans le flanc.

L'adrénaline remit Elder sur ses pieds avant Keach.

Le couteau était par terre, entre eux deux.

Keach lâcha un juron, un goût de sang dans la bouche.

À l'extérieur, faciles à identifier, l'approche d'un hélicoptère, les sirènes des voitures de police.

Au moment où Keach baissa les yeux, tendant le bras pour prendre le couteau, Elder lui lança un coup de pied à l'entrejambe, que Keach para à moitié, se tournant aussitôt, le couteau oublié, pour foncer vers la porte ouverte.

L'hélicoptère faisait du surplace à basse altitude. Le souffle de ses pales fouetta ses vêtements, ses cheveux. Depuis la cabine, un policier en combinaison noire pointait sur lui un fusil semi-automatique.

– Nom de Dieu ! s'exclama Keach. Nom de Dieu de bordel de merde !

Ses paroles furent pratiquement perdues dans le vacarme de l'appareil, et il se mit à rire.

Des policiers, dont Loake, descendaient la pente en courant.

Elder, pressant sa manche contre son visage pour étancher le flot de sang, se tenait devant la cabane lorsque Keach, riant toujours, leva les mains au-dessus de sa tête.

– Il est fou, voilà ce qu'ils diront ! hurlait Keach pour se faire entendre. Il est fou à lier, forcément. Impossible de le juger.

Rob Loake lui lança son poing dans la figure, et quand Keach tomba, lui tira les bras très haut derrière le dos et lui passa les menottes. Et Keach riait toujours.

Elder se détourna. Maureen se précipita vers lui.

– Katherine ?

– Elle est vivante.

– Dieu soit loué !

Il grimaça quand elle posa la main sur lui. L'ambulance était arrivée sur la route, en haut de la falaise. Les auxiliaires médicaux se hâtaient de descendre des civières.

– Frank, tu as perdu beaucoup de sang.

– Ça ira.

Alors qu'ils se penchaient sur Katherine, Elder vacilla, et Maureen le retint.

– Kate, dit-il. Ça va aller, je te le promets.

Il l'embrassa, alors, mais elle ne se réveilla pas, pas avant qu'ils ne soient dans l'ambulance, son père assis près d'elle, lui tenant la main.

– Papa..., dit-elle, ouvrant les yeux. Papa.

Puis elle ferma les yeux de nouveau tandis qu'Elder pleurait.

# 51

On transporta Elder et Katherine à l'infirmerie de Leeds. Keach, sous escorte renforcée, fut conduit à York. Dès qu'elle eut un moment, Maureen informa Joanne, que Martyn emmena en voiture dans le Nord.

Katherine dormait, pâle sous un drap blanc, dans la lumière tamisée d'une chambre où bourdonnaient discrètement divers appareils, sous la surveillance vigilante d'une infirmière assise près d'elle.

Joanne trouva Elder dans une chambre adjacente au service des urgences. Il portait un pansement temporaire sur le visage.

– Ne t'inquiète pas, dit Elder. Elle va bien.

Joanne, incrédule, le dévisagea, la colère animant les ombres qui entouraient ses yeux.

– Elle va bien, Frank ? C'est ça que tu appelles aller bien ?

– Tu sais ce que je veux dire. Elle est...

– Je sais ce que tu veux dire. Tu lui as sauvé la vie. Elle est vivante. Elle est vivante, et toi tu es un super-héros, avec ta photo dans tous les journaux, sur tous les écrans dès qu'on allume cette foutue télé.

– Joanne...

– Et que lui est-il arrivé, Frank ? Tu le sais, ça. Et c'est ta faute.

– Non, ce n'est pas...

– Pourquoi crois-tu qu'il s'en est pris à elle, Frank ? Pourquoi Katherine ?

Elder tourna la tête.

– Tu as failli la tuer, Frank. Toi. Pas lui. Parce qu'il a fallu que tu t'en mêles, tu ne pouvais pas rester sans rien faire. Tu as toujours été plus malin que tout le monde, voilà pourquoi.

– Joanne...

– Et tu sais quoi, Frank ? Cette histoire, tu t'en remettras. Tu finiras par te faire une raison, tu trouveras un moyen. Mais Katherine, elle ne s'en remettra jamais.

Elder resta là, immobile, longtemps après que la porte se fut refermée et que le bruit des pas de Joanne se fut estompé au bout du couloir, alors que ses paroles lui résonnaient encore dans la tête.

On garda Elder en observation jusqu'au lendemain matin. Malgré le travail minutieux du médecin de garde, son front allait garder une cicatrice longue de sept centimètres. L'humérus de son bras blessé présentait une esquille, mais pas de fracture. On lui fournit une écharpe, et du paracétamol pour calmer la douleur.

Katherine allait rester dix jours au service des soins intensifs, après quoi on pourrait la transférer à l'hôpital de Nottingham où on la confierait à un kinésithérapeute avant de la laisser rentrer chez elle. Elle était jeune et en excellente forme physique. Avec le temps, son corps guérirait ; même ses lésions internes allaient cicatriser. Quant au reste...

Quand Elder vint la voir, elle eut du mal à regarder son père en face. Était-ce parce que, comme sa mère, elle le tenait pour responsable ? Ou parce que, d'une certaine façon, elle était gênée qu'il sache ce qu'elle avait subi ? Il ne le sut jamais avec certitude.

Il ne pouvait pas le lui demander ; Katherine ne pouvait pas le lui dire.

Quand, au lieu de garder le silence, ils se mettaient à parler, ils se cantonnaient à des sujets ne présentant pas le moindre danger – mais Katherine, qu'on avait enlevée en pleine rue pour lui infliger plusieurs jours au purgatoire et en enfer, ne verrait-elle pas éternellement le danger partout ?

– Qu'est-ce qu'il est devenu ? demanda un jour Katherine.

– Qui ? dit Elder, qui avait déjà compris, bien sûr.

Joanne et lui avaient tenté de ne pas laisser de journaux à portée de sa main, mais dans ce service, beaucoup de gens circulaient.

– Il est à Rampton.

– L'hôpital psychiatrique ?

– Sous haute surveillance, oui.

– On l'a déclaré fou.

– Il subira des tests, pour voir s'il est apte à se défendre.

– À être jugé, tu veux dire ?

– Oui.

– Et s'il ne l'est pas ?

– Ils le garderont, je suppose. À Rampton. À Broadmoor.

– Il s'en tirera.

– Pas exactement.

– Quand je pense à cette autre fille, la pauvre, celle qu'il a tuée...

Elder chercha la main de Katherine et la prit dans la sienne. Il ne savait que trop bien ce qu'impliquerait pour elle la comparution de Keach devant un tribunal : d'une façon ou d'une autre, il lui faudrait témoigner, subir un contre-interrogatoire – il m'a fait ci, et puis il m'a fait ça.

– Quand rentres-tu en Cornouailles ? demanda Katherine.

453

– Pas tout de suite.

– Mais tu vas y retourner ?

– Je pense que oui.

Katherine sourit.

– Et ta copine ?

– De quelle copine tu parles ?

– Maman m'a parlé d'elle.

– Passé cinquante ans, il doit y avoir un terme plus approprié.

– Ta maîtresse, suggéra Katherine. Ta nana. Ta meuf.

– Helen, dit Elder. Elle s'appelle Helen.

– Et c'est sérieux, vous deux ?

– Je ne sais pas.

Elder et Helen avaient passé une journée à Sheffield, une autre à York, dans des endroits commodes et anonymes. Ils n'avaient éprouvé aucune gêne à passer du temps en compagnie l'un de l'autre, à prendre un café ensemble, déjeuner au restaurant, faire du tourisme. Parfois Helen lui prenait le bras, plus rarement c'était Elder qui lui prenait la main. Ni l'un ni l'autre n'abordaient la question qui s'était immiscée entre eux : la fille qu'Elder avait retrouvée, qu'il avait sauvée, c'était la sienne, pas celle d'Helen.

– Ce n'est pas possible que tu sois encore en train de lire ce bouquin, dit Katherine en regardant l'exemplaire épais, aux pages gondolées, de *David Copperfield*.

– J'ai eu d'autres sujets de préoccupation.

– Moi, par exemple.

– Oui, toi. Et puis, j'oublie sans cesse ce qui s'est passé, et je dois revenir en arrière.

– Pourquoi tu ne laisses pas tomber, tout simplement ? Trouve un bouquin plus court.

– Je déteste renoncer en cours de route une fois que j'ai commencé quelque chose. De plus, je veux savoir ce qui s'est passé.

– Qui a fait le coup.

– Pas exactement.

– Je devrais le haïr, non ?

– Je ne sais pas. Probablement. Personne ne te le reprocherait.

– Et toi ?

– Tu veux savoir si je le hais ?

– Oui.

– Oh, sans aucun doute. D'une haine totale. Que je ressens jusqu'au plus profond de chacun de mes os.

– Même ceux qu'il a amochés ?

– Surtout ceux-là.

Katherine sourit, alors que les larmes inondaient ses yeux.


Au début, Katherine avait refusé catégoriquement de voir le psychothérapeute. Puis, quand elle s'y décida, elle nia avoir des flashes, des cauchemars. Poussée dans ses derniers retranchements, elle affirma qu'elle ne se souvenait de rien, de rien du tout ; son calvaire, elle l'avait éliminé de sa mémoire.

– Pourquoi voulez-vous m'obliger à y repenser ? s'écria-t-elle, hurlant presque. Pourquoi faut-il que je revive tout ça ?

À la maison, elle passait beaucoup de temps dans sa chambre. Quelques amis vinrent la voir, lui apportant des fleurs, des assortiments de chocolats de chez Thornton dans de jolies boîtes entourées de rubans, des magazines. Mais la conversation était artificielle, embarrassée (Quelles questions pouvait-on lui poser ? Quels sujets fallait-il éviter ?), et au bout d'un moment ils lui rendirent visite moins souvent. Katherine ne parut pas s'en formaliser. Martyn lui acheta un nouveau téléviseur et un lecteur de DVD pour sa chambre, et elle se mit à regarder des films à longueur de journée, l'un derrière l'autre. *Spider-Man*. Le nouveau *Star Wars*. Tous les films de Johnny Depp. Ceux d'Ethan Hawke.

Un soir, Elder s'assit près d'elle pour regarder *Hamlet*, une version moderne située à New York, avec Ethan Hawke dans le rôle du jeune prince feignant la folie, une Ophélie qui va encore à l'école et que des circonstances qui la dépassent mènent au suicide.

Bien que connaissant l'histoire, Elder trouva le film fascinant. Assis dans un fauteuil près du lit de sa fille, il ne délaissait l'écran que pour regarder Katherine, dont le visage reflétait le déroulement de l'action.

Alors que le dénouement approchait, Joanne ouvrit la porte sans bruit, jeta un coup d'œil dans la chambre, et repartit discrètement.

Une demi-heure plus tard, quand tout fut rangé et que Katherine se fut endormie, Elder descendit au rez-de-chaussée. Joanne se trouvait dans la cuisine; elle se préparait un gin-tonic.

– Tu en veux un?

– Non, merci.

– Tu ne prends pas de risques, hein?

– Je l'espère bien.

Il regarda Joanne couper une tranche de citron et la plonger au fond d'un grand verre à l'aide d'une fourchette.

– Cette Helen, dit Joanne, c'est toujours une simple amie?

– C'est une amie, oui.

– Une amie que tu baises, Frank?

*Celles qu'on baise, ce n'est pas les meilleures amies possibles?* aurait-il pu dire en s'efforçant de prendre un ton désinvolte. Ou, plus caustique: *Tu en sais plus long que moi sur la question.* Mais il s'abstint de répondre quoi que ce soit.

– Tu as perdu ta langue, Frank?

– Il est temps que je parte, dit-il.

Joanne goûta son cocktail, le laissant s'attarder un instant sur sa langue.

– Je regrette ce que j'ai dit, à l'hôpital, le premier jour. J'étais en colère.

– Je le sais. Je ne t'en veux pas.

– Quand même. (Elle lui toucha le bras, la main.) Nous devrions être amis, Frank. Surtout maintenant.

– Nous le sommes.

Joanne déposa un baiser tout près de la bouche d'Elder, et il capta l'odeur du gin qu'elle avait bu. Ce verre-ci n'était pas son premier.

– Il me quitte, Frank. Dès que Katherine ira mieux. Il me quitte exactement comme je t'ai quitté.

– J'en suis désolé.

– Vraiment ? J'aurais cru que cela pourrait te faire plaisir.

– Non.

– C'est tout ce que je mérite. (Elle s'esclaffa.) Il part s'installer à Londres avec un mannequin de mode qui n'a pas de hanches, pas de seins, et une bouche comme un collecteur d'égout. (Elder s'éloigna d'un pas.) Il fait preuve de générosité, cela dit. Il me laisse la jouissance de la maison aussi longtemps que je voudrai y rester. Et la moitié du prix de vente le jour où on s'en débarrassera.

– Je ferais mieux de partir, dit Elder.

– Pourquoi tu ne restes pas ?

– Non.

– Nous formions une famille, fit Joanne alors qu'il atteignait la porte.

– Oui, dit Elder. Je m'en souviens.

Il hésita à peine avant de franchir la porte, qu'il referma derrière lui.

C'était l'une de ces journées étranges, inattendues, où les prémices de l'hiver semblent s'effacer, et où tout est bleu et limpide. L'eau du canal réfléchissait un soleil éclatant qui baignait d'une lumière chaude les constructions en brique. Le nouveau tribunal de

Nottingham, tout en verre et acier, étincelait tel un palais dans un conte de fées. Adam Keach avait déjà été officiellement inculpé et placé en détention. Au cours des semaines qui suivirent, après des examens poussés, deux des trois psychiatres allaient le déclarer apte à passer en jugement. Son procès en cour d'assises n'aurait lieu que plusieurs mois plus tard.

Avant que cela ne survienne, cependant, ce fut Shane Donald qui dut comparaître devant le magistrat, squelettique dans ses vêtements gris, le visage blafard, un pansement sur l'œil à la suite d'un incident quelconque, rongeant sans cesse la peau à vif autour de ses ongles. Quand on l'avait fait entrer dans la salle d'audience, il avait aperçu Angel, refusant dès cet instant de regarder dans sa direction. Sa libération conditionnelle déjà révoquée, il fut mis en détention provisoire, inculpé de vol et d'agression ayant entraîné des blessures corporelles. Quand il eut confirmé son identité et déclaré qu'il comprenait les accusations portées contre lui, il n'eut plus grand-chose à dire.

Angel se leva quand on l'emmena; le nom de Shane lui vint timidement aux lèvres, mais s'il l'entendit ou s'il s'en émut, il n'en laissa rien paraître. Assistant à la scène, Elder eut envie de s'approcher d'elle et de lui présenter ses excuses, de s'expliquer, de lui dire que tout allait s'arranger pour le mieux, mais il pensa qu'une trahison suffisait.

# 52

Le vol Air Malaysia quitta l'aéroport d'Heathrow, terminal 3, à vingt-deux heures trente. À dix-sept heures trente le lendemain, l'avion se posait à Kuala Lumpur et repartait deux heures plus tard, pour finalement arriver à Auckland à onze heures quinze le matin suivant.

Tout le temps nécessaire, entre des repas étonnamment savoureux et des bribes de films consternants, pour finir *David Copperfield*. Socialement établi, auteur à succès et, après une vie commune bien trop longue avec une épouse mal assortie, enfin uni à la compagne idéale, le héros de Dickens savoure enfin son discret triomphe. Son bonheur. Pourtant, Elder ne pouvait s'empêcher de se demander si un homme dont le jugement manquait à ce point de perspicacité, dont les choix avaient été si manifestement stupides, méritait vraiment de trouver le bonheur.

Et Elder se posait aussi des questions sur lui-même.

Il referma son livre, mais son attention restait attirée par le chapitre 31, « Une perte plus grande encore », et à la lettre qu'avait écrite la jeune Emily avant de s'enfuir avec son amant, l'homme qui l'avait séduite : *Toi qui m'aimes bien plus encore que je ne l'ai jamais mérité, même au temps où mon âme était innocente, lorsque tu liras ces lignes, je serai déjà loin.*

La lettre que Susan Blacklock avait peut-être écrite, mais jamais envoyée.

À Auckland, Elder présenta ses bagages, ou ce qui en tenait lieu, aux douaniers, et montra son passeport aux services de l'immigration.

– Voyage d'affaires ou d'agrément?

Elder n'en savait trop rien; il avait le sentiment que ce n'était sans doute ni l'un ni l'autre.

*À Karori*, lui avait répondu Helen Blacklock, quand il lui avait demandé si elle savait où vivait le père de Susan. *À Karori; mais je ne pourrais pas te dire où ça se trouve.* C'était dans la banlieue de Wellington, à l'ouest de la ville, avait découvert Elder. Les chances étaient bien minces que David Ulney réside toujours à la même adresse, mais retrouver la trace des gens était l'une des choses qu'Elder avait appris à faire.

La route en provenance de l'aéroport céda bientôt la place à des rues étroites qui s'élevaient, par une série d'épingles à cheveux, pour contourner le centre de la ville. Le taxi le déposa près d'un modeste alignement de magasins, un garage, des banques, une bibliothèque. Pour se repérer, Elder consulta le plan qu'il avait apporté.

Les façades en bois des maisons étaient presque toutes peintes en blanc ou en crème, leurs toits couverts de tuiles en terre cuite, et leurs petites pelouses protégées du vent par des buissons et de petits arbres. Les gens à qui il parla se montrèrent aimables, pas particulièrement méfiants, heureux de bavarder. David Ulney était parti s'installer ailleurs, mais pas très loin, échangeant une adresse à Karori pour une autre, avant de quitter la ville pour de bon.

L'homme était assis devant un garage en partie démoli, détachant à coups de marteau le mortier adhérant à une brique prise dans une pile parmi beaucoup d'autres. Une épaisse couche de poussière blanche couvrait ses bras, sa chemise, et traçait des traînées sur son visage et ses cheveux.

– C'est à Paekakariki qu'ils se sont installés. À moins d'une heure de route par la Nationale 1. Ou alors, vous pouvez prendre le train. On a eu leur adresse, mais on ne l'a plus. Vous n'aurez pas de mal à les trouver, remarquez. Ça m'étonnerait qu'il y ait plus d'une centaine de maisons, au maximum, et la plupart sont des maisons de vacances. Ils ne sont pas si nombreux, les gens qui vivent là-bas à l'année. (Elder le remercia.) Si vous le voyez, ajouta l'homme, demandez-lui, à ce crétin, pourquoi il a construit son garage du mauvais côté de la maison; il me bouffe toute la lumière.

Il fut réveillé par la pluie qui cinglait la fenêtre. Sur sa table de nuit, le réveil indiquait 4 h 27. Il secoua un peu son oreiller, tira les couvertures et ferma les yeux. Quand ils se rouvrirent, il était 9 h 23 et la pluie avait cessé. Une douche rapide, du café et du pain grillé, et il était en route pour la gare. Quand le train s'arrêta à Paekakariki, la plupart des nuages s'étaient dispersés, faisant place au soleil et au ciel bleu.

Quand le train repartit, les barrières du passage à niveau se levèrent, et les véhicules venant de la nationale, deux camions poussiéreux et un quatre-quatre noir lustré, s'engagèrent sur la large route qui menait des voies de chemin de fer jusqu'à la plage.

Elder demanda à une femme qui débarrassait les tables à la terrasse d'un petit café si elle savait où habitaient les Ulney.

Empilant les assiettes et les tasses, elle secoua la tête.

– Demandez donc à Michael, à la librairie. Il connaît tout le monde.

Michael O'Leary était un barbu aux cheveux longs et gris, dont le T-shirt portait sur la poitrine l'inscription : *C'est par où ?*

– Ulney, répéta O'Leary en réponse à la question d'Elder. Oui, c'est bien possible.

– Je suis un ami de la famille, expliqua Elder. J'ai perdu le contact, vous savez comment ça se passe.

– Et vous venez leur rendre visite ?

– C'est ça.

O'Leary prit tout son temps, rien ne pressait.

– Vous les trouverez sur la route de la côte, la Parade. De l'autre côté du carrefour d'Ocean Drive. Une petite maison en retrait de la route. La jeune femme qui habite là, elle vient à la boutique de temps en temps. Elle aime bien lire.

– Ça doit être Susan.

Le bouquiniste hocha la tête.

– Susan Ulney, c'est ça.

Près de la porte, Elder remarqua, dans une pile de livres de poche, plusieurs volumes de Katherine Mansfield, écornés et un peu fatigués. *Vous savez, D.H. Lawrence a vécu là, avec Frieda, sa femme. Dans l'un des cottages. Katherine Mansfield, aussi, pendant un temps*. C'était ce que lui avait dit sa propriétaire, quand il avait loué la maison en Cornouailles. Le livre qu'il choisit, plus ou moins au hasard, avait une illustration aux couleurs passées en couverture, une femme assise devant un miroir, dans des tons de bleu et de gris pâles. *Félicité*. Six dollars néo-zélandais.

Quand Elder ressortit de la boutique, O'Leary, l'air réjoui, chantait pour lui-même une vieille ballade des Rolling Stones.

Glissant son livre dans sa poche, Elder suivit la route en pente douce qui décrivait une courbe vers la mer. D'un côté, un alignement de maisons de vacances mal assorties se prolongeait à perte de vue ; de l'autre, partait une promenade qui s'amenuisait à l'horizon au-dessus d'une bande de sable de plus en plus étroite. Des oiseaux blanc et noir aux pattes rouges et aux longs becs tout aussi rouges déambulaient d'une démarche saccadée à ras de la ligne de marée. En glapissant, quelques enfants couraient dans les vagues, se ruant dans les rouleaux qui s'étalaient paresseusement pour en ressortir aussitôt.

La maison était petite, haute d'un seul étage, perchée sur des pilotis en façade ; on y accédait par un escalier en bois qui traversait un jardin en pente à l'abandon, presque entièrement envahi par de petites fleurs sauvages jaunes et blanches.

Sur la droite, une large baie vitrée à trois faces donnait sur la plage ; sur le côté, à l'ombre du toit, une véranda profonde courait sur toute la largeur de la bâtisse. Les lattes blanches du plancher, craquelées, rongées par les intempéries, auraient eu grand besoin d'une nouvelle couche de peinture ; la gouttière gris bleu nécessitait quelques réparations.

Tandis qu'Elder examinait la maison, une femme en sortit, par la porte de la véranda, tenant une planche à pain qu'elle secoua pour en faire tomber des miettes. Une chemise à carreaux, ouverte sur un T-shirt pâle, pendait à l'extérieur de son jean. Ses cheveux blonds avaient foncé, sa silhouette s'était épaissie, mais Elder eut la certitude que c'était bien elle qu'un promeneur avait vue, le nez au vent sur le sentier de la falaise, près de Saltwick Nab, en ce mardi d'il y avait quatorze ans.

Elle se figea quelques secondes, fixant par-dessus la tête d'Elder un point quelconque situé loin derrière lui. Mais elle lui tourna le dos et disparut.

Le cœur battant plus vite qu'il n'aurait dû, Elder poussa le petit portillon et s'avança vers l'escalier.

– Oui ?

Dès qu'il eut frappé, elle ouvrit la porte.

Comparée aux photos qu'il avait vues, sa bouche semblait s'être étrécie, se repliant sur elle-même ; des rides de fatigue soulignaient ses traits et son regard avait perdu de son éclat. La vie l'avait vieillie davantage que ses trente années.

– Susan ?

– Oui.

– Susan Blacklock ?

L'espace d'un instant, il crut qu'elle allait prendre la fuite, bondir dans la maison et pousser le verrou ; elle avait imaginé cette scène tant de fois... C'était son unique cauchemar, son rêve récurrent.

*Si je ferme les yeux, il va disparaître ; quand je les rouvrirai, il ne sera plus là.*

Il était toujours là.

– Qui êtes-vous ? demanda-t-elle à voix basse.

– Frank Elder. J'étais l'un des inspecteurs qui ont enquêté sur votre disparition.

– Oh, mon Dieu !

La bouche grande ouverte, le souffle coupé, elle vacilla en avant. Elder tendit le bras pour la retenir, mais elle rétablit son équilibre, une main contre le chambranle de la porte.

– Comment avez-vous... Non, non, je veux dire... Pourquoi ? Pourquoi après tout ce temps ?

– Je voulais en avoir le cœur net.

– Et vous êtes venu de si loin pour ça ?

– Oui.

Les larmes montèrent aux yeux de Susan et elle détourna la tête. Derrière elle, sur la table de la cuisine, Elder vit une thermos, des tranches de pain fraîchement coupées, certaines débarrassées de leur croûte, du fromage et de fines tranches de jambon.

Susan sortit un mouchoir en papier de sa poche de jean, s'essuya les yeux, se moucha, s'excusa.

Elder secoua la tête.

– Alors, vous savez, dit Susan. Ce qui est arrivé ?

– Je crois bien, oui.

Elle hocha la tête, renifla, et fit un demi-pas en arrière, rentrant dans la maison.

– Vers cette heure-ci, d'habitude, nous allons nous promener. Nous emportons des sandwiches, une bouteille. Pour le déjeuner. (Même après tout ce temps, plus elle parlait, plus ressortait son accent des Midlands.) Si vous voulez bien attendre, nous n'en avons pas pour longtemps.

Quelques minutes plus tard, un sac à dos sur les épaules et vêtue d'un polaire pour se protéger du vent, Susan manœuvrait le fauteuil roulant pour lui faire franchir la porte.

Dave Ulney avait perdu toute sa prestance ; ce n'était plus le bourreau des cœurs aux mèches collées sur le front, chaussures en daim et costume à veste longue. Sa tête tombait d'un côté, son visage émacié était blafard, ses cheveux rares et blancs, et le regard de ses yeux bleus et larmoyants semblait se perdre au loin. Dans ses vêtements boutonnés avec soin, la couverture enroulée autour de ses jambes, son corps était rabougri, usé. Il doit avoir soixante-cinq ans, se dit Elder, soixante-dix au maximum, il en paraît douze de plus.

– Papa, dit Susan, voici le monsieur dont je t'ai parlé, qui vient d'Angleterre.

Les paupières clignèrent un peu ; la main posée sur la couverture, les doigts noués, se leva brièvement puis cessa de bouger.

– Il va se promener avec nous, pour qu'on puisse parler.

Un filet de salive incolore coula du coin de la bouche de son père ; d'une main experte, Susan l'essuya.

– D'accord, papa ?

Sur la véranda, elle fit pivoter le fauteuil roulant et le fit rouler en marche arrière jusqu'à l'escalier. Quand Elder lui proposa son aide, elle secoua la tête.

– Pas la peine. J'ai l'habitude, maintenant.

Haut dans le ciel, il y avait quelques nuages de plus qui venaient de l'ouest, mais qui n'étaient pas encore menaçants. En dépit du soleil, le vent était glacial, et Elder fut content de glisser les mains dans ses poches pendant la promenade. Il n'avait pas besoin de poser de questions ; il savait que Susan allait parler, à présent, au moment qu'elle choisirait.

Sur la plage, un petit chien, une sorte de terrier, courait après un ballon.

– Quand j'ai appris, commença Susan, quand j'ai découvert, comment dire... qui était mon vrai père... (Elle marqua une pause et recommença.) Quand on est mômes, on pense toujours : les parents, ils ne sont pas nos vrais parents, ce n'est pas possible, comme dans les contes de fées ou dans *Superman*, et puis quand... quand ça nous arrive vraiment... quand j'ai découvert cette photo de mon père, cette photo... J'ai pensé, ce n'est pas possible, que ça m'arrive à moi ! Et maman, elle refusait d'en parler, de me dire quoi que ce soit, où il vivait, ou dans quel pays il était parti, et je suppose que j'ai inventé cet homme, ma version à moi de ce qu'il était. J'ai imaginé en quoi il serait différent de Trevor, mon beau-père. Je me suis dit que, lui, il ne serait pas sans cesse après moi, et qu'il ferait des choses passionnantes, qu'on les ferait ensemble, lui et moi... Et puis, un jour, il a pris contact avec moi... Dave... Mon vrai père. Il a donné une lettre pour moi à une fille de ma classe. J'avais quinze ans. Juste quinze ans. Il me disait qu'il voulait me rencontrer. Et il l'a fait. Il m'attendait. Il était tellement... tellement...

Susan s'arrêta et se détourna, la tête baissée, pour laisser ses larmes couler. Elder resta planté sur place, mal à l'aise ; un peu à l'écart, ne sachant que dire ni que faire.

Finalement, elle se tamponna le visage, resserra la couverture autour des jambes de son père, et se remit en route, poussant le fauteuil contre le vent.

– Vous avez fait connaissance avec votre père, l'encouragea Elder.

– Oui. Nous sommes allés dans un café, il m'a dit qu'il avait peu de temps... Maman m'aurait tuée si elle l'avait su. Il m'a parlé du pays où il vivait, un endroit merveilleux, à l'entendre, à l'autre bout du monde. Il y avait un photomaton au coin de la rue, il m'a dit qu'il voulait que j'aie une photo de lui, que je garderais sur moi. Et puis il a dit qu'il reviendrait me chercher. Il me l'a promis. C'est notre secret, il a dit, notre secret. Et il l'a fait. Cet été où nous étions à Whitby. Tiens, il m'a dit, j'ai les billets, le tien et le mien. Un passeport, tout ce qu'il faut. Tout est arrangé. Je ne savais pas quoi faire. J'ai pensé : je ne peux pas partir comme ça. Si, maintenant, il a insisté. Il faut que tu viennes maintenant. Ou pas du tout. Ne dis rien à ta mère. Ne dis rien à personne.

Susan regarda Elder un moment, puis détourna les yeux.

– Je sais que j'aurais dû écrire, laisser un mot, téléphoner, prévenir d'une façon ou d'une autre. Quand je pense à ce que maman a dû vivre... Quand j'ai vu quelle ampleur prenait toute cette histoire – c'était dans les journaux, même ici – je ne m'en suis pas sentie capable. Je ne sais pas si j'étais embarrassée, ou si j'avais honte, mais plus je retardais le moment de le faire, plus ça devenait impossible. Et papa m'a dit que c'était de cette façon-là qu'elle l'avait traité pendant toutes ces années : comme s'il était mort. Elle s'en remettra, me disait-il.

En douceur, elle toucha le bras d'Elder.

– Mais elle ne s'en est jamais remise, n'est-ce pas ?

– Pas vraiment, non.

Elder pensait à Helen, à son mariage qui s'était désintégré, aux pèlerinages qu'elle faisait pour déposer des fleurs sur ce qui n'avait jamais été une tombe.

– La plupart du temps, nous allons jusqu'au parc, dit Susan qui tendait le bras devant elle. Il y a un endroit où nous pouvons déjeuner à l'abri du vent. D'habitude, il reste toujours un sandwich.

– Merci.

– Il vaut mieux qu'il soit mangé par vous plutôt que par les mouettes. (Avec une colère feinte, elle brandit le poing dans leur direction alors qu'elles tournoyaient au-dessus d'eux.) Sale vermine ! Bande de maraudeurs ! (Elle sourit, et son visage entier se métamorphosa.) C'était dans un livre que j'avais quand j'étais petite. Les mouettes volaient sans cesse le déjeuner du gardien de phare. C'est lui qui les traitait de vermine.

Souriant encore un peu, elle dévissa le capuchon de la thermos, et Elder tint la tasse tandis qu'elle versait la boisson.

Elle aida d'abord son père à boire, lui renversant légèrement la tête, et elle épongea avec une serviette en papier le liquide qui ressortait de sa bouche.

Ils s'assirent près du fauteuil roulant, pour manger leurs sandwiches en contemplant la mer.

– Au début, quand je suis arrivée ici, tout allait bien. J'ai fini mes études secondaires, je me suis bien adaptée. Et papa était génial, comme un ami, un copain. Les autres filles, elles étaient toutes jalouses. *Ah, ce que j'aimerais avoir un père comme le tien !* Et puis, après la fac, j'ai été engagée dans cette troupe de théâtre pour enfants, où je touchais un peu à tout. J'adorais ça. C'était le genre de chose dont j'avais toujours rêvé. De temps en temps on quittait la ville, on partait faire de petites tournées. C'est lorsqu'on était à Christchurch que papa a eu sa première attaque. Il était à l'hôpital quand je suis rentrée. Rien de bien grave, m'a dit le médecin. Il allait devoir faire attention, vous comprenez, mais il avait presque entièrement récupéré l'usage de ses membres. Et il pouvait parler, il n'avait pas de lésions au cerveau, il...

Susan reposa sa tasse, et pendant un moment elle ferma les yeux.

– Il ne pouvait plus vraiment travailler, mais ça n'avait pas d'importance, on se débrouillait. Et puis, il y a trois ans, il a eu une autre attaque, très grave, cette fois. Après ça, il a eu besoin que quelqu'un s'occupe de lui en permanence. La solution la plus simple, pour moi, c'était que je m'arrête tout simplement de travailler. Il ne peut pas... À vrai dire, il ne peut plus rien faire tout seul. Plus maintenant.

Tendant le bras, elle pressa la main de son père.

– Cela aurait été plus logique, pour nous, de rester à Karori, mais il a toujours aimé venir ici. C'est l'un des premiers endroits qu'il m'a montrés quand je suis arrivée. Il n'y avait pas autant de maisons, à ce moment-là. Quand je serai mort, disait-il, c'est ici qu'il faudra disperser mes cendres, ici, le long de la plage.

Se levant, elle lança les restes d'un sandwich vers l'une des mouettes, et regarda les autres se précipiter dessus en poussant des cris.

– Nous devrions rentrer, je ne veux pas que papa attrape froid.

Devant la maison, ils se serrèrent la main.

– Vous ne m'en voudrez pas si je ne vous propose pas d'entrer ?

469

Elder secoua la tête.

– Vous verrez ma mère quand vous rentrerez ?

– C'est très probable, oui.

– Dites-lui que je suis désolée.

– Oui.

– Dites-lui qu'elle n'aurait pas dû me cacher la vérité.

Elder pensa qu'il ne lui transmettrait sans doute pas ce second message.

– Si les choses changent, fit-il, croyez-vous que vous pourriez peut-être revenir en Angleterre ?

– Non. Je ne crois pas.

– Très bien.

Elder se détourna et, les mains dans les poches, repartit comme il était venu. Avec un peu de chance, il n'aurait pas à attendre trop longtemps pour avoir un train. Il essaya d'imaginer à quoi ressemblait aujourd'hui la vie de Susan Blacklock, à présent qu'il savait, sans vraiment la comprendre, pourquoi elle était venue, pourquoi elle restait. Il se la représenta, défaisant patiemment les vêtements de son père, les faisant glisser pour libérer ses pieds et ses mains, et commençant à lui faire sa toilette en promenant une éponge humide sur sa peau cireuse...

Les circonstances voulurent qu'un train fut supprimé, le suivant retardé. De retour au café, en terrasse, Elder ouvrit le recueil de nouvelles, qu'il avait vaguement l'intention d'offrir à Katherine à son retour. Sa fille, après tout, portait le même prénom que l'auteur. Mais – il ne tarda pas à s'en rendre compte – les histoires étaient trop déprimantes, décrivant trop d'existences qui ne parvenaient pas à se réaliser. Il allait plutôt lui trouver quelque chose à l'aéroport. Quand il se leva pour partir, il laissa le livre sur la table, à côté de sa tasse vide.

## 53

Cinq jours après Noël, Shane Donald, toujours en détention provisoire, se charcuta le bras avec le tranchant rouillé d'une lame de rasoir, s'enlevant un morceau de chair. Après une visite à l'hôpital et deux séances avec le psychologue de la prison, il fut transféré dans un quartier de haute sécurité en application de l'article 43 du règlement, concernant la protection des détenus vulnérables. Comme lui.

Au cours de la promenade, lorsque les détenus sont libres de circuler en tous sens sous le regard des gardiens avant de regagner leur cellule, l'un d'eux glissa un bout de papier dans la main de Donald et poursuivit son chemin.

L'écriture était heurtée, hâtive.

*Joyeux Noël, mon trésor! Compte sur moi pour transmettre tes amitiés à Alan la prochaine fois qu'il me rendra visite. Mais, franchement, je ne vois vraiment pas ce qu'il a pu te trouver!*

Le morceau de papier faillit glisser des doigts de Donald. Il lut le message une deuxième fois, puis une troisième.

Il ne lui fallut pas longtemps pour repérer Adam Keach au milieu de la lente déambulation des autres prisonniers. Il se tenait seul près du mur du fond, un sourire ironique aux lèvres.

Donald frissonna, roula le papier en boule, le mit dans sa bouche, le mâcha et le recracha.

– Ça va, petit ? demanda l'un des gardiens.

Donald hocha la tête et s'éloigna.

Quand il regarda Keach de nouveau, celui-ci lui sourit et lui envoya un baiser.

L'hiver s'effaça devant le printemps. Cette fois, Katherine prit le train, sans discuter, et Elder vint l'attendre à la gare de Penzance, retraversant la péninsule par les plus étroites des routes de campagne. Le lendemain, elle se sentit suffisamment vaillante pour aller à pied jusqu'à St Ives par le sentier côtier et en revenir à travers champs. Si sa convalescence se poursuivait comme prévu, elle pourrait reprendre un entraînement léger à son retour à Nottingham.

Ce soir-là, Elder suggéra qu'ils dînent au pub où ils avaient déjà pris un repas la première fois, mais Katherine insista pour faire la cuisine. Elle avait fait des courses à St Ives à cet effet. D'humeur joyeuse, Elder déboucha une bouteille de vin tandis que la cuisine s'emplissait de l'odeur aigre-douce des oignons et de l'ail qui fondaient dans la poêle, et que la radio diffusait de la musique dans une autre pièce. Il mit la table, et ils s'installèrent devant un plat de pâtes aux épinards et au bleu, accompagné de bon pain et d'une salade composée – romaine, roquette, et tomates cerises.

Katherine regarda son père prendre une première bouchée, enroulant soigneusement les spaghettis autour de sa fourchette, puis une seconde.

– Alors ?

– Alors quoi ?

– Tu le sais très bien.

– C'est délicieux. (Elder s'esclaffa.) Vraiment savoureux.

472

– Tu es sûr ?

– Certain.

Ils s'étaient mis d'accord pour ne pas parler de ce qui était arrivé. Et, à vrai dire, Elder en était soulagé. Je peux faire tout ce travail-là avec ma psy, avait déclaré Katherine, elle est payée pour ça, après tout. Depuis Noël, la fréquence des séances avait été réduite à deux par semaine.

Katherine ramassa les assiettes.

– Il fait assez chaud pour qu'on s'assoie dehors ?

– Tout juste.

Il y avait une lumière violette dans le ciel, les derniers vestiges du soleil se diluant dans le bord extrême de l'océan. Ils s'installèrent, col relevé, un verre de vin à la main.

– Je peux te poser une question ? dit Katherine.

– Vas-y.

Il pensait que cela concernerait Joanne, mais il se trompait.

– Cette femme que tu voyais, Helen... Tu ne la vois plus ?

– Non.

– Et pourquoi ?

Elder savourait sa gorgée de vin, au goût de fruit mûr, avec une pointe de cassis. Dès son retour en Angleterre, il avait pris sa voiture pour se rendre à Whitby. Il aimait être fidèle à ses promesses, et il allait enfin pouvoir tenir celle qu'il avait faite voilà bien longtemps. La fille d'Helen, il l'avait bel et bien retrouvée. N'était-ce pas ce qu'il avait juré de faire ?

Assis dans le petit salon encombré, tandis qu'il rendait compte à Helen de ce qu'il avait découvert, il avait observé son visage, dont les traits se durcissaient à vue d'œil. Il avait sondé son expression tandis qu'elle dépliait la feuille de papier sur laquelle il avait inscrit l'adresse de Susan. À quoi s'attendait-il ? À des larmes de joie ? De soulagement ? Au lieu de quoi elle s'était contentée de fixer le plancher ; ses sentiments, quels qu'ils aient été, elle les avait gardés au plus profond d'elle-même.

Et quand, un peu plus tard, il avait tenté de la prendre dans ses bras, elle s'était dérobée. La fuite de sa fille avait érigé, brique par brique, un mur entre Elder et elle.

– Pourquoi ? finit par répondre Elder. Je n'en sais rien. C'est le genre de chose qui arrive.

Katherine hocha la tête.

– C'est dommage. Le jour où elle est venue à l'hôpital, je l'ai trouvée sympa.

De temps à autre, Elder le savait, Helen empruntait encore le sentier de la falaise jusqu'à Saltwick Nab pour laisser des fleurs à l'endroit où Susan avait disparu. Comme si Elder ne l'avait pas retrouvée ; comme si elle était morte. Il ne savait pas si elle avait écrit à sa fille, si elle lui écrirait un jour.

– Le procès..., commença Katherine.

– Il est encore possible que tu n'aies pas besoin de t'y rendre.

– Comment ça ?

– Il peut encore plaider coupable.

– Et pourquoi il ferait ça ?

– Pour que la peine soit moins lourde. S'il plaide non coupable et que le verdict est contre lui, le juge ne lui fera pas de cadeaux.

– Et tu crois que c'est ce qu'il va choisir ?

– Il me semble que c'est ce que son avocat va lui conseiller.

Katherine tripota une mèche de ses cheveux.

– Mais s'il ne le fait pas, malgré tout... Si je dois témoigner contre lui, promets-moi que tu ne viendras pas. Au tribunal.

– Kate...

– Promets-le-moi.

– D'accord.

474

Cette nuit-là, Elder fut réveillé par les cris de sa fille. Quand il poussa la porte de sa chambre, elle était au milieu du lit, dressée sur son séant, les couvertures éparpillées autour d'elle, la sueur pareille à des billes de verre sur son front et ses joues. Elle fermait les yeux très fort, comme si une lame aiguisée pénétrait dans son crâne.

– Katie... Kate...

Quand elle rouvrit les yeux, elle ne vit rien, aveuglée par le souvenir de la douleur.

– Katherine...

Avec mille précautions, Elder lui prit les mains et répéta son nom encore et encore, et puis elle le vit devant elle, et elle se laissa retomber sur ses oreillers. Il alla chercher une serviette de toilette, lui épongea le visage et resta assis près d'elle un moment, sans parler. Puis, quand il estima qu'il pouvait la laisser seule, il descendit pour préparer du thé pendant qu'elle se changeait, enfilant un pantalon de survêtement et un T-shirt propre.

– Il y a combien de temps, demanda Elder, que tu fais des cauchemars ?

– Depuis que c'est arrivé. Depuis que tu m'as retrouvée.

Au moment précis, pensa Elder, où le mien s'est arrêté. Où il a disparu.

– Et ils reviennent souvent ?

Katherine le regarda avec un pâle sourire.

– Bien assez souvent comme ça.

Il reversa du thé dans la tasse de Katherine, y ajouta du lait et du sucre, remua le tout.

– Dans ces cabanons, sur la plage, dit Katherine, il y avait des chats ?

– Oui. Quelques-uns. Sauvages, je pense.

– Je ne savais pas s'ils avaient vraiment existé ou bien, tu vois, s'ils faisaient partie de mon rêve.

– Non, ils étaient bien réels.

– Tu te rappelles, quand j'étais petite, j'ai toujours voulu en avoir un ? Un petit chat ?

– Je m'en souviens.

– J'ai dû vous rendre fous, maman et toi, avec ça.

– Ta mère était allergique.

– Je croyais que c'était seulement à toi, qu'elle était allergique.

– Très drôle.

Katherine s'esclaffa, puis secoua la tête.

– Elle est malheureuse, tu sais.

– Elle s'en remettra. Ça ne m'étonnerait pas qu'elle trouve quelqu'un d'autre.

– Tu crois ?

– Je ne vois pas ce qui pourrait l'en empêcher.

– Ou alors, Martyn reviendra en rampant.

– Probablement.

– Ça t'est égal, n'est-ce pas ?

– Je n'ai pas envie qu'elle soit malheureuse.

– Je crois, fit Katherine, que je vais retourner me coucher.

– Très bien. Je vais juste rincer ces tasses.

Arrivée presque en haut de l'escalier, Katherine s'arrêta et lança à son père :

– Ces cauchemars, ils vont finir par disparaître, non ? Je veux dire, avec le temps ?

– Oui. (Il leva les yeux vers elle.) Oui, j'en suis sûr.

– Les tiens se sont bien arrêtés, après tout.

– Oui, les miens ont disparu.

Elle sourit.

– Bonne nuit, papa.

– Bonne nuit, ma chérie. Dors bien.

– Toi aussi.

Elder attendit que la porte de Katherine se referme pour retourner dans la cuisine. Dans le placard, il y avait une bouteille de Jameson's presque neuve, et il s'en servit un grand verre. Il n'était pas

476

loin de quatre heures du matin. Dehors, il faisait encore noir, et Elder dut scruter l'obscurité un bon moment avant de distinguer la crête du mur de pierre, les silhouettes des animaux dans le pré. S'il restait là assez longtemps, il verrait le jour se lever.

## Remerciements

Nous avons tous besoin d'aide, et pour écrire ce roman, c'est avec gratitude que j'ai accepté celle de plusieurs personnes.

Je dois en particulier des remerciements à mon agent, Sarah Lutyens, et à Andy McKillop, Susan Sandon et Justine Taylor chez Random House (Royaume-Uni); au commissaire principal Peter Coles (retraité) et à Caroline Smith, coordinatrice à la fédération d'athlétisme du Royaume-Uni; à Michael O'Leary, propriétaire de la librairie Pukapuka à Paekakariki, et à d'autres amis néo-zélandais; à Sarah Boiling et, tout spécialement, à mon ami et mentor Graham Nicholls.

Achevé d'imprimer en novembre 2008
sur les presses de Normandie Roto Impression s.a.s.
61250 Lonrai
pour le compte
des Éditions Payot & Rivages
106, bd Saint-Germain - 75006 Paris

Dépôt légal : mai 2007
N° d'imprimeur : 08-3739

*Imprimé en France*